"A comunidade evangélica brasileira recebe com satisfação a mais recente edição em português desta obra que, nas últimas décadas, tem servido de importante instrumento para estudo da Bíblia em milhares de igrejas espalhadas pelo país."
Júlio Roberto de Souza Pinto, professor da Faculdade Teológica Batista de Brasília.

"Trata-se de um livro muito oportuno, que supre uma necessidade fundamental da Igreja do século XXI: compreender as Escrituras. Numa linguagem simples e direta, Pearlman possibilita maior entendimento da Escritura Sagrada."
Josué Ribeiro, pastor da Missão Evangélica Cristianismo Vivo. Professor de Hermenêutica e Homilética na Academia Teológica da Graça de Deus, São Paulo.

"Aqui está uma contribuição necessária ao estudo panorâmico da Bíblia. A obra lança luz sobre os livros e as cartas quanto aos mais importantes temas, em pequenas sumas. Levanta questões como um convite para que o leitor prossiga os estudos sinalizados."
João Santos, mestre em Antigo Testamento pela Universidade Metodista de São Paulo. Professor de Hebraico Bíblico e Antigo Testamento no Instituto Betel de Ensino Superior (SP).

"Myer Pearlman demonstra extraordinária capacidade de síntese neste livro. Ele não apenas resume de forma completa cada livro da Bíblia, mas também propõe esboços abrangentes que atingem o objetivo proposto pelo autor bíblico."
José Humberto de Oliveira, professor do Centro de Estudos Teológicos do Vale do Paraíba, São José dos Campos (SP).

"Myer Pearlman leva o leitor a uma visão panorâmica da Bíblia e a entender sua cronologia. Pela clareza e concisão, o livro transmite informações imprescindíveis à interpretação das Escrituras. É uma ferramenta valiosa que torna o estudo bíblico agradável e mais fácil."
Adarlei Martins, diretor e professor de Teologia Sistemática do Seminário Teológico de Guarulhos (SP).

"A obra tem a proposta de proporcionar ao estudante da Bíblia uma visão precisa do conteúdo de cada livro. Mesmo sem se ater aos detalhes, o autor consegue tornar o texto bíblico acessível, por meio de uma apresentação didática: tema, autoria, esfera de ação e conteúdo por capítulo."
José Hélio Lima, coordenador nacional dos Institutos Teológicos O Brasil para Cristo. Mestrando na Universidade Metodista de São Paulo.

"Leitura altamente recomendada para o estudo e a pesquisa. A obra é apresentada de forma didática, simples e prática, cumprindo com excelência o papel de auxiliar o estudioso na compreensão do panorama bíblico e de levá-lo a trilhar o caminho seguro da sã doutrina."
Marcos de Almeida, professor da Faculdade Teológica Batista de São Paulo e do Seminário Teológico Evangélico do Betel Brasileiro de São Paulo.

Esta obra apresenta um método de estudo essencialmente esclarecedor e indutivo. Seu conteúdo rico, sadio e dinâmico fornece informações norteadoras das diversas partes literárias das Escrituras Sagradas, que expressam vividamente a mensagem da revelação de Deus, nas mais diferentes realidades."
Israel de Jesus, mestrando pelo Seminário Teológico Batista Equatorial em Belém (PA). Presidente da Academia Cristã de Educação Religiosa em São Luís (MA).

MYER PEARLMAN

Através da Bíblia
livro por livro

Tradução
N. Lawrence Olson

Editora Vida
Rua Conde de Sarzedas, 246 Liberdade
CEP 01512-070 São Paulo, SP
Tel.: 0 xx 11 2618 7000
atendimento@editoravida.com.br
www.editoravida.com.br

Coordenação editorial: Sônia Freire Lula Almeida
Edição: Irene Silva Heilborn e Miguel Facchini
Revisão: Íris Gardino e Nilda Nunes
Diagramação: Set-Up Time
Capa: Souto design

©1935, de Myer Pearlman
Título do original
Through the Bible Book by Book
edição publicada por
Gospel Publishing House
(Springfield, Missouri, EUA)

∎

Todos os direitos em língua portuguesa reservados por Editora Vida.

Proibida a reprodução por quaisquer meios, salvo em breves citações, com indicação da fonte.

Todas as citações bíblicas foram extraídas da *Nova Versão Internacional* (NVI), ©2001, publicada por Editora Vida, salvo indicação em contrário.

2.edição:	2006
3ª reimpressão:	ago. 2008
4ª reimpressão:	mai. 2009
5ª reimpressão:	ago. 2013
6ª reimpressão:	jan. 2015
7ª reimpressão:	out. 2015
8ª reimpressão:	maio 2016
9ª reimpressão:	fev. 2018
10ª reimpressão:	fev. 2020
11ª reimpressão:	jul. 2021
12ª reimpressão:	jul. 2022

Dados Internacionais de Catalogação na Publicação (CIP)
(Câmara Brasileira do Livro, SP, Brasil)

Pearlman, Myer
  Através da Bíblia livro por livro / Myer Pearlman ; tradução N. Lawrence Olson. — São Paulo : Editora Vida, 2006.

  Título original: *Through the Bible Book by Book*.
  Bibliografia.
  ISBN 85-7367-134-3

  1. Bíblia - Crítica e interpretação 2. Bíblia - Estudo e ensino 3. Bíblia - Introduções I. Título.

05-7477   CDD-220.6

Índice para catálogo sistemático:

  1. Bíblia : Interpretação e crítica   220.6

Traços biográficos do autor

O autor da presente obra, o saudoso irmão Myer Pearlman, meu ex-professor no Instituto Bíblico Central, foi um judeu que se converteu a Cristo. A história de sua breve vida de apenas 44 anos é um verdadeiro romance. Myer Pearlman, pela sua extrema simplicidade cristã e dedicado amor a Jesus, de quem foi um dos mais ardorosos discípulos, ainda vive no coração de milhares de seus admiradores.

Nascido em 19 de dezembro de 1898, em Edimburgo, na Escócia, de pais israelitas, o jovem primogênito, Myer, tal qual um Saulo de Tarso, passou os primeiros anos de sua educação na Escola Hebraica, aos pés de rabinos que lhe inculcaram os ensinos férreos do Judaísmo tradicional, das Escrituras do Antigo Testamento e da língua hebraica. Ele recorda que naqueles dias os alunos compravam a Bíblia, como nós a temos, e arrancavam o Novo Testamento do livro, pois não lhes era permitido lê-lo, por ser considerado ilegítimo. O estudante Myer distinguiu-se pelas qualidades excepcionais de rara inteligência e perspicácia. Aos 14 anos, como resultado de freqüentes consultas à biblioteca pública, aprendeu sozinho a língua francesa, conhecimento extremamente útil nos dias da Primeira Guerra Mundial, ocasião em que serviu como intérprete no exército norte-americano, na França.

Jesus, a luz do mundo, guiava os passos do jovem Myer em direção ao santuário, como ele, posteriormente, costumava dizer. A família mudou-se para os Estados Unidos da América, onde esperava encontrar melhores condições de vida. Certa ocasião, na cidade de Cincinnati, enquanto passeava em determinada rua, ficou muito impressionado por um letreiro na fachada de uma igreja evangélica, em que se lia: IGREJA ABERTA... ENTRE... DESCANSE E ORE. "Por um instante quis entrar, mas logo abafou o impulso que, certamente, era inspirado pelo Espírito Santo. Anos depois, quando já convertido, teve oportunidade de entrar nessa mesma igreja e agradecer a Deus por tê-lo dirigido no caminho da luz e da vida."

Quando servia o exército, ganhou de presente um Novo Testamento, que leu com muito interesse, em busca de verdadeira satisfação, até então desconhecida. Após a Segunda Guerra Mundial, foi residir em São Francisco, na Califórnia. Certa noite, ao passear, sua atenção foi despertada por um grupo de cristãos pentecostais, que dirigia um culto em praça pública em frente a um salão. Numa outra noite, novamente chegou perto para ouvi-los e teve a coragem de entrar no salão de cultos. Ficou impressionado pelos hinos alegres cantados em louvor a Deus, muito diferentes dos cânticos tristes da sinagoga. Um desses hinos era de autoria do saudoso irmão F. A. Graves, grande pioneiro do movimento pentecostal, que eu, quando menino, tive o privilégio de conhecer. Myer não poderia imaginar que, mais tarde, casaria com a filha dele, Irene Graves! Os caminhos de Deus são maravilhosos! Assim, o jovem Myer começou a freqüentar, todas as noites, durante semanas, os cultos nesse salão. Certa noite, pensou em ir ao cinema, mas acabou assistindo ao culto, tamanha a atração da presença de Deus. Numa outra noite, deitado na sua cama, foi completamente vencido por uma sensação de culpa perante Deus. Dias depois, ao sair da igreja após um culto, ficou parado perto da porta, ouvindo o último hino. De repente, sentiu descer sobre si algo indescritível e maravilhoso. Esse foi o momento decisivo de sua vida — quando Myer abriu o coração, e as trevas de sua alma foram dissipadas pela verdadeira luz. Assim, ele chegara ao santuário que tanto almejara! Seu coração havia experimentado a realidade da pessoa de Cristo, o seu Messias! Tal qual Saulo de Tarso, Myer Pearlman encontrara-se com Jesus, o Nazareno!

Não demorou muito, quando, certo dia, em oração a seu Messias, Myer Pearlman começou a falar em uma língua por ele desconhecida. Mesmo para ele, lingüista, foi uma gloriosa surpresa receber, como os discípulos no dia de Pentecoste, o maravilhoso dom do Espírito Santo, o Consolador, de que tanto ele precisaria em dias posteriores.

Sentindo o chamado do Senhor para dedicar a vida ao trabalho do Evangelho, Myer matriculou-se no Instituto Bíblico Central que, pouco antes, havia sido fundado em Springfield, no Estado de Missouri. Fez o curso de três anos; ao término, foi convidado a ser professor nesse mesmo educandário onde minha esposa, eu e vários colegas tivemos o privilégio de nos preparar para o ministério. Durante quatorze anos, Myer Pearlman distinguiu-se como instrutor dotado de rara capacidade magisterial, e inteligência sempre consagrada a seu Mestre e Senhor. Graças à sua ampla formação no AT, este livro é extremamente interessante para os seus alunos. Além de sua produção acadêmica como professor do Instituto, o irmão Pearlman aceitava convites para dirigir estudos bíblicos em diversas partes do país. Tornou-se ainda autor de diversos livros de grande utilidade e influência, não somente na língua inglesa, como também em diversos idiomas para os quais foram traduzidos.

Durante anos, foi autor da *Revista para adultos* e da *Revista para professores de adultos* das Escolas Dominicais, trabalho ao qual se dedicou prazerosamente, com todas as energias, até sua morte. Durante a Segunda Guerra Mundial lançou, ainda, um jornal em estilo próprio para a evangelização das Forças Armadas, denominado *Reinville*, que foi um grande sucesso e certamente muito contribuiu para a salvação de milhares de homens e mulheres a serviço da pátria.

Em 1942, sua excessiva atuação em trabalhos literários e didáticos resultaram numa crise aguda do sistema nervoso. Com as complicações de pneumonia subseqüentes, sua carreira brilhante foi interrompida. Apesar de ter recebido a melhor assistência hospitalar, faleceu aos 44 anos de idade. Um dos enfermeiros testemunhou que ele havia orado a noite toda. Deixou esposa e três filhos, e inúmeros amigos em todo o mundo, que o têm em alta estima.

Para o autor destas linhas póstumas, é um prazer e raro privilégio traduzir a presente obra de Pearlman, *Através da Bíblia livro por livro*, na esperança de que ela proporcione aos leitores de língua portuguesa, leigos em particular, um profundo conhecimento bíblico pentecostal das grandes verdades da nossa fé. Creio que muitos, ao manusearem estas páginas, experimentarão a sensação que nós, que tivemos o privilégio de ser seus alunos, experimentamos nos estudos dirigidos pelo saudoso irmão Pearlman, que tão ardentemente amava seu Senhor, o Messias, Cristo de Deus, a quem tudo entregou — até a própria vida.

N. LAWRENCE OLSON
Rio de Janeiro, março de 1959.

Prefácio

O leitor, sem dúvida, já observou em algum armazém, um empregado atender um cliente, e notou como ele estava bem familiarizado com as divisões ou compartimentos onde se encontravam as diversas mercadorias. Essa simples ilustração serve para descrever o propósito deste curso, que é o de proporcionar um conhecimento geral do conteúdo de cada livro da Bíblia, de modo que, por exemplo, o professor da Escola Dominical, ao preparar sua lição, saiba em qual "compartimento" dentre os 66 da Bíblia, encontrará o material de que necessita. Tal propósito estabeleceu o método adotado neste curso, que está em ressaltar os fatos principais de cada livro em vez dos detalhes.

Sumário

PARTE I — ANTIGO TESTAMENTO

Seção A — O Pentateuco
   Gênesis 15
   Êxodo 28
   Levítico 34
   Números 40
   Deuteronômio 48

Seção B — Os livros históricos
   Josué 53
   Juízes 56
   Rute 60
   1Samuel 63
   2Samuel 70
   1Reis 78
   2Reis 85
   1 e 2Crônicas 93
   Esdras 95
   Neemias 99
   Ester 103

Seção C — Os livros poéticos
   Jó 111
   Salmos 117
   Provérbios 120
   Eclesiastes 122
   Cântico dos Cânticos 127

Seção D — Os livros dos profetas maiores
   Isaías 130
   Jeremias 142
   Lamentações de Jeremias 155
   Ezequiel 157
   Daniel 165

Seção E — Os livros dos profetas menores
   Oséias 174
   Joel 179
   Amós 182

Obadias 187
Jonas 189
Miquéias 198
Naum 202
Habacuque 206

Sofonias 210
Ageu 214
Zacarias 218
Malaquias 224

PARTE II — NOVO TESTAMENTO

Seção A — Os Evangelhos
    Mateus 236
    Marcos 247
    Lucas 251
    João 264

Seção B — O livro histórico
    Atos dos Apóstolos 282

Seção C — As cartas paulinas
    Romanos 315
    1Coríntios 323
    2Coríntios 331
    Gálatas 335
    Efésios 340
    Filipenses 346
    Colossenses 351
    1Tessalonicenses 357

    2Tessalonicenses 360
    1Timóteo 363
    2Timóteo 370
    Tito 378
    Filemom 381
    Hebreus 385

Seção D — As cartas gerais
    Tiago 394
    1Pedro 402
    2Pedro 408
    1João 413
    2 e 3João 423
    Judas 425

Seção E — O livro profético
    Apocalipse 427

Parte I
Antigo Testamento

Seção A
O Pentateuco

1
Gênesis

Tema. Este livro é bem definido pelo seu título, Gênesis, que significa "princípio", porque é a história do princípio de todas as coisas — o princípio do céu e da terra, o princípio de todas as formas de vida e de todas as instituições e relações humanas. Tem sido chamado o "viveiro" das gerações da Bíblia pelo fato de nele se encontrarem todos os começos de todas as grandes doutrinas referentes a Deus, ao homem, ao pecado e à salvação.

O primeiro versículo anuncia o propósito do livro. "No princípio Deus criou os céus e a terra." Os israelitas, a quem foi primeiramente dirigida a mensagem do livro, aprenderiam que o Deus da *Palestina* era também o Deus de *todas as terras*, e que o Deus de *uma nação* — Israel — era também o Deus de *todas as nações*. Sendo ele o Deus e o Criador de toda a terra, deveria finalmente tornar-se o Redentor de toda a terra. O livro relata como a redenção tornou-se necessária, pelo fato de o homem haver pecado e caído nas trevas, e como Deus escolheu uma nação para que ela levasse a luz da verdade divina às demais nações.

Autor. Moisés

Esfera de ação. Da criação até a morte de José, abrangendo um período de 2.315 anos, de cerca de 4004 a 1689 a.C.

Conteúdo. O conteúdo de Gênesis gira em torno de nove fatos principais:

    I. A Criação (caps. 1 e 2)
    II. A Queda (cap. 3)
    III. A primeira civilização (cap. 4)
    IV. O Dilúvio (caps. 5—9)
    V. A dispersão das nações (caps. 10 e 11)
    VI. Abraão (caps. 12—25)
    VII. Isaque (caps. 17—35)
    VIII. Jacó (caps. 25—35)
    IX. José (caps. 37—50)

Analisaremos agora os capítulos que se referem a cada ponto do esboço apresentado e, assim procedendo, reteremos os fatos mais importantes.

I. A Criação (caps. 1 e 2)

O grande Arquiteto do Universo completou em seis dias a obra da criação e descansou no sétimo dia. A ordem da criação é a seguinte:

Preparação e separação	Complemento e término
1º dia • luz	4º dia • luminares (corpos celestes)
2º dia • ar	5º dia • aves
• água	• peixes
3º dia • terra	6º dia • animais
• plantas	• o homem

No sétimo dia Deus parou, dando ao homem o exemplo de trabalhar seis dias e descansar no sétimo.

Depois de ter criado o homem, a coroa da criação, Deus declarou que tudo era muito bom. O segundo capítulo mostra-nos como Deus preparou o primeiro lar do homem, como realizou a primeira cerimônia de casamento, e como colocou duas árvores no jardim, fatos que ensinam as seguintes lições: se Adão e sua mulher escolhessem o bem e recusassem o mal, sempre comeriam da árvore da vida; caso contrário, morreriam.

No capítulo 2, encontramos uma repetição do relato da Criação. Comparando-se, porém, os dois capítulos, veremos que enquanto o primeiro nos dá um relato geral do acontecimento, o segundo oferece o mesmo relato acrescido de detalhes complementares, que salientam partes específicas da história. Essa peculiaridade do Espírito Santo, a de fornecer dois relatos de um mesmo acontecimento, recebe o nome de "lei da dupla referência" e encontra-se em toda a Bíblia.

O que o capítulo 2 relata acerca da Criação, que o primeiro omite? O que significa a afirmação de que o homem foi criado "à imagem de Deus?" (v. Ef 4.24; Cl 3.10). A quem se refere o sujeito "nós", na expressão "Façamos o homem?" (v. Jó 35.10; Cl 1.16; Jó 33.4).

II. *A Queda* (cap. 3)

Observe:

1. A possibilidade de tentação

A árvore da ciência do bem e do mal foi posta no jardim a fim de que o homem fosse experimentado e aprendesse a servir a Deus por sua livre vontade.

2. O autor da tentação

A serpente representa "a antiga serpente, o Diabo" e é também um agente seu.

3. A sutileza da tentação

A serpente conseguiu colocar dúvida na mente de Eva.

4. O êxito da tentação

Adão e Eva desobedeceram a Deus e tornaram-se conscientes da culpa.

5. O primeiro juízo
a) Sobre a serpente: degradação.
b) Sobre a mulher: sofrimento e submissão ao homem.
c) Sobre o homem: trabalho árduo até a sua morte, num solo cheio de espinhos.
d) Sobre o homem e seus descendentes: exclusão da árvore da vida no paraíso de Deus.

6. O primeiro anúncio da redenção
a) A redenção prometida (Gn 3.15). "Porei inimizade entre você e a mulher, entre a sua descendência e o descendente dela". Isto é, haverá uma luta entre o homem e o poder que causou a sua queda. "Este lhe ferirá a cabeça": o homem será vitorioso por meio de seu representante, o Filho do homem (v. At 10.38; 1Jo 3.8). "E você lhe ferirá o calcanhar": mas a vitória será obtida com sofrimento, por meio da morte do descendente da mulher, Cristo (v. tb. Gl 4.4; Is 7.14; Mt 1.21).

b) A redenção figurada. O Senhor imolou a vítima do primeiro sacrifício a fim de vestir o primeiro casal culpado: um quadro da regeneração da consciência culpada por meio do sacrifício de sangue.

Nota: O livro de Gênesis é o registro do desenvolvimento da promessa de redenção, e demonstra seu curso por meio de vários indivíduos e famílias.

III. A primeira civilização (cap. 4)

1. A história de Caim
Esta história mostra-nos como o pecado tornou-se hereditário e conduziu ao primeiro homicídio (v. 1Jo 3.12).

2. A história de Abel
Esta história ensina-nos como aqueles que participam da culpa e do pecado de Adão podem ser aceitos na presença de Deus, por meio de um sacrifício expiatório.

3. A primeira civilização
Caim tornou-se o fundador de uma civilização que incluía uma cidade, agricultura, atividades manufatureiras e artes. O caráter

dessa civilização foi marcado pela violação da lei do matrimônio e pelo espírito de violência (4.19-24).

4. O nascimento de Sete

Abel morreu; Caim foi rejeitado; a promessa da redenção passou ao terceiro filho de Adão, Sete (4.25, 26).

IV. O Dilúvio (caps. 5—9)

Havia agora duas classes de homens no mundo: os ímpios, caimitas, e os piedosos, setistas (v. 4.25,26). A linhagem escolhida de Sete perdeu essa condição e uniu-se pelo matrimônio com os caimitas. Resultado: um estado de impiedade na terra exigia o juízo de Deus.

Dos descendentes de Sete, somente a família de Noé permaneceu fiel a Deus. Noé tornou-se o escolhido por meio de quem a promessa da redenção continuou o seu curso até o seu cumprimento (5.29; 6.8).

Notemos a genealogia — o registro dos antepassados de uma pessoa — no capítulo 5. Começa com Adão e termina com Noé. Encontramos muitas genealogias na Bíblia. O propósito principal da maioria delas, como a desse capítulo, é o de conservar um registro da linhagem da qual viria o descendente prometido: Cristo (Gn 3.15).

Façamos um resumo dos principais acontecimentos desses capítulos. Aprenda o seguinte:

1. A genealogia de Noé (cap. 5)

2. A construção da arca (cap. 6)

3. A entrada na arca (cap. 7)

4. A saída da arca (cap. 8)

5. O pacto com Noé (cap. 9)

Observemos o estado adiantado da civilização na época do Dilúvio (4.16-24). Os descendentes de Caim foram os edificadores da primeira cidade e os que deram origem às principais artes. De que nos devem lembrar aqueles dias? (Mt 24.37-39).

Deus destruiu o mundo por meio do Dilúvio e começou uma nova raça com a família de Noé. Prometeu que a terra nunca mais tornaria a ser destruída por um Dilúvio e pôs o arco-íris como sinal desse pacto. O Senhor renovou a instrução dada a Adão, a saber, povoar a terra. Há uma proibição solene do assassinato acrescida do aviso de que "Quem derramar sangue do homem, pelo homem seu sangue será derramado" (9.6). Isso assinala a delegação de autoridade ao homem para governar os seus semelhantes e punir o crime. Antes disso, somente Deus podia castigar os malfeitores.

Mais tarde, Noé predisse o futuro de seus três filhos (9.18-27) e apontou Sem como a semente escolhida pela qual Deus abençoaria o mundo.

V. A dispersão das nações (caps. 10 e 11)

Como introdução ao estudo das nações, leia novamente e com cuidado a profecia de Noé concernente aos seus três filhos (9.24-27).

Dr. Pinnock[a] escreve o seguinte a respeito do seu cumprimento:

> Estas profecias cumpriram-se maravilhosamente. Quanto à descendência de *Cam*: os egípcios foram castigados com diversas pragas; a terra de *Canaã* foi entregue por Deus aos israelitas 800 anos mais tarde sob o comando de Josué, que destruiu muitos e obrigou o resto a fugir, alguns para a África e outros para vários países. As condições atuais do povo na África nós as conhecemos.
>
> Com respeito a *Jafé*: 'Amplie Deus o território de Jafé' — a profecia cumpriu-se no extenso e vasto território de sua propriedade — todas as ilhas e países do oeste; e quando os gregos, e depois os romanos, subjugaram a Ásia e a África, eles então ocuparam as habitações de Sem e de Canaã.
>
> Com respeito a *Sem*: 'Bendito seja o SENHOR, o Deus de Sem!' — isto é, Deus e a sua igreja habitariam as tendas de Sem; dele surgiria o Messias; a adoração do Deus verdadeiro seria preservada entre a sua descendência e os judeus seriam a posteridade de Sem.

[a] Fonte não mencionada no texto original [N. do E.].

Observe a relação entre os capítulos 10 e 11. O capítulo 10 apresenta as raças em locais separados e o capítulo 11 explica *como* se deu a separação.

Depois do Dilúvio, os descendentes de Noé, liderados por Ninrode (10.8-10), levantaram-se em rebelião contra Deus, e como manifestação disso erigiram a torre de Babel. Seu propósito era organizar uma "liga de nações" contra Deus. Deus destruiu esse plano confundindo a sua língua e espalhando-os por diversos países.

Não se sabe a finalidade exata da torre em si, mas sabemos que o plano deles foi um ato de rebelião contra Deus. Evidentemente, era propósito de Deus que os descendentes de Noé se espalhassem amplamente e ocupassem os diferentes pontos da Terra (v. At 17.26 e Dt 32.8). Mas disseram: "Vamos construir uma cidade, com uma torre que alcance os céus. Assim nosso nome será famoso e não seremos espalhados pela face da terra".

Quem foi o provável estimulador dessa rebelião? (v. 10:8,9). Qual era o seu reino? (10.10). O que essa pessoa representa? (2Ts 2.3-11; Ap 13). Quem, em rebelião, unirá as nações nos últimos dias? (Ap 16.13-15). Babel (ou Babilônia) será outra vez proeminente nos últimos dias? (v. Ap 17,18).

Aprenda o esboço simplificado dos capítulos 10 e 11:

1. A unidade de raça e língua
2. O local do acontecimento — a terra de Sinear
3. O propósito da torre de Babel — ser um centro de rebelião contra Deus
4. O juízo de Deus — a confusão das línguas
5. O resultado do julgamento — a dispersão

VI. Abraão (caps. 12—25)

É interessante observar aqui que os primeiros 11 capítulos de Gênesis abrangem mais ou menos 2000 anos — espaço quase igual a todo o restante da Bíblia. Por que os acontecimentos do início da história são apresentados com tanta rapidez? Pelo fato já mencionado de ser a Bíblia, em primeiro lugar, uma história da redenção, ao passo que a história das nações é um caso secundário. O Espírito Santo passa ligeiramente sobre todos esses acontecimentos até chegar a Abraão. Então, detém-se e ressalta mais essa pessoa do que os 2000 anos de história anterior. A razão é evidente: o "pai de todos os que crêem" (v. Rm 4.11) desempenha um papel importante na história da redenção.

Voltemos ao capítulo 5. Chamamos a atenção à genealogia de Noé, iniciada com Adão. No capítulo 11, versículos 10 a 26, verificamos que a lista de nomes continua. Deus ainda está guardando um registro dos antecessores do "descendente da mulher". Com o nome de qual pessoa importante termina essa lista? (v. 26). Por quê? (v. Gn 12.2,3).

A promessa de Gênesis 3.15 passou a Abraão. Deus o separou do seu ambiente pagão e, além de promessas pessoais, fez-lhe as seguintes promessas nacionais e universais (v. 12.1-3):

a) que lhe seria dada uma terra (Canaã);

b) que ele seria o pai de uma nação (Israel);

c) que, por meio dessa nação em sua terra, todas as nações da Terra seriam abençoadas.

Em outras palavras, o Redentor prometido em 3.15 viria de uma nação descendente de Abraão.

Um estudo da vida de Abraão revelará que ela é uma vida de fé, testada desde a época em que foi chamado até quando Deus lhe ordenou que sacrificasse o filho, Isaque. Sua vida é uma ilustração do tipo de pessoa que receberia a bênção prometida em 12.3, e uma profecia da verdade, a de que a salvação seria pela fé (v. Gl 3.8; Rm 4).

Neste estudo teremos tempo apenas para apresentar um breve esboço da vida do patriarca. Uma vez lidos os capítulos, os detalhes sugerem-se por si mesmos. Aprenda os seguintes fatos sobre Abraão:

1. A chamada para ir a Canaã (12.1-5)
2. A descida ao Egito e os acontecimentos na região (12.10-20)
3. A separação de Ló e a libertação subseqüente deste último do cativeiro (13.5-11; 14.14)
4. O recebimento do pacto de Deus e a sua justificação pela fé (15.6,18)
5. A circuncisão como um sinal do pacto (17.9-14)
6. O anúncio do nascimento de Isaque (17.15-19; 18.1-15)
7. A intercessão a favor de Sodoma (18.23-33)
8. A despedida de Hagar e Ismael (21.14)
9. O oferecimento de Isaque (cap. 22)
10. A escolha de uma esposa para Isaque (cap. 24)
11. Os filhos com Quetura (25.1-4)
12. Sua morte (25.8)

VII. Isaque (caps. 17—35)

Abraão teve dois filhos — Ismael e Isaque. Isaque foi escolhido como herdeiro da promessa.

A vida de Isaque é calma e sossegada e muito diferente da de seu pai. Ele foi, no entanto, como fora seu pai, um homem de fé e um instrumento de bênção. Notemos que a promessa lhe é repetida (cap. 26).

Aprenda seis fatos referentes a Isaque:

1. A promessa de seu nascimento feita a Abraão e Sara (15.4; 17.19)
2. Amarrado sobre o altar do sacrifício (22.9)
3. Abraão escolhe uma esposa para ele (cap. 24)
4. Deus aparece para ele e renova o pacto feito com seu pai (26.2-5)

5. Enganado por Jacó (27.18)

6. Sua morte (35.28,29)

O que representou o nascimento de Isaque? (Gn 18.9—15 e Mt 1.1). E a sua ida ao monte Moria para ser sacrificado? (v. Gn 22 e Mt 27.22,23). Que significado teve o fato de Isaque ser resgatado da morte? (Gn 22; Mt 28.1-6). O que representou o ato de seu pai enviar um escravo para buscar uma esposa para ele? (Gn 24; At 15.14; 1Co 12.13; Ef 5.25,26,32).

VIII. Jacó (caps. 25—35)

Isaque teve dois filhos — Esau e Jacó. Esaú foi rejeitado e Jacó foi escolhido como portador da bênção (25.23). O caráter desses dois filhos revela-se pela atitude ante essa promessa (v. 25.29-34).

Aprenda os acontecimentos importantes da vida de Jacó:

1. Comprou a primogenitura de seu irmão (25.33)

2. Enganou o pai (27.18-27)

3. A fuga para Padã-Arã (27.43?28.5)

4. A visão e o voto (28.10)

5. Suas transações com Labão (cap. 31)

6. A luta com um anjo (32.24)

7. A reconciliação com Esaú (cap. 33)

8. A descida ao Egito e o encontro com José (cap. 46)

9. Sua morte e sepultamento (49.33-50.13)

Jacó é o verdadeiro pai do povo escolhido, porque dele nasceram 12 filhos, os quais se tornaram os cabeças das 12 tribos. Nota-se que ele é um verdadeiro representante da nação, quanto ao caráter e experiências:

a) note a combinação da esperteza para os negócios e o desejo do conhecimento de Deus. Veja como essas duas características revelam-se nas tentativas de Jacó apoderar-se da primogenitura e da bênção. Recorde-se que os judeus têm sido *a* nação religiosa e também *a* nação dos negócios;

b) Jacó esteve exilado de sua própria terra durante mais ou menos vinte anos. Os judeus, na sua totalidade, estão fora de sua própria terra há mais ou menos 1900 anos;

c) Jacó, ao ser exilado, levava a promessa de que o Senhor o reconduziria, para cumprir a promessa feita a Abraão. Da mesma forma, a restauração de Israel estava garantida. Eles são amados por causa de Abraão, Isaque e Jacó (Rm 11.28);

d) o plano de Deus cumpriu-se por meio de Jacó, apesar das falhas de seu caráter. Da mesma maneira sucederá com Israel como nação. Como foi transformado o caráter de Jacó, também será transformado o dos seus descendentes.

Podemos aprender lições importantes da vida de Jacó:

1. O poder da graça de Deus

Jacó era tudo quanto significava seu nome — um suplantador, um enganador. Os laços sagrados da família não foram barreira para seus ardis, pois o próprio pai e o irmão foram vítimas de sua astúcia. Mas, por meio do pecado de Jacó, Deus viu o brilho daquilo que tem sido comparado ao ouro puro: a fé. Junto ao ribeiro Jaboque, a graça de Deus travou uma batalha com Jacó e, na luta que se seguiu, o pecaminoso Jacó morreu. Da sua tumba, porém, surgiu uma nova criatura: Israel, um vencedor com Deus e com o homem.

2. O grande valor que Deus dá à fé

Embora os ardis de Jacó para obter a primogenitura de seu irmão sejam inescusáveis, o seu desejo sincero de obtê-la demonstrou seu apreço pelas coisas espirituais. Para ele, a primogenitura trouxe consigo a honra de ser o progenitor do Messias, e seu veemente anelo por essa honra bem pode ser considerado como a expressão de fé naquele que havia de vir. Foi essa fé que lhe deu a preferência perante Deus sobre seu irmão Esaú que, embora fosse em muitos sentidos um homem mais nobre do que ele, demonstrou uma falta completa de apreço pelos valores espirituais, vendendo por um prato de lentilhas o direito de ser o progenitor do "Desejado de todas as nações".

3. "O que o homem semear, isso também colherá." (Gl 6.7)

O tio de Jacó, Labão, nas mãos de Deus, foi um instrumento de correção para disciplinar Jacó. Jacó enganou outros e, por sua vez, foi enganado. Encontrou em seu tio um espelho em que se refletia a sua própria astúcia.

IX. *José* (caps. 37-50)

A história de José é a de um jovem de 17 anos, o favorito de seu pai, Israel, a quem abertamente manifestava seu afeto e apreço, causando a inveja dos outros filhos. José também foi favorecido pelo Senhor, que lhe revelou, por meio de sonhos, que ele reinaria sobre os outros membros da sua família. Isso enfureceu seus irmãos, que o venderam para o Egito. Depois de muitas adversidades, tentações e anos de espera para o cumprimento da promessa, foi elevado a vice-governador da terra egípcia. Quando vieram seus irmãos para comprar cereais e se inclinaram diante dele, os sonhos de José realizaram-se.

A significação da história. As experiências de José estavam ligadas ao plano de redenção que já mencionamos. Deus permitiu que ele fosse vendido para o Egito e que sofresse para poder ser elevado. Dessa maneira, teria a oportunidade de alimentar a família escolhida durante a fome, colocá-la num território onde pudesse tornar-se uma grande nação e passar por diversas experiências até que Deus a conduzisse à conquista da terra prometida (v. Gn 45.7,8; 50.20).

Verifique este breve resumo da vida de José:

1. Amado por seu pai (37.3)

2. Invejado por seus irmãos (37.4)
3. Vendido aos ismaelitas (37.18-36)
4. Favorecido pelo seu senhor (39.1-6)
5. Tentado pela esposa de seu senhor (39.7-19)
6. Encarcerado por Potifar (39.20⁻41.13)
7. Elevado pelo faraó (41.1-44)
8. Não reconhecido por seus irmãos na primeira vez em que estiveram no Egito (42.7⁻44.34)
9. Revelado a seus irmãos no segundo encontro (45.1-15)
10. Reencontro com seu pai, Jacó (46.28-34)
11. Sua morte (50.22-26)

A vida de José representa a vida de Cristo em muitos aspectos. O que representa o amor do pai por ele? (Gn 37.3; Jo 5.20). E o ódio dos irmãos? (Mt 27.1, 22,23). Que dizer sobre sua tentação? (Mt 4.1). E a respeito de sua paciência no sofrimento? (Tg 5.11); de sua elevação pelo Faraó? (Mc 16.19); de seu matrimônio com uma mulher gentia durante a rejeição de seus irmãos? (At 15.14); da revelação de si mesmo a seus irmãos no segundo encontro? (Zc 12.10).

2
Êxodo

Título. Êxodo vem do grego e significa "sair". Foi chamado assim porque registra a saída de Israel do Egito.

Tema. Em Gênesis lemos acerca do *princípio* da redenção. No livro do Êxodo lemos acerca do *desenvolvimento* da redenção. Em Gênesis a redenção é operada por meio de *indivíduos*; em Êxodo, é realizada por *uma nação inteira:* Israel.

A idéia central do livro é a redenção pelo sangue. Em torno dessa idéia concentra-se a história de um povo salvo pelo sangue, amparado pelo sangue e tendo acesso a Deus pelo sangue. Essa redenção supre todas as necessidades da nação. Oprimido pelos egípcios, Israel precisa de libertação. Deus provê essa libertação. Uma vez salva, a nação necessita da orientação de Deus para uma nova conduta e forma de culto. Deus lhe dá a Lei. Convencidos do pecado pela santidade da Lei, os israelitas sentem a necessidade de purificação. Deus provê os sacrifícios. A partir da revelação de Deus, o povo sente a necessidade de culto. Deus lhe dá o tabernáculo e estabelece um sacerdócio.

Autor. Moisés

Esfera de ação. Os acontecimentos registrados em Êxodo abrangem um período de 216 anos, cerca de 1706 a 1490 a.C. Começa com um povo escravizado, convivendo com a idolatria egípcia, e termina com um povo redimido habitando na presença de Deus.

Conteúdo. Trataremos, agora, de traçar um esboço geral do livro do Êxodo, considerando-o na sua totalidade. Aprenda o seguinte:

    I. Israel no cativeiro (caps. 1 e 2)
    II. Israel redimido (3—15.21)
    III. Israel viaja ao Sinai (15.22—18)
    IV. Israel recebe a Lei (caps. 19—23)
    V. Israel em adoração (caps. 24—40)

Agora, analisemos cada ponto desse esboço.

I. Israel no cativeiro (caps. 1 e 2)

Eis um resumo dos capítulos 1 e 2:

    1. A opressão de Israel (cap. 1)
    2. O nascimento de Moisés (2.1-4)
    3. A adoção de Moisés (2.5-10)
    4. O zelo precipitado de Moisés (2.11-14)
    5. A fuga de Moisés (2.15)
    6. O casamento de Moisés (2.16-22)

A escravidão de Israel foi profetizada? (Gn 15.7-16). Qual foi o efeito dessa escravidão em Israel? (Êx 2.23). Em que isso resultaria? (Rm 10.13). Moisés esqueceu-se alguma vez do seu povo e do seu Deus enquanto recebia sua educação no Egito? (Hb 11.24-26). Por que não? (Êx 2.7-9). O que ele supôs ao matar o egípcio? (At 7.25). Essa hora foi a determinada por Deus? O que os 40 anos de peregrinação no deserto ensinaram a Moisés? (v. At 7.25 e Êx 3.11).

II. *Israel redimido* (caps. 3—15)

1. A chamada e a comissão de Moisés (3-4.28)
2. A partida para o Egito (4.24-31)
3. O conflito com Faraó (caps. 5 e 6)
4. As pragas (caps. 7—11)
5. A Páscoa (cap. 12)
6. A partida do Egito (cap. 13)
7. A travessia do mar Vermelho (14—15.21)

Veja a grandeza e o caráter sobrenatural da libertação de Israel. Era propósito de Deus ter um povo cujo testemunho ao mundo seria: "salvo pelo poder de Deus". Ele desejava gravar o acontecimento na mente de Israel de tal maneira que, quando viesse a opressão e a provação, pudessem sempre ver e recordar que "a salvação vem do Senhor". No AT, a libertação de Israel da terra do Egito é sempre a medida ou o exemplo clássico do poder de Deus. Qual é a medida de seu poder no NT? (Ef 1.19,20; Fp 3.10).

É necessário que expliquemos aqui uma dificuldade. Muitos tropeçam no fato de Deus haver endurecido o coração do faraó e, em seguida castigasse-o. Deve-se notar que o faraó também endureceu o seu próprio coração (8.15,32). Deus endureceu o coração do faraó do mesmo modo como o Evangelho endurece o coração dos homens quando o rejeitam. Para alguns, o Evangelho resulta em salvação; para outros, em morte (v. 2 Co 2.15,16). Em Atos 19.9, lemos que "alguns deles se endureceram" após a pregação de Paulo. Paulo foi o responsável pelo endurecimento de seus corações? Não. A culpa estava com aqueles que repeliram a mensagem. O mesmo aconteceu no caso do faraó. A mensagem de Deus foi simplesmente a *ocasião* do endurecimento do seu coração; sua recusa em obedecer à mensagem foi a *causa*.

A Páscoa representa alguns aspectos maravilhosos da nossa redenção. O que o Egito representa? (Gl 1.4; Rm 6.17,18). O que nos lembra o cordeiro? (Jo 1.29). O que representa o sangue aspergido nas vergas das portas? (Rm 3.24-26; 1 Pe 1.18-20). E o pão asmo? (1Co 5.8). O que simboliza o ato de comer do cordeiro? (1Co 11.24). Qual o significado da passagem pelo mar Vermelho? (1Co 10.1,2).

III. Israel viaja ao Sinai (caps. 15—18)

Neste estudo seria aconselhável consultar o mapa da viagem do povo judeu.

Sumário dos capítulos 15 a 18:

1. Mara — águas amargas (cap. 15)
2. Elim — fontes e árvores (cap. 15)
3. Deserto de Sim — o Maná (cap. 16)
4. Refidim — a rocha ferida; batalha contra Amaleque (cap. 17)
5. Sinai — visita de Jetro (cap. 18)

IV. Israel recebe a Lei (caps. 19—23)

Resumo dos capítulos 19—23:

1. A subida de Moisés ao Sinai (cap. 19)
2. Os Dez Mandamentos (cap. 20)
3. A lei civil (caps. 21—23)

Estude os seguintes tópicos:

1. A eleição de Israel (Êx 19.5). Por meio de um pacto solene, Israel foi indicado como a nação sacerdotal — separada *de* todas as nações, a fim de ser instruída na verdade divina e, finalmente, levar luz a todas as nações.
2. A legislação de Israel (Êx 20—23). Assim como os Estados Unidos da América do Norte formam uma república governada com base em sua constituição, Israel, como teocracia (um estado governado por Deus), teve como

base do seu governo os Dez Mandamentos, que podemos considerar como a Constituição das Tribos Unidas de Israel. Os mandamentos representam a expressão décupla da vontade de Deus e a norma pela qual ele governa os seus súditos. Para poder aplicar esses princípios à vida cotidiana do povo, foi acrescentada a lei civil, que estabelecia penalidades e dava instruções para a sua execução.

O que os israelitas se propuseram a fazer? (Êx 19.8). Eles podiam fazer isso? (At 13.38; Gl 2.16). Por que não? (Rm 7.14; 8.3). Se não podiam guardar a Lei, por que lhes foi dada? (Rm 3.19,20; 5.20; Gl 3.24). Quais as duas lições principais que a lei ensinava? (Mt 22.37-39). Então, como os cristãos cumprem a Lei? (Rm 13.8-10). Como podemos adquirir o amor que a cumpre? (Rm 5.5; Gl 5.18). Sob qual lei está o cristão? (Gl 6.2; Jo 15.12).

V. Israel em adoração (caps. 24—40)

1. Moisés recebe o modelo do tabernáculo (caps. 24—31)
2. Quebra da Lei (caps. 32—34)
3. A construção do tabernáculo (caps. 35—39)
4. O tabernáculo erigido (cap. 40)

No monte Sinai, Deus e seu povo estabeleceram uma relação especial. Pela mediação de Moisés, um povo redimido e seu Deus foram unidos nos santos laços da aliança. Deus tornou-se o Deus de Israel e Israel tornou-se o povo de Deus. Para que essa comunhão pudesse continuar, Deus ordenou a construção do tabernáculo. "E farão um santuário para mim, e eu habitarei no meio deles" (Êx 25.8). Compreender-se-á claramente o projeto do tabernáculo quando considerarmos os títulos que lhe são aplicados:

1. **Tabernáculo** (em hebraico "habitação"). Embora Deus habite em toda parte, ele indicou um lugar onde seu povo sempre o pudesse encontrar "em casa".

2. **Tenda da Congregação** ou **Tenda do Encontro**. Era o ponto de contato e o meio de comunicação entre o céu e a terra (Êx 29.42,43).

3. **Tabernáculo do Testemunho**, ou a **Tenda do Testemunho**. Chama-se assim devido às duas tábuas da Lei que foram colocadas na arca. Essas tábuas foram chamadas de "tábuas da aliança" ou "tábuas do testemunho" (Êx 31.18; 34.29). Testemunhavam a santidade de Deus e o pecado do homem.

4. Santuário. Literalmente *lugar santo*, um edifício separado para a habitação divina.

3
Levítico

Título. Este livro chama-se Levítico pelo fato de ser um registro das leis referentes aos levitas (sacerdotes) e seu serviço.

Tema. No livro do Êxodo vimos Israel redimido; a redenção de um povo escravizado. Levítico diz-nos como um povo redimido pode aproximar-se de Deus por meio da adoração e como a comunhão assim estabelecida pode ser mantida.

A mensagem de Levítico é: o acesso a Deus dá-se unicamente por meio do sangue e o acesso obtido exige a santidade do adorador.

Grande parte da tipologia no livro refere-se à obra expiatória de Cristo e manifesta-se nas diferentes ofertas que ali se descrevem. Êxodo dá-nos o relato de um sacrifício único o qual redimiu Israel de uma vez para sempre e prenunciou Cristo, nossa Páscoa. Levítico dá-nos muitos quadros desse sacrifício no que se refere aos diferentes aspectos da redenção.

A mensagem do livro está muito bem exposta no versículo 2 do capítulo 19. Observe o propósito prático do livro: contém um código de leis divinamente determinado e planejado para tornar Israel diferente de todas as demais nações, espiritual, moral, mental e fisicamente. Em outras palavras, Israel tornar-se-ia uma nação santa — uma nação separada dos modos e costumes das nações que a cercavam, e consagrada ao serviço do Deus único e verdadeiro.

Autor. Moisés

Esfera de ação. O livro abrange o período de menos de um ano da jornada de Israel no Sinai.

Conteúdo. Levítico é um livro de leis, por isso podemos classificar o seu conteúdo com esse dado em mente.

    I. Leis referentes às ofertas (caps. 1—7)
    II. Leis referentes ao sacerdócio (caps. 8—10)
    III. Leis referentes à purificação (caps. 11—22)
    IV. Leis referentes às festas (caps. 23 e 24)
    V. Leis referentes à terra (caps. 25—27)

I. Leis referentes às ofertas (caps. 1—7)

Os sacrifícios foram instituídos como meios pelos quais o povo pudesse manifestar a sua adoração a Deus:

1. O holocausto significava a inteira consagração a Deus.
2. A oferta pacífica, que era comida em parte pelo sacerdote e em parte pelo ofertante, mostrava a comunhão com seu Deus.
3. A oferta de manjares ou de cereais, constituída de farinha, pães ou grãos, representava a oferta de uma dádiva ao Senhor de tudo, em reconhecimento a sua bondade.
4. Por meio da oferta pelo pecado o israelita manifestava tristeza, ou arrependimento do pecado e o desejo de perdão e purificação.
5. A oferta pela culpa era dada no caso de ofensas que exigissem a restituição.

II. Leis referentes ao sacerdócio (caps. 8—10)

Estes capítulos registram a consagração de Arão, seus filhos e a sua iniciação no ofício sacerdotal. Os principais tópicos desta seção são os seguintes:

1. A consagração (cap. 8). As cerimônias da consagração incluíam a lavagem com água, o vestir-se de roupas sacerdotais, a unção com óleo, a oferta de sacrifícios e a aspersão de sangue.
2. O serviço (cap. 9).
3. A falta (cap. 10). Nadabe e Abiú, filhos de Arão, em vez de usarem fogo tirado do altar, usaram fogo comum para queimar o incenso. A fim de impressionar a nação pelo caráter sagrado e a responsabilidade do sacerdócio, Deus escolheu esses homens para exemplo, destruindo-os pelo fogo. O que provavelmente os induziu a cometer esse pecado? (v. 8-11). O texto de 1Co 11.20-32 não sugere a existência de alguns paralelos?

III. Leis referentes à purificação (caps. 11—22)

Façamos um resumo desta seção da seguinte maneira: Israel, como uma nação santa, tem:

a. alimento santo (cap. 11);

b. corpos santos (12—14.32);

c. lares santos (14.33-57);

d. costumes santos (cap. 15);

e. santidade renovada anualmente (cap. 16);

f. culto santo (17.1-16);

g. moralidade santa (cap. 18);

h. costumes e vestuários santos (caps. 19—22).

Que ensina o capítulo 18 acerca do caráter das nações circunvizinhas de Israel? (cf. v. 24,28) Muitos ímpios têm-se escandalizado com o conteúdo desses capítulos, caracterizando-os como impróprios. Mas pode-se ver que a Bíblia, ao descrever as enfermidades morais, não recorre à dissimulação, nem à falsa modéstia, assim como não o faz um livro médico ao tratar das enfermidades físicas.

IV. Leis referentes às festas (caps. 23 e 24)

1. O sábado (23.1-3). Podemos considerar esse dia como o dia de festa semanal dos israelitas, no qual descansavam de todos os seus trabalhos e se reuniam para o culto.

2. A Páscoa e a festa dos pães asmos. Observe que havia duas festas numa só — a Páscoa (que celebra a passagem do anjo da morte sobre as casas dos israelitas), com a duração de um dia; e a festa dos pães asmos (comemorativa da partida do Egito), que durava sete dias.

3. Pouco depois dessa última festa, celebrava-se a das primícias, quando um feixe da colheita das primícias era levado perante o Senhor, representando a ressurreição de Cristo (1Co 15.20).

4. Cinqüenta dias depois das primícias, realizava-se a festa de Pentecoste — que significa "cinqüenta". No qüinquagésimo dia, dois pães movidos, com fermento (23.17) eram oferecidos ao Senhor.

5. A festa das trombetas (23.23-25). "O Dia do Ano Novo". Veja as seguintes referências e verifique o significado típico desta festa: Is 27.13; 1Co 15.52; Mt 24.31; Ap 11.15.

6. O Dia da Expiação (23.27-32) (v. tb. Lv 16 e Hb 9.6-12). Era mais jejum do que festa. Nesse dia, o sacerdote entrava no lugar santíssimo, com sangue, para fazer expiação dos

pecados do povo. Isso acontecia apenas uma vez por ano e tipificava Cristo entrando no céu com o próprio sangue para fazer a expiação eterna dos nossos pecados. Além dos outros sacrifícios desse dia, havia a escolha dos dois bodes. Um desses era sacrificado; quanto ao outro, Arão colocava as mãos sobre ele e confessava os pecados da nação; em seguida, enviava-o ao deserto. Esses dois bodes representavam dois aspectos da expiação. O primeiro significava que Cristo pagava a pena pelos nossos pecados — a morte; o segundo, o afastamento dos nossos pecados, para nunca mais se lembrar deles.

7. A festa dos tabernáculos (23.33-44) Comemoravam-se os dias em que os israelitas habitavam em tendas, depois da sua saída do Egito. Uma vez que essa festa vinha depois da colheita (23.39), podemos tomá-la como típica do regozijo dos santos na presença do Senhor, depois da grande reunião (cp. referência a palmas, v. 40 e Ap 7.9).

Observe a seqüência típica das festas — como elas manifestam a história da redenção. Omitiremos o Dia da Expiação, porque não é uma festa, mas um jejum.

1. A Páscoa — a crucificação
2. As primícias — a ressurreição de Cristo
3. O Pentecoste — o derramamento do Espírito
4. As trombetas — o arrebatamento dos vivos e a ressurreição dos santos
5. Os tabernáculos — nossa habitação na presença do Senhor depois da grande reunião

V. Leis referentes à terra (caps. 25—27)

1. O ano do descanso (cap. 25.1-7)

2. O ano do Jubileu (cap. 25.8-13)
3. Recompensa e castigo (cap. 26)
4. Votos (cap. 27)

O ano do jubileu era um ano sabático celebrado de cinqüenta em cinqüenta anos, a começar do Dia da Expiação. Nesse tempo, dava-se à terra o descanso do cultivo; todas as dívidas eram perdoadas; todos os escravos hebreus eram postos em liberdade e todas as propriedades eram restituídas aos seus proprietários primitivos. Casas em cidades muradas eram uma exceção; essas não voltavam a seus donos (25.30). O propósito do jubileu era o de evitar a escravidão perpétua dos pobres e o acúmulo de riquezas pelos ricos e também o de preservar a distinção entre as tribos e suas possessões. Foi esse ano que Cristo proclamou como "o ano da graça do Senhor" (Lc 4.19) e que Pedro chamou de "tempo em que Deus restaurará todas as coisas" (At 3.21). Como representação, o Jubileu encontra seu cumprimento parcial na dispensação do Evangelho e seu cumprimento completo durante o Milênio.

A bênção de Israel no capítulo 26 está condicionada a quê? (v. 3). Quando foram cumpridos completamente os versículos 28-39? (Lc 21.20-24). Quando Deus se voltará novamente para Israel? (v. 40). Quando isso acontecerá? (Zc 12.10; Ap 1.7). Embora disperso e castigado, Israel é abandonado por Deus para sempre? (v. 44,45). De que Deus se lembrará? (v. 42).

4
Números

Título. O livro de Números tem esse nome porque trata do registro dos dois censos de Israel antes de entrar em Canaã.

Tema. Em Êxodo vimos Israel redimido; em Levítico vimos Israel em adoração; e agora em Números vemos Israel servir. O serviço do Senhor não devia ser feito de qualquer maneira, razão por que o livro nos apresenta o quadro de um acampamento, onde tudo é feito segundo a primeira lei do céu — a ordem. O povo é numerado de acordo com as tribos e famílias; para cada tribo é designado o seu lugar no acampamento; a marcha e o acampamento são regulados com precisão militar; e no transporte do tabernáculo cada levita tem a sua tarefa especial.

Além de ser um livro de serviço e ordem, Números é um livro que registra o fracasso de Israel que, por não crer nas promessas de Deus, não entrou em Canaã e, conseqüentemente, peregrinou no deserto por castigo. Contudo foi uma falta que não frustrou os planos de Deus, porque o fim do livro nos deixa nas fronteiras da terra prometida, onde a nova geração de israelitas espera para entrar. Dessa maneira, quatro palavras — serviço, ordem, falha e peregrinação — resumem a mensagem de Números.

Autor. Moisés.

Esfera de ação. 39 anos de peregrinação do povo de Israel pelo deserto, desde cerca de 1490 ate 1451 a.C.

Conteúdo. Levantaremos um esboço do livro de Números de acordo com as jornadas principais de Israel. Sugerimos que o aluno use para estes estudos um mapa, a fim de identificar os diferentes lugares mencionados durante a leitura.

    I. No deserto do Sinai (caps. 1—9)
    II. Do Sinai a Cades (caps. 10—19)
    III. De Cades a Moabe (caps. 20—36)

I. No deserto do Sinai (caps. 1—9)

    1. O censo do povo (caps. 1 e 2)
    2. O censo dos sacerdotes e levitas (caps. 3 e 4)
    3. Leis (caps. 5 e 6)
    4. Oferta dos príncipes (cap. 7)
    5. A consagração dos Levitas (cap. 8)
    6. A Páscoa e a nuvem guiam a marcha dos israelitas (cap. 9)

Por que o povo foi contado? (1.3) Em preparação a quê? (13.30). Qual foi uma das razões? Por que era necessário que a distinção entre as tribos (1.2,4) e entre as famílias (Lucas 1.27) fosse conservada em Israel? (Hb 7.14). Que tribo não foi contada com as outras? (1.49). Por quê? (1.50). Quem devia dirigir a marcha? (2.3; 10.14). Por quê? (Gn 49.10; Hb 7.14). Qual foi o número total obtido no censo? (2.32). Quantos foram os levitas? (3.39).

Note-se que há uma distinção entre sacerdotes e levitas. Os sacerdotes eram os membros da tribo de Levi que descendiam de

Arão e seus filhos (3.2-4), encarregados das funções sacerdotais do tabernáculo, como os sacrifícios, a ministração no Lugar Santo etc. Os levitas, membros restantes das tribos, foram dados a Arão como auxiliares (3.9) para cuidar do tabernáculo com os seus móveis e utensílios. Todos os sacerdotes eram levitas, mas nem todos os levitas eram sacerdotes.

Em 3.12 lemos que a tribo de Levi foi separada para o Senhor em lugar dos primogênitos de Israel. Nos tempos patriarcais, o primogênito desfrutava de muitos privilégios, um dos quais era ser o sacerdote da família. Depois da morte dos primogênitos do Egito, o Senhor ordenou que os primogênitos dos israelitas fossem santificados a ele, quer dizer, a seu serviço (Êx 13.12). Por motivos que por si mesmos se compreendem, o Senhor, em vez de aceitar o serviço dos primogênitos de diferentes tribos, separou uma tribo especial para esse serviço — Levi. Mas havia mais primogênitos do que levitas. O que devia ser feito? (v. 3.46-51). Aqueles que excederam o número dos levitas deveriam ser resgatados do serviço, mediante o pagamento de uma certa quantia. A cerimônia realiza-se ainda hoje entre os judeus ortodoxos.

A lei do nazireado (cap. 6) reapresenta consagração. Nazireu era a pessoa que se consagrava ao Senhor, com votos especiais, temporariamente ou pela vida inteira. Como exemplos dessa classe, mencionamos Samuel (1Sm 1.11) e João Batista (Lc 1.13-15). Os nazireus não bebiam vinho (tipo de abstinência do prazer natural), usavam cabelos compridos (talvez disposição a sofrer censuras por causa de Deus — v. 1Co 11.14), e não lhes era permitido tocar nos corpos mortos, nem mesmo nos de seus pais (separação dos laços familiares). A queda de Sansão foi causada pela quebra de seu voto de nazireado (Jz 13.5; 16.17).

O que nos recorda a bênção tríplice pelos sacerdotes em Números 6.24-26? (v. 2Co 13.14). Note-se a impressionante cerimônia da imposição das mãos dos israelitas sobre os levitas (8.10). Em Atos 13.2,3, sugere-se alguma semelhança? Que nova adição à lei da Páscoa foi feita em 9.1-14? Note a lição ensinada nessa seqüência, a saber, Deus não diminui padrões, mas ajuda os homens a alcançá-los.

II. *Do Sinai a Cades* (caps. 10—19)

1. Início da marcha (cap. 10)
2. Murmurações e concupiscência (cap. 11)
3. Os setenta anciãos (cap. 11)
4. A sedição de Miriã e Arão (cap. 12)
5. O relatório dos espias e a incredulidade de Israel (caps. 13 e 14)
6. A rebelião de Corá (caps. 16 e 17)
7. Leis cerimoniais (caps. 18 e 19)

Hobabe e seus filhos acompanharam os filhos de Israel? (Jz 1.16). Permaneceram com eles? (1Sm 15.6). O que ia adiante dos filhos de Israel? (10.33). O que representava isso? (Êx 25.20-22; Js 7.6). Qual foi uma das causas que conduziu Israel à concupiscência? (11.4; cp. Êx 12.38). Que lição há nisso para nós? (2Co 6.14). Quais foram as pessoas nomeadas para auxiliarem Moisés? (11.16,17). Do que nos lembra a manifestação do Espírito em 11.25? (At 19.6). A oração de Moisés no versículo 29 foi respondida? (At 2.17; 1Co 14.31). Note que as codornizes não estavam empilhadas a dois côvados de altura, como pode parecer na leitura apressada de 11.31, mas voavam a essa altura e, assim, eram capturadas facilmente.

Repare como se tornou contagioso o espírito de murmuração. Afetou até mesmo Miriã e Arão. Pelo fato de o nome de Miriã ser mencionado primeiro no versículo 1 e de ter sido ela quem recebeu o castigo, parece evidente que foi ela quem iniciou a rebelião. Sendo o matrimônio com os gentios proibido pela lei (Gn 24.3; Dt 7.3),

Miriã tinha uma razão justa para queixar-se. Mas ela deixou de levar em consideração a graça de Deus que pode santificar os gentios. Alguns têm visto um significado dispensacional e profético na ação de Moisés. Rejeitado por Israel, Moisés casou-se com uma mulher gentia (At 15.14). Arão e Miriã representam os judeus que se opõem à união entre judeus e gentios (At 11.1-3). A exclusão de Miriã simboliza a rejeição temporária de Israel; a sua recepção no acampamento tipifica sua restauração.

Os versículos de 1 a 9 do capítulo 1 de Deuteronômio demonstram que a ordem de enviar espias foi dada em resposta à exigência do povo. O plano de Deus era o de que o povo, nessa questão, confiasse nele, mas, vendo a fraqueza da sua fé, permitiu que fizessem o que desejavam. Quem teve o nome mudado nessa época? (13.16). O que geralmente significa, na Bíblia, a mudança de nomes? (Gn 32.28). Que espécie de relatório trouxeram os espias? (13.26-33). Que efeito exerceu o relatório sobre o povo? Que intentaram fazer? (14.4). Qual foi a atitude do povo infiel com aqueles que verdadeiramente acreditavam em Deus? (v. 10). O que revela 14.13-19 a respeito do caráter de Moisés? (cf. v. 21).

Apesar de o povo ter falhado, os planos de Deus realizaram-se. O que originou a incredulidade de Israel? (14.25). Note o versículo 28. Como a recompensa dá-se conforme a fé, assim a perda é dada conforme a incredulidade. O pecado do povo foi perdoado? (v. 20). Isso impediu que eles colhessem o que tinham semeado com sua atitude impenitente? (14.29,30). Que aconteceu aos homens que deram o mau relatório? (v. 37). O ato do povo em 14.40-45 foi movido por verdadeira obediência? O que o povo fez? (v. 44).

Em 14.22, o Senhor menciona o fato de que, até esse tempo, o povo o tinha tentado dez vezes. Verifique as referências a seguir e faça uma lista dessas tentações: Êx 14—17; 16.20,27; 32; Nm 11; 12.1; 14.

Os versículos 27 a 29 do capítulo 15 tratam dos pecados de ignorância, isto é, pecados não cometidos no espírito de desobediência intencional. O versículo 30 menciona, pelo contrário, pecados cometidos presunçosamente, para os quais o sacrifício não tem eficácia, e os versículos seguintes fornecem uma ilustração desse pecado no caso do homem que recolheu lenha no sábado. A pena severa não foi imposta pelo mero ato de recolher a lenha, mas pelo espírito presunçoso com que quebrou a lei.

Por que foi necessário que o Senhor ordenasse aos israelitas o uso de franjas nos seus vestidos (15.37-41), como uma recordação visível de seus mandamentos? (Sl 78.11; Jr 2.32).

Observe, no caso de Corá e seus seguidores, como a murmuração, que começou depois da partida do Egito, transformou-se em rebelião declarada. O pecado de Corá e seu grupo consistiu em rebelião contra Moisés e Arão e intrusão no ofício sacerdotal. Moisés procurou defender-se? (16.4). Contra quem Corá revoltou-se realmente? (v. 11). A acusação de Corá foi justa? (v. 13). Como foi castigado? Como foram castigados os 250 homens? Como se demonstrou a dureza completa do coração do povo? (v. 41).

O capítulo 19 dá um relato da preparação da água para a purificação legal. Para saber seu significado típico, leia Hebreus 9.13, 14. O seu propósito principal era a purificação daqueles que tinham tocado cadáveres, pois esse contato trazia contaminação. Essa lei pode ter sido decretada por causa da existência de muitos mortos depois do julgamento de Deus contra os rebeldes, porque ela não está em Levítico.

III. De Cades a Moabe (caps. 20—36)

1. O pecado de Moisés (cap. 20)
2. A morte de Miriã e Arão (cap. 20)
3. A serpente de bronze (cap. 21)
4. O erro e a doutrina de Balaão (caps. 22—25)
5. O censo da nova geração (cap. 26)
6. Preparações para entrar na terra (caps. 27—36)

Chegamos ao fim dos 38 anos da peregrinação de Israel e voltamos a encontrá-lo em Cades-Barnéia, o mesmo lugar do qual voltou para começar a sua longa viagem pelo deserto. O registro histórico desse período está quase em branco. Foi simplesmente um tempo de espera até que a geração incrédula tivesse desaparecido. Agora estão prontos para entrar na terra.

Em que consistiu o pecado de Moisés? (20.12; Sl 106.32,33). O que isso nos ensina acerca de Moisés, apesar da beleza de seu caráter? (Tg 5.17).

Apesar de Esaú e seu irmão Jacó se terem reconciliado, os descendentes do primeiro nutriram inimizade contra Israel, como se vê no capítulo 20 (v.14-21). Essa inimizade nunca foi esquecida (v. Sl 137.7; Ez 35.1-5; Ob 10-14).

Que símbolos de expiação sugere-nos a serpente de bronze? (Jo 3.14; Gl 3.19; Rm 8.3).

Agora chegamos à história de Balaão. O fato de ele ter sido um profeta, ensina-nos que Deus, algumas vezes, revelou a sua vontade a indivíduos que não eram israelitas. Melquisedeque e Cornélio, ambos gentios, servem como outros exemplos. É evidente que o pecado maior de Balaão foi a cobiça (2Pe 2.15). Poder-se-ia perguntar por que Deus permitiu a Balaão ir com os mensageiros e logo depois se aborreceu com ele por ter ido (22.20,22). Era a perfeita vontade de Deus que Balaão recusasse ir. Ao ver a intensidade do propósito de Balaão, deu sua permissão, mas com esta condição: "farás somente o que eu te disser" (v. 20). Lendo os versículos 22, 32 e 35, deduzimos que Balaão foi com a intenção de violar essa condição.

Até aqui, estudamos o *erro de Balaão* (Jd 11), que consistiu na crença de que Deus era obrigado a amaldiçoar um povo tão pecaminoso como era Israel. Mas deixou de levar em consideração aquilo que podia apagar seus pecados que eram como uma nuvem espessa — a graça de Deus. No capítulo 25, encontramos a *doutrina de Balaão* (Ap 2.14), que consistia em ensinar Balaque a corromper por meio da imoralidade o povo que ele não podia amaldiçoar por encantamentos.

Por que foi necessário contar o povo novamente? (26.64,65). Que aprendemos em 26.11 acerca dos filhos de Corá? Qual foi a atitude de Moisés com os israelitas até o fim? (27.15-17). Qual foi a opinião do Senhor acerca de Josué? (v. 18). De que Josué estava dotado? (v. 20). Por meio de qual cerimônia ele foi iniciado no ofício? (v. 23). Contra quem os israelitas iam pelejar? (cap. 31). Por quê? (cap. 25). Quem, em particular, pereceu nessa guerra? (v. 8). A oração de Balaão em Números 23.10 foi respondida?

Alguns se opõem à matança geral dos midianitas como algo incompatível com o amor de Deus. Devemos recordar-nos de que esse povo era como câncer moral que ameaçava a pureza de Israel. Leia em Levítico 18.24-30, o relato da corrupção das nações que rodeavam Israel e poderá ver que a ação do Senhor para destruí-los totalmente era tão necessária, do ponto de vista natural, como a intervenção de um cirurgião ao amputar um membro enfermo do corpo de alguém.

As 32 mil meninas (31.18) foram preservadas para o serviço doméstico e não para propósitos imorais como imaginaram alguns incrédulos. Israel não foi castigado severamente por causa da impureza? (v. 25). A impureza não era castigada com a morte? (Dt 22). A lei hebraica permitia ao soldado casar-se com uma mulher cativa, mas somente sob a condição de observar a legislação existente em favor dela, destinada tanto quanto possível a tornar impossível a imoralidade (Dt 21.10-14).

No capítulo 32, registra-se a escolha da terra das duas tribos e meia; o capítulo 33 contém um sumário das jornadas de Israel, e o capítulo 34 registra os limites de cada tribo. Chegamos ao capítulo 35, que contém o relato da escolha das cidades de refúgio. Qual foi a herança dos levitas? Para quem seriam as seis cidades de refúgio? (v. 11,12). Onde essas cidades deveriam estar situadas? (v. 14). Por quanto tempo o homicida tinha de permanecer ali? (v. 25). Quem era excluído das cidades? (v. 20,21).

5
Deuteronômio

Título. Deuteronômio origina-se de duas palavras gregas que, juntas, significam "segunda lei". O livro chama-se assim pelo fato de registrar a repetição das leis dadas a Moisés no Sinai.

Tema. Moisés cumpriu a sua missão. Conduziu Israel do Egito às fronteiras da terra prometida. Agora que o tempo de sua partida havia chegado, numa série de discursos perante a nova geração, ele faz uma retrospectiva da história de Israel. É nesse retrospecto que se baseiam as advertências e conselhos que tornam Deuteronômio um grande sermão exortativo para Israel.

Exorta-os a recordar o amor de Deus por eles durante as peregrinações no deserto, para que pudessem estar seguros da continuidade do seu cuidado quando entrassem em Canaã. Deus aconselha-os a observar a Lei a fim de prosperarem. Lembra-lhes suas apostasias e rebeliões e adverte-os das conseqüências da desobediência futura.

A mensagem de Deuteronômio pode resumir-se em três exortações: Recorde! Obedeça! Cuidado!

Autor. Moisés.

Esfera de ação. Dois meses nas planícies de Moabe, 1451 a.C.

Conteúdo. Eis um resumo de Deuteronômio de acordo com as três exortações mencionadas em nosso tema:

    I. Recorde! — Resumo das jornadas de Israel (caps. 1—4)
    II. Obedeça! — Resumo da Lei (caps. 5—27)
    III. Cuidado! — Profecias do futuro de Israel (caps. 28—34)

I. Recorde! — Resumo das jornadas de Israel (caps. 1—4)

Como a maioria dos acontecimentos registrados nos capítulos seguintes são simplesmente uma repetição dos apresentados no livro de Números, não nos ocuparemos muito deles. Podemos dividir esta seção em duas partes:

    1. Moisés resume as jornadas de Israel (caps. 1—3)
    2. Faz desse resumo a base para uma advertência (cap. 4)

Onde encontramos Israel no princípio deste livro? (1.5). Que profecia se havia cumprido parcialmente em Israel? (v. 10 e Gn 15.5). Qual o caso único em que a oração de Moisés foi recusada? (3.25-28). Qual devia ser a atitude de Israel perante a Palavra de Deus? (4.2). O que era a lei para Israel? (4.6). Acerca de quais dias Moisés profetiza em 4.25-30? A que livro escrito por ele mesmo se refere Moisés indiretamente? (4.32).

II. Obedeça! — Resumo da Lei (caps. 5—27)

    1. Os Dez Mandamentos (caps. 5 e 6)
    2. Avisos e exortações (caps. 7—12)
    3. Falsos profetas (cap. 13)
    4. Leis cerimoniais (caps. 14—16)
    5. Um futuro rei e um futuro profeta (caps. 17 e 18)

6. Leis civis (caps. 19—26)

7. Bênçãos e maldições da Lei (cap. 27)

Qual era o desejo sincero de Deus com o seu povo? (5.29). Esse desejo ainda será realizado? (Ez 36.26). Qual é o grande mandamento da Lei? (6.4,5). Israel foi escolhido por causa de sua grandeza ou por sua justiça? (7.7; 9.4). Quais os dois motivos por que foi escolhido? (7.8). Qual foi um dos propósitos de Deus ao conduzir Israel pelo deserto? (8.2-5,16). O que Deus requeria de Israel? (10.12). Qual devia ser a diferença entre a conduta de Israel no deserto e a de quando entrasse na terra prometida? (12.8). Qual o único lugar onde deviam oferecer os sacrifícios? (12.13,14). Os milagres operados por um profeta provam necessariamente a autenticidade deste? (13.1,2; 2Ts 2.9). Qual é a verdadeira prova? (13.2; Mt 7.15-23). O que Moisés previu? (17.14-16; cp. 1Sm 8.5,10-18). Qual foi a grande profecia proferida por Moisés em 18.15-19? Note que a lei de retribuição em 19.21 foi dada para ser posta em vigor pelos juízes e não pelos indivíduos comuns. Com que termina o resumo da Lei? (27.26). Qual é a nossa relação com a Lei? (Gl 3.13).

III. Cuidado! — Profecias do futuro de Israel (caps. 28—34)

1. Bênçãos e maldições (cap. 28)
2. A aliança da Palestina (caps. 29,30)
3. Os últimos conselhos de Moisés aos sacerdotes, levitas e Josué (cap. 31)
4. O cântico de Moisés (cap. 32)
5. A bênção das tribos (cap. 33)
6. A morte de Moisés (cap. 34)

O capítulo 28 e Levítico 26 devem ser considerados como os dois grandes capítulos proféticos do Pentateuco. Os versículos 1-14 ter-se-iam cumprido se Israel tivesse sido obediente, mas terão seu cumprimento final no Milênio. Os versículos 14-36 cumpriram-se na apostasia de Israel sob o domínio dos reis, que culminou com o cativeiro babilônico (2Cr 36.15-20). Os versículos 37-68 cumpriram-se durante a destruição de Jerusalém, no ano 70 de nossa era, e no período seguinte (Lc 21.20-24). Josefo, general e historiador judeu que vivia naquele tempo, faz alguns relatos impressionantes dos terríveis sofrimentos dos judeus durante esse período, o que indica quão literalmente esses versículos se cumpriram. Como comentário do versículo 53, citamos o episódio seguinte narrado na história do sítio.

No período de maior fome em Jerusalém, um grupo de saqueadores armados vagueavam pelas ruas em busca de alimento. Sentiram o cheiro de carne assada vindo de uma casa próxima. Ao entrar ordenaram à mulher que ali estava que lhes desse comida. Ficaram horrorizados quando ela lhes mostrou o corpo assado de seu filho! Qualquer pessoa que conheça algo da história do povo judeu, notará facilmente que as profecias dos versículos 37-68 tornaram-se parte da história.

Os capítulos 29 e 30 registram o que se chama de Aliança da Palestina, isto é, um acordo entre o Senhor e Israel a respeito das condições da posse da Palestina. Deve notar-se cuidadosamente que há duas alianças referentes à posse da terra. A primeira é o pacto com Abraão (Gn 17.7,8). Esse pacto era *incondicional*, isto é, a conduta de Israel não influenciaria seu cumprimento (v. Jr 31.35-37; Rm 11.26-29). Mas Deus previu que Israel pecaria, de maneira que o pôs sob outro pacto — o palestinense. Esse pacto é *condicional*, dependente da obediência de Israel, o que permitia ao Senhor castigá-los com desterro *temporário* da terra sem rejeitá-los *para sempre*. Para usar uma rude ilustração, o pacto com Abraão foi a herança reservada para um Israel obediente; o pacto da Palestina foi o chicote para conduzir Israel a esse lugar de obediência. Dr. Scofield fornece uma excelente análise desse pacto:

> 1. A dispersão de Israel por causa de sua desobediência (30.1)

2. O arrependimento futuro de Israel (v. 2)
3. A volta do Senhor (v. 3)
4. O retorno a Palestina (v. 5)
5. A conversão nacional (v. 6)
6. O juízo dos opressores de Israel (v. 7)
7. A prosperidade nacional (v. 9)

Com que freqüência a Lei devia ser lida para o povo? (31.10-13). De que o Senhor advertiu Moisés? (31.16). Em vista disso, o que Moisés devia fazer? (v. 19-21). O que Moisés sabia? (v. 29).

O cântico de Moisés do capítulo 32 é tido como um resumo total do livro de Deuteronômio. Pode resumir-se nas três palavras do nosso tema — recorde! obedeça! cuidado! Foi escrito em forma de cântico para que o povo pudesse recordá-lo facilmente.

O que se diz em 32.4 a respeito do caráter de Deus? E a respeito do caráter de Israel? (v. 5,6). Qual país o Senhor fez o centro de todas as nações? (v. 8). O que se diz referente ao cuidado de Deus com Israel? (v. 10-14). Israel foi agradecido? (v. 15-18). Quem haveria de provocar a inveja de Israel? (v 21; cp. Rm 11.11). Como Deus os castigaria? (v. 22-26). O que impediria Deus de acabar com eles? (v. 27). Qual era o desejo de Deus para eles? (v. 29). Quando Deus voltará a eles? (v. 36). Quem se regozijará finalmente com Israel? (v. 43). Quando?

A bênção de Moisés às tribos deve comparar-se com a de Jacó, em Gn 49.

É provável que Josué tivesse escrito o relato da morte de Moisés no capítulo 34. Qual é a provável razão por que o lugar da sepultura de Moisés nunca foi revelado? (cp. Nm 21.8, 2Rs 18.4). Qual a outra passagem que menciona esse enterro? (Jd 9). Qual era sua condição física ao morrer? O que fez Israel por ocasião da morte de Moisés que deveria ter feito durante a sua vida? (v. 8). Levantou-se em Israel algum profeta semelhante a Moisés? (cp. v. 10 e 18.15).

Seção B
Os livros históricos

6
Josué

Tema. Israel agora está pronto para tomar posse de Canaã e cumprir sua missão de testemunha às nações quanto à sua unidade, e de defensor da Palavra e da Lei de Deus.

Nos livros históricos, começando com Josué, veremos se Israel cumpriu ou não a sua missão.

Josué é o livro da vitória e da posse. Apresenta-se o quadro de Israel, anteriormente rebelde, agora transformado num exército disciplinado de guerreiros, subjugando nações, que lhes eram superiores em número e poder. O segredo de seu êxito não é difícil de conhecer — "o Senhor... lutou por Israel" (10.42).

Tomando a fidelidade de Deus como pensamento central, poderíamos fazer um resumo da mensagem de Josué nas palavras de 21.45: "De todas as boas promessas do Senhor à nação de Israel, nenhuma delas falhou; todas se cumpriram".

Autor. Josué. O Talmude diz que Josué escreveu todo o livro com exceção dos últimos cinco versículos. Foi escrito durante o tempo em que Raabe vivia (6.25).

Esfera de ação. Desde a morte de Moisés até a morte de Josué, cobre um período de 24 anos, de 1451 a 1427 a.C.

Conteúdo

    I. A entrada na terra (caps. 1—5)
    II. A terra subjugada (caps. 6—12)
    III. A terra dividida (caps. 13—22)
    IV. A despedida de Josué (caps. 23 e 24)

I. A entrada na terra (caps. 1—5)

1. A instrução e a comissão de Josué (cap. 1)
2. Raabe e os espias (cap. 2)
3. A passagem do Jordão (cap. 3)
4. Os dois memoriais (cap. 4)
5. A primeira Páscoa em Canaã (cap. 5)

Quanta terra deveriam possuir os israelitas? (1.3). Que verdade espiritual isso ilustra? (Mt 19.29). Como Josué seria orientado agora? (1.8). Note que até essa época o Senhor revelava a sua vontade por meio de visões, sonhos e aparições angélicas, mas de agora em diante seria por meio da Palavra escrita. De que se deveriam lembrar as duas tribos e meia? (1.13-15). Que espécie de mulher foi Raabe? (2.1). O que a salvou? (Hb 11.31). Ela fez algo difícil para obter a salvação? (2.21). O que Josué mandou fazer como memorial da passagem do Jordão? (4.3,9). Qual foi o efeito da notícia do ataque de Israel aos cananeus? (5.1). Que profecia se cumpriu com isso? (Dt 2.25). Que mudança de dieta tiveram os israelitas nessa ocasião? (5.11,12). Quem era o verdadeiro chefe dos inimigos de Israel? (5.13,14). Descreva-o? (Ap 19.11-16).

II. A terra subjugada (caps. 6—12)

1. A conquista de Jericó (cap. 6)
2. O pecado de Acã (cap. 7)

3. A conquista de Ai (cap. 8)

4. Relações com os gibeonitas (caps. 9 e 10)

5. A conquista final da terra (caps. 11 e 12)

O que a tomada de Jericó ensina a respeito da maneira como Deus opera? (1Co 1.26-31). Que advertência foi feita a Israel? (6.18). Que maldição foi proferida nesse tempo? (6.26). Sobre quem caiu? (1Rs 16.34). Com quais personagens do NT podemos comparar Acã? (At 5). Que pessoas foram castigadas pelo pecado de um homem? (7.1). Às vezes orar é fora da ordem? (cp. 7.10 e Êx 14.15). Qual foi a raiz do pecado de Acã? (1Tm 6.1-10). Qual era o símbolo da autoridade de Moisés? (Êx 10.13). E da autoridade de Josué? (8.18,26). Que mandamento de Moisés cumpriu Josué nesse tempo? (8.30-35) (cf. Dt 27). Que equívoco Josué cometeu em seus tratos com Gibeon? (9.14). Por que foram poupados os gibeonitas? (9.19). Como foram castigados? (v. 23-27). Note a referência à conclusão da campanha de Josué. (11.23). Quantos reis ele conquistou? (12.24). Qual foi o segredo de seu êxito? (10.42).

III. A terra dividida (caps. 13—22)

Já que o título resume o conteúdo da seção inteira, será desnecessário um esboço detalhado.

Segundo 13.1, o que Israel tinha deixado de fazer? (1.3). Que aviso Israel deixou de observar? (cp. 13.13; 15.63; 16.10; Nm 33.55 e Js 23.12,13).

IV. A despedida de Josué (caps. 23 e 24)

De que Josué encarregou os anciãos de Israel? (23.6). O que Josué previu? (23.13). Que escolha pôs ante o povo? (24.15). Que obrigação tomou o povo sobre si mesmo? (24.16-18). Segundo os nossos conhecimentos da história de Israel, eles cumpriram a sua promessa? O que Josué fez com o povo? (v. 25).

7
Juízes

Tema. Josué é o livro da vitória; Juízes, o livro do fracasso. Os versículos 7-19 do capítulo 2 resumem a história do livro.

Depois da morte de Josué, a nova geração de israelitas fez alianças com as nações que a antiga geração havia deixado na terra, atitude que resultou em idolatria e imoralidade. Isso lhes trouxe o juízo de Deus na forma de servidão às mesmas nações que deviam ter subjugado. Quando clamaram a Deus, foi-lhes enviado um libertador; durante o tempo em que este viveu, permaneceram fiéis a Deus, mas depois de sua morte tornaram a cometer os mesmos pecados.

Nos últimos capítulos do livro, o escritor dá-nos uma descrição detalhada daqueles tempos de apostasia e anarquia e explica o fenômeno pelo fato de que "Naquela época não havia rei em Israel; cada um fazia o que lhe parecia certo" (17.6).

A história do livro pode resumir-se em quatro palavras: pecado, servidão, arrependimento, salvação.

Autor. Segundo a tradição judaica, o autor foi Samuel.

Esfera de ação. Juízes abrange o período que vai da morte de Josué à magistratura de Samuel.

Conteúdo

    I. O período depois de Josué (caps. 1—3.4)
    II. Apostasias, cativeiros e libertações de Israel (caps. 3.5—16)
    III. A anarquia de Israel (caps. 17—21)

I. O período depois de Josué (caps. 1—3.4)

    1. A vitória incompleta das tribos (cap. 1)
    2. A visita do anjo (2.1-5)
    3. Resumo dos acontecimentos que resultaram na apostasia de Israel (2.6—3.4)

Perceba que o capítulo 1 relata o princípio da queda de Israel — a sua falha em não ter conquistado os cananeus e sua aliança subseqüente com eles (2.12). Embora Deus seja contrário ao fato de os cananeus morarem na mesma terra com Israel, que uso faz deles? (2.21-23). Que outras coisas Deus usou com o mesmo propósito? (Dt 8.2-16).

II. Apostasias, cativeiros e libertações de Israel (3.5—16)

O aluno deve fazer uma lista de todos os juízes, com os seguintes fatos a respeito de cada um:

    1. De quem esse juiz livrou Israel?
    2. Por quanto tempo ocupou ele o cargo?
    3. Quais os fatos importantes referentes a ele?

Houve 12 juízes (excluindo Abimeleque que foi um usurpador). *O que isso lhe sugere?* (Mt 19.28; Is 1.26). Três fatos importantes referentes aos juízes devem ser considerados: eram chamados por Deus, eram dotados de poder especial e a maioria deles pertencia à classe descrita por Paulo como: "o que para o mundo é insignificante, desprezado" (1Co 1.27,28).

A morte de Sísera por Jael e o elogio que Débora lhe fez tem provocado crítica. Duas coisas devem ser levadas em consideração: em primeiro lugar, embora o ato fosse exaltado por Débora e Baraque, a Bíblia não o apóia nem elogia; simplesmente relata-o. Além disso, devemos lembrar que os costumes e padrões da época em que Jael vivia eram diferentes dos nossos. Citamos o que disse determinado comentarista inglês[a]:

> Jael, com seu ato reto e valoroso, salvou a sua vida, defendeu a honra de seu esposo ausente, sua própria honra e a de muitas centenas de seu sexo (5.30). Ao entrar na tenda da mulher, Sísera era culpado de um ato muito cruel e foi de sua parte uma recompensa indigna pela hospitalidade e bondade que ela lhe mostrou. Ele bem sabia que a Lei do Deserto condenava à morte a mulher em cuja parte da tenda entrasse um homem. Ela podia salvar-se somente se conseguisse matá-lo. Tal era a Lei do Deserto; e Jael era filha do Deserto e não de Israel.

Como o Anjo do Senhor se dirigiu a Gideão? (6.12). Era essa a opinião que Gideão tinha de si mesmo? (6.15). Gideão estava consciente de incredulidade de sua parte ao pedir um sinal? (6.39). Por que Deus quis libertar Israel com apenas uns poucos homens? (7.2). A que lei se refere 7.3? (Dt 20.8). O que se pode dizer acerca das armas do bando de Gideão? (2Co 10.4,5; Zc 4.6).

Agora chegamos a uma pergunta que não se pode deixar sem resposta no estudo do livro de Juízes: Jefté realmente sacrificou sua filha?

Como os eruditos estão divididos quanto a essa questão, podemos somente expor o que cada lado tem a dizer sobre o assunto e

---

[a]Fonte não mencionada no texto original [N. do E.].

deixar que o aluno julgue por si mesmo. Alguns crêem que, como os sacrifícios humanos eram proibidos pela lei (Lv 18.21; 20.2-5), o sacrifício da filha de Jefté deve ser tomado como uma espécie de dedicação da jovem à virgindade perpétua (11.36-40). Outros crêem que ele realmente sacrificou sua filha crendo conscientemente que a isso fosse obrigado pelo seu juramento (v. 31,35,39).

O que os pais de Sansão viram? (13.17,18,22; cp. Gn 32.29,30). Quais deveriam ser os cuidados com Sansão desde seu nascimento? (13.4,5). Com quem ele se parecia nesse particular? (Lc 1.13-15). Sansão tinha de separar-se para o Senhor? (13.5). Permaneceu sempre separado? (14.1-3). Qual era o segredo da força de Sansão? (13.25). Sansão andou sempre segundo o Espírito? (16.1-24). A que ponto chegava força de Sansão? (14.5-7). O que podemos dizer sobre a fraqueza de Sansão? (16.1-17). O que causou a queda de Sansão? (16.19; 13.5).

III. A anarquia de Israel (caps. 17—21)

1. Anarquia na vida religiosa (caps. 17 e 18)
2. Anarquia na vida moral (cap. 19)
3. Anarquia na vida nacional (caps. 20 e 21)

A primeira metade do livro de Juízes dá-nos um breve resumo de algumas das apostasias de Israel durante os 450 anos em que governaram os juízes. Os capítulos 17 a 21 fornecem uma descrição mais clara de um desses períodos. O último versículo do livro oferece-nos uma explicação das terríveis condições que prevaleceram nessa época.

8
Rute

Tema. O livro de Juízes fornece um quadro muito triste de Israel, do ponto de vista nacional; Rute apresenta-nos um quadro luminoso desse período em relação à fidelidade e beleza do caráter de certos indivíduos.

Além de ser uma das histórias mais bonitas da Bíblia, o livro de Rute é interessante pelo fato de sua heroína ser uma gentia.

A última palavra do livro — Davi — revela seu valor principal. Seu propósito é o de traçar a linhagem de Davi, o progenitor do Messias.

O livro tem seu apogeu na genealogia, no último capítulo.

Autor. A tradição judaica atribui a autoria deste livro a Samuel.

Esfera de ação. O livro abrange um período de dez anos, provavelmente durante a época de Gideão.

Conteúdo. Usaremos o esboço dado pelo Dr. Scofield:

    I. Rute decide (cap. 1)

    II. Rute serve (cap. 2)

III. Rute descansa (cap. 3)
IV. Rute recompensada (cap. 4)

I. Rute decide (cap. 1)

Quando ocorreram os acontecimentos registrados neste livro? (1.1). Houve uma fome nesse tempo? (Dt 28.1-14). Se Elimeleque tivesse confiado em Deus, teria ido a Moabe? (Sl 37.3). O que aconteceu com a família de Elimeleque em Moabe? (v. 3,4). Qual foi a decisão de Rute? (v. 16,17).

II. Rute serve (cap. 2)

Rute chegou por acaso a um campo que pertencia a Boaz, um parente de Elimeleque (2.3). Os acontecimentos subseqüentes demonstrarão que esse fato foi ordenado divinamente. Observe a bênção profética de Boaz a Rute (2.12).

III. Rute descansa (cap. 3)

Esse capítulo exige a explicação de alguns costumes e leis judaicas. Elimeleque perdera sua propriedade devido à pobreza. Segundo a lei judaica, a propriedade poderia ser resgatada por um parente do primeiro proprietário (Lv 25.25). Boaz, como parente de Elimeleque, tinha esse direito. Outra lei requeria que, se um homem morresse sem filhos, seu irmão deveria casar-se com a viúva (Dt 25.5-10). Parece, porém, que o costume tinha estabelecido, no decorrer do tempo, que, na falta de um cunhado, o dever recairia sobre o parente mais próximo. Como Noemi era a viúva de Elimeleque e perdera seus filhos, tinha direito a ser resgatada por Boaz. E transferiu o direito a sua nora, Rute. Esta é enviada a Boaz e, por meio do ato simbólico de deitar aos seus pés, fê-lo recordar do dever que tinha com seu parente falecido (3.7-9). Boaz, embora disposto a casar-se com Rute, notificou-a de possuir um parente mais chegado que ele, que teria a primazia do direito.

IV. *Rute recompensada* (cap. 4)

Na manhã seguinte, Boaz toma testemunhas e oferece o direito de resgate da propriedade de Noemi a seu parente, avisando-o ao mesmo tempo que, se comprasse a propriedade, teria de casar-se com Rute. Este recusou-se a fazê-lo, deixando Boaz livre para casar-se com ela.

No capítulo 4, os versículos 18 a 22, embora pareçam uma lista de nomes pouco interessante, são o ponto alto do livro, porque é onde se revela o propósito para o qual foi escrito: demonstrar a descendência de Davi, progenitor do Messias (cp. Mt 1.3-6).

9
1Samuel

Tema. O Livro de Samuel é um livro de transição. É o registro da passagem do governo de Israel por juízes ao governo por reis, e da passagem do governo de Deus, o Rei invisível — que tornou Israel diferente das outras nações — ao governo de um rei visível que o igualou às outras nações. "O Livro de Samuel é uma história com um toque de biografia."

Autor. Supõe-se que Samuel escreveu os primeiros 24 capítulos e, pelo fato de os profetas Natã e Gade serem mencionados com Samuel em 1Cr 29.29, como biógrafos dos acontecimentos da vida de Davi, conclui-se que eles foram os autores dos capítulos restantes.

Esfera de ação. Estende-se desde o nascimento de Samuel até a morte de Saul, abrangendo um período de 115 anos; de mais ou menos 1171 a 1056 a.C.

Conteúdo. "O conteúdo gira em torno de três pessoas: Samuel, um patriota e juiz de coração humilde e consagrado, que servia a Deus obedientemente; Saul, um rei egoísta, ciumento e obstinado, censurável e desleal com seu Deus; Davi, 'um homem segundo o coração do SENHOR' (13.14; At 13.22), o doce cantor de Israel, um varão de oração e louvor, provado, disciplinado, perseguido e finalmente coroado rei de todo Israel".

    I. Samuel (caps. 1—7)
    II. Saul (caps. 8—15)
    III. Davi (caps. 16—31)

I. Samuel (caps. 1—7)

1. O nascimento de Samuel (caps. 1—2.11)
2. O chamado de Samuel (2.12—3)
3. A arca é tomada (caps. 4 e 5)
4. O regresso da arca (caps. 6 e 7)

Nessa época da história de Israel, onde era o lugar de culto? (1.3). Quando Jerusalém se tornou o lugar de culto? (2Sm 5.6—9). Que lugar Ana ocupava no coração de seu marido? (v. 8). Qual era o motivo da tristeza de Ana? Para uma mulher judia, o que significava nessa época não ter filhos? (Gn 30.23; Lc 1.25). Que espécie de filho Ana pediu ao Senhor? (v. 11). O que Ana prometeu a Deus a repeito de seu filho? (v. 11; cp. Nm 6). Com quem Ana se assemelhava nesse sentido? (Lc 1.13-15). Por que Ana deu a seu filho o nome de Samuel? (v. 20). Ana cumpriu seu voto? (1.24-28). Em que resultou a bondade de Deus para com Ana? (2.1-10). Que mulher israelita pronunciou palavras semelhantes sob circunstâncias similares? (Lc 1.46-55). É possível as pessoas estarem no ministério, apesar de serem pecadoras? (2.12). Que se diz a respeito dos filhos de Eli? Como esses jovens prejudicaram a causa do Senhor? (2.17). Ana foi bem recompensada por seu sacrifício? (2.21). Que aviso foi dado a Eli? (2.27,36). Qual era a condição da revelação naqueles dias? (3.1). Qual deve ter sido, em conseqüência, a condição do povo? (Pv 29.18; Sl 74.9; Am 8.11). Qual a evidência de que Deus pode revelar sua vontade a uma criança? Como o Senhor confirmou a vocação de Samuel? (3.19, 20). Samuel foi o primeiro dos profetas escritores (At 3.24; 13.20; 1 Sm 3.20). Depois do fracasso do sacerdócio, Samuel chegou a ser o chefe espiritual do povo e o mediador entre ele e Deus.

Os capítulos 4 e 5 relatam a tomada da arca, símbolo da presença da glória do Senhor (Nm 14.43, 44; Js 3.6; 1Sm 14.18;19; Sl 132.8). A arca ia diante dos israelitas nas suas peregrinações pelo deserto e algumas vezes antecedia o exército em tempo de guerra (Js 3.6). Diante da arca, os líderes consultavam a vontade do Senhor (Êx 25.22; Js 7.6-9; Jz 20.37). Israel, em sua condição de apostasia, fez uso supersticioso desse móvel sagrado, pensando que o seu mero uso formal lhe traria a vitória. Confiaram "nela" em vez de confiar no poder do Senhor do qual era símbolo (4.3). Sua grande aclamação no campo foi apenas o resultado de entusiasmo natural.

Enquanto a arca trazia bênção ao povo de Deus, o que trazia aos inimigos? (cap. 5). Que conhecimento os sábios dos filisteus tinham sobre a cura divina? (6.3-6). Com que história estavam familiarizados? (6.6). Que efeito exerceu a volta da arca sobre os israelitas? (6.13). De que ato de profanação o povo era culpado? (6.19; cp. Nm 4.5-15). Para onde a arca foi levada? (7.1). O que os israelitas lamentaram? (7.2). O que Samuel lhes disse que fizessem? (7.3). O que simboliza o ato dos israelitas? (7.6; Sl 62.8). Que relevância se dá à oração neste capítulo? (7.5,8,9). Repare que Samuel toma sobre si o ofício de sacerdote ao fazer sacrifícios (7.9). Embora apenas os sacerdotes pudessem oferecer sacrifícios, o Senhor fez uma dispensação especial em favor de Samuel, por causa da falha do sacerdócio. O que se seguiu ao arrependimento de Israel? (7.10-14).

II. *Saul* (caps. 8—15)

1. Israel exige um rei (cap. 8)

2. Saul escolhido e ungido (caps. 9 e 10)
3. A primeira vitória de Saul (cap. 11)
4. A proclamação do reino por Samuel (cap. 12)
5. Saul rejeitado (caps. 13—15)

O capítulo 8 relata o desejo de Israel por um rei.
Por que Israel desejava um rei? (8.5). Qual era o plano de Deus para a nação? (Dt 14.2; Nm 23.9). Qual foi a alegação do povo para exigir um rei? (8.3-5). Até que ponto Deus se identifica com seus servos? (8.7). Deus permitiu que o povo fizesse o que queria? Que tipo de rei o Senhor disse que teriam? (8.11-17). Quem tinha previsto que Israel desejaria um rei? (Dt 17.14-20). A descrição do Senhor a respeito de seu futuro rei desanimou o povo? (8.19,20). O que fez, então, o Senhor? (Sl 106.15).

Qual era a reputação de Samuel entre o povo? (9.6). Originalmente, como se chamava um profeta? (9.9). Qual era o grau de intimidade entre Samuel e Deus? (9.15). Que sinais foram dados para confirmar a fé de Saul? (10.1-8). Perceba que existe uma escola de profetas da qual Samuel era, provavelmente, o principal (10.5-10).

Os versículos de 6 a 9 do capítulo 10 não dizem que Saul se regenerou. Declaram que o Senhor deu a Saul um coração novo, mas significa simplesmente que lhe conferiu as qualidades necessárias para o ofício; deu-lhe o coração de um rei. Tem-se interpretado a ação de Saul em esconder-se entre a bagagem como sinal de modéstia. Mas foi uma modéstia manifesta em tempo inoportuno. "É um pecado tão grande insistir na modéstia e permanecer atrás, quando o Senhor chama à frente, como o é, passar à frente quando a vontade de Deus e que se fique atrás." O povo todo estava a favor de Saul? (10.27). De que maneira ele demonstrou sua sabedoria? (10.27). O que estabeleceu a popularidade de Saul? (11.11-13). Embora Israel tenha rejeitado Deus, ele os desamparou inteiramente? (12.14, 22). Como Samuel considerava o descuido da oração intercessora? (12.23).

O capítulo 13 relata o pecado de Saul — intrometer-se no ofício sacerdotal. Isso foi uma violação flagrante de Nm 3.10-38. Qual foi a desculpa de Saul? (v. 12). O que ele perdeu por causa de sua desobediência? (13.13). O que foi informado a Saul? (13.14).

Que ato de desobediência selou a sorte de Saul? (15.1-9). Qual foi a desculpa de Saul? (v. 20,21). Que princípio Samuel expôs em 15.22? O arrependimento de Saul foi realmente sincero? (cp. v. 25 e 30). O que Samuel sentiu a respeito da rejeição de Saul? (15.35). E os sentimentos do Senhor?

III. Davi (caps. 16—31)

1. Davi ungido rei (cap. 16)
2. A vitória de Davi sobre Golias (cap. 17)
3. As perseguições e peregrinações de Davi (caps. 18—30)
4. A morte de Saul (cap. 31)

Por quais padrões Samuel julgava as qualidades necessárias para uma pessoa para se tornar rei? (16.6). Como o Senhor julga? (16.7). O que aconteceu depois que Davi foi ungido? (16.13). Isso era típico de que acontecimento? (Mt 3.16,17).

Parece haver uma questão complexa em 16.14. Lemos que o Espírito do Senhor deixou Saul e um espírito maligno da parte do Senhor o atormentava. Tem-se perguntado: Deus envia espíritos malignos aos homens? Para a explicação disso, citamos algumas palavras do Dr. Torrey[a]:

> O que quer dizer 'espírito maligno'? O contexto demonstra-o claramente. Era um espírito de descontentamento, inquietação e depressão.
>
> As circunstâncias eram estas: Saul tinha-se mostrado infiel ao Senhor. Desobedecera a Deus deliberadamente. Este, como

---

[a] Fonte não mencionada no texto original [N. do E.].

conseqüência, havia retirado dele seu Espírito e um espírito de angústia e descontentamento vinha sobre Saul.

Esse não era um ato cruel por parte de Deus. Não havia coisa mais bondosa que Deus pudesse ter feito. É uma das provisões mais misericordiosas de nosso Pai celestial que, quando lhe desobedecemos e andamos longe dele, nos faça sentir infelizes e descontentes em nosso pecado. Se Deus permitisse que continuássemos felizes em nosso pecado, seria a coisa mais cruel que poderia fazer, mas Deus, na sua grande misericórdia, quer reaver para si mesmo, se possível, todo pecador; e, se pecamos, Deus, para nosso maior bem, envia-nos inquietação e profunda tristeza. Se fizermos o devido uso da tristeza que o Senhor nos envia, ela nos levará a Deus e à alegria do Espírito Santo. Saul usou-a mal. Em vez de permitir que a inquietação de seu coração lhe trouxesse o arrependimento, permitiu que lhe amargurasse a alma contra aquele que Deus tinha favorecido. Enviar o espírito foi um ato de misericórdia de Deus. Do mau uso desse ato de misericórdia resultou a ruína de Saul.

Os estudiosos confundem-se pelo fato de Saul não ter reconhecido Davi depois da sua vitória contra Golias quando ele mesmo o tinha enviado (17.55-58). O Sr. Parrot, um missionário de Madagascar, explica essa dificuldade descrevendo um costume daquele país. Em Madagascar, "quando alguém realiza alguma grande façanha, o clamor não é 'quem é este?' mas 'de quem é filho?', passando a glória a quem o criou. Além disso, o costume de Madagascar manda fingir ignorância do parentesco para poder exprimir maior surpresa."

Quem se fez amigo de Davi nesse tempo? (18.1). O que causou inveja a Saul? (18.6, 7). Por que Saul o temia? (18.12). Qual era a popularidade de Davi em Israel? (18.16). Como Saul tentou matar Davi? (18.20-30; 19.1-17). Como o Senhor protegeu Davi? (19.18-24). Para onde Davi fugiu? (19.18). Qual a raiz da inimizade de Saul por Davi? (20.31).

O aluno deve fazer uma relação dos lugares por onde Davi andou durante suas peregrinações, ressaltando o que ocorreu em cada lugar.

Vimos o relato das peregrinações e perseguições daquele que foi ungido rei em Israel. Quais eram os seus sentimentos durante esse tempo? Que experiências religiosas ele teve? A leitura dos salmos indicados a seguir, referentes a esse período da vida de Davi, vai-nos ajudar a responder a essas perguntas. O aluno deverá lê-los comparando-os com textos relacionados:

1. Sl 59 e 1Sm 19.11
2. Sl 56 e 1Sm 21.10,11
3. Sl 34 e 1Sm 21.13
4. Sl 57 e 1Sm 22.1
5. Sl 52 e 1Sm 22.9
6. Sl 54 e 1Sm 23.19

10
2Samuel

Tema.

O livro todo concentra-se na figura de Davi; não há outra de suficiente importância que atraia a atenção. É o quadro do ungido de Deus, para o qual nossos olhos se dirigem. É o quadro do homem segundo o coração de Deus que iremos estudar. E começamos o nosso estudo com esta pergunta: o que há em Davi que mereça um título tão honorífico? Não o observamos de longe para vê-lo como rei, em posição elevada, rodeado por toda a insígnia da realeza, mas de perto, conhecendo o homem Davi na vida comum do lar, em meio às suas tristezas mais profundas, e na hora de seus maiores triunfos; ouvimos as suas orações e os seus louvores; sua justa indignação e suas palavras de bondade, ternura e generosidade. Somos testemunhas de seu pecado e de seu arrependimento, de seus momentos de impaciência e de dignidade real. O quadro todo, apesar de partes sombreadas, apresenta-nos um homem em cuja vida Deus ocupava o primeiro plano. Para Davi, acima de todas as demais coisas, Deus é uma realidade gloriosa. Em suma, Davi é um homem profundamente consciente de sua própria debilidade, erro e pecado, mas que conhece a Deus, e confia nele de todo o seu coração. — MARKHAM[a]

---

[a]Fonte não mencionada no texto original [N. do E.].

Autor. Os acontecimentos registrados em 2Sm provavelmente foram acrescentados ao livro de Samuel (1Cr 29.29) por Natã ou Gade. No original hebraico, 1 e 2Samuel formavam um único livro. Foram divididos pelos tradutores da Versão dos Setenta (mais ou menos em 285 a.C.), quando traduziram o AT para a língua grega.

Esfera de ação. Vai desde a morte de Saul até a compra do local do templo, abrangendo um período de 37 anos.

Conteúdo

I. A elevação de Davi (caps. 1—10)
II. A queda de Davi (caps. 11—20)
III. Os últimos anos de Davi (caps. 21—24)

I. A elevação de Davi (caps. 1—10)

1. A morte de Saul (cap. 1)
2. Davi chega a ser rei sobre todo Israel (caps. 2—5)
3. A arca trazida a Jerusalém (cap. 6)
4. O pacto de Davi (cap. 7)
5. As conquistas de Davi (caps. 8—10)

Alguns eruditos acreditam que o amalequita inventou a história (1.4-10). Pensou que, com a notícia da morte de Saul, conseguisse algum favorecimento de Davi. Imaginou que o rei se sentiria alegre com a notícia da morte de seu inimigo. Davi, percebendo sua verdadeira intenção, castigou-o justamente. Agiu conforme o princípio seguido em todos os seus tratos com Saul: reverência pelo ungido do Senhor. Desejava evitar toda a aparência de ser cúmplice da morte dele.

Qual foi a primeira tribo a reconhecer Davi como rei? (2.1-4). Como os homens de Jabes-Gileade demonstraram sua bondade com

Saul? (1Sm 31.11-13; 2Sm 2.4-7). Quem estimulou a guerra entre Judá e as 11 tribos? (2.8-11). Qual foi o resultado da guerra? (3.1). Quem fez aliança com Davi nessa época? (3.12-26). O que se revela do caráter de Joabe em 3.22-30? Qual foi a atitude de Davi com relação ao assassinato de Abner por Joabe? Perceba a continuação da fidelidade de Davi com Saul e sua casa (cap. 4). Onde e quando Davi foi nomeado rei de todo Israel? (cap. 5). Que cidade se tornou a capital do reino nessa época? (5.6-9). Quem, nessa época, edificou uma casa para Davi? (5.11). Que salmo foi composto por Davi nessa ocasião? (Sl 30).

Trazer a arca foi um ato louvável da parte de Davi, mas a maneira de trazê-la era uma violação da lei de Deus. A arca, em vez de ser conduzida num carro, deveria ter sido carregada pelos sacerdotes (Nm 4.14,15; 7.9). Depois disso, para onde foi levada a arca? (6.10,11). O que sua presença trouxe a essa família? A conduta de Davi ante a arca foi muito digna? Quem interpretou mal a atitude de Davi? Como essa pessoa censurou Davi? (v. 20). Com que palavras Davi justificou sua conduta? (v. 21). Qual foi o resultado da crítica de Mical a Davi? (v. 23). O que Davi propôs fazer? (7.1-3). Quem o incentivou a isso? Era a vontade de Deus que Davi lhe edificasse um templo? (1Cr 22.8).

Em 7.8-17, há o relato de que Deus fez um pacto com Davi, no qual prometeu a ele e aos seus descendentes o trono e o reino para sempre. Citamos o Dr. Scofield[b]:

> Este pacto, sobre o qual o glorioso Reino de Cristo, da semente de Davi segundo a carne, será fundado, assegura:
>
> 1. uma 'casa' a Davi, a saber: posteridade, família;
>
> 2. um 'trono', a saber: autoridade real;
>
> 3. um 'reino', a saber: uma esfera de governo;
>
> 4. perpetuamente, 'para sempre';

[b]Idem.

5. esse pacto quádruplo tem apenas uma condição: a desobediência na família de Davi será punida com castigo, mas não com a anulação do pacto (2Sm 7.15; Sl 89.20-37; Is 53.3). O castigo impôs-se, primeiro na divisão do reino sob o comando de Roboão, e finalmente nos cativeiros (2Rs 25.1-7). Desde esse tempo, somente um rei da família davídica foi coroado, e com espinhos. Mas o pacto davídico confirmado a Davi pelo juramento de Deus e renovado a Maria pelo anjo Gabriel é imutável (Sl 89.30-37); e o Senhor Deus dará ainda ao que foi coroado de espinhos o trono de seu pai Davi (Lc 1.31-33; At 2.29-32).

Note a bela oração de graças que Davi pronunciou após a celebração desse pacto (7.18-29).

Como Davi estabeleceu completamente o seu reino? (cap. 8). Faça uma lista das nações que ele subjugou. Como Davi demonstra novamente sua bondade à família de Saul? (cap. 9).

II. A queda de Davi (caps. 11—20)

1. O grande pecado de Davi (caps. 11,12)
2. A rebelião de Absalão (caps. 13—20)
   Leia o salmo 51.

As palavras de Natã, afirmando que Davi dera ocasião aos inimigos de Deus de blasfemarem (12.14), têm-se cumprido no sarcasmo dos incrédulos que zombam de Davi por ter sido chamado "um homem segundo o coração do Senhor" (1Sm 13.14; At 13.22). Que Davi fosse um homem segundo o coração de Deus não significa que não tivesse defeitos, mas que era um homem em cujo coração havia um desejo sincero de fazer a vontade de Deus e buscar sua justiça, em contraste com Saul, que sempre buscava o seu próprio caminho. Davi cometeu um pecado dos mais vis; porém, com verdadeiro sentimento da justiça de Deus e de sua própria culpa, ele se arrependeu a ponto de cobrir-se de pano de saco e cinzas. Há muitas lições importantes que podemos aprender com o pecado de Davi:

1. Por mais forte e espiritual que a pessoa seja, se desviar os seus olhos de Deus, estará sujeita a cair.
2. O relato, em termos claros, do pecado do maior herói de Israel, sem procurar desculpá-lo, é uma prova forte da origem divina da Bíblia. O mais natural teria sido encobrir esse acontecimento desagradável (12.12).
3. A graça de Deus pode perdoar o mais vil pecado se houver verdadeiro arrependimento (12.13).
4. "O que o homem semear, isso também colherá." A criança nascida da união pecaminosa de Davi, morreu. Seus dois filhos seguiram-lhe no adultério e um cometeu crime de assassinato.
5. Deus não tolerará o pecado, nem por um momento, mesmo de seus filhos mais amados.

Não demorou muito para que Davi colhesse o que havia semeado. Seu filho Amnom praticou um ato de imoralidade que levou Absalão a assassiná-lo (cap. 13). Davi amava seu filho, mas o temor da opinião pública fê-lo vacilar em chamá-lo do desterro a que fora sentenciado. Joabe, sabendo que no coração do rei havia uma luta entre o afeto e o dever, recorreu ao estratagema descrito no capítulo 14. A mulher sábia com quem ele tratou, usando de uma conversa hábil, obteve uma promessa do rei, de que seu filho, que supostamente assassinara o irmão, seria perdoado. Ela logo insinuou que, se Davi perdoasse a Absalão, não estaria fazendo mais do que tinha feito por ela e não podia haver acusação de parcialidade contra ele. O estratagema foi bem-sucedido. Porém os acontecimentos subseqüentes provaram que Davi fora imprudente em perdoar Absalão, porque mais tarde esse filho se revoltou contra ele.

A decisão imediata de Davi em sair de Jerusalém e colocar o Jordão entre si e os rebeldes foi o ato de um hábil soldado. A respeito da fuga de Davi, deve ser lido o salmo 3.

Note a paciência e humildade de Davi diante do insulto de Simei. Ele vê a mão de Deus em tudo (16.5-12).

Aitofel aconselha Absalão a cometer um ato que tiraria qualquer esperança de reconciliação com seu pai e obrigaria todos em Israel a manifestar o seu parecer (16.21-23). Esse ato foi um cumprimento de 2Sm 12.12. Aitofel logo aconselhou Absalão a formar uma pequena força e capturar o pai antes que este pudesse organizar um grande exército. Husai venceu esse conselho, sugerindo que Absalão fizesse uma mobilização geral de todo o seu exército. Isso daria a Davi tempo para passar o Jordão e reunir um grande exército. Aitofel, prevendo a vitória de Davi, e a sua própria desgraça, suicidou-se.

A reprovação insolente de Joabe a Davi demonstra que aquele não o amava (19.1-7). Era um rebelde de coração. O fato de ter assassinado Absalão colocara Davi completamente contra ele (19.13; cp. 1Rs 2.5).

> Este capítulo [19], como se fosse um espelho, mostra alguns fatos tristes. Davi parece ter esquecido o uso e o significado da oração. Em meio a toda a ação relatada no capítulo não se menciona nenhuma vez a frase: 'Davi consultou ao Senhor'. O resultado foi que o seu afeto egoísta e excessivo para com o filho rebelde apagou o afeto que devia ter demonstrado aos seus valentes e fieis soldados; perdoou Simei, jurando-lhe por Deus — um juramento que não devia ter feito (1Rs 2.8,9) — quando deveria tê-lo julgado; condenou Mefibosete quando deveria ter-lhe feito justiça; recompensou Ziba quando deveria tê-lo castigado; e apressou-se a ir a Jerusalém sem dar tempo aos chefes e soldados das tribos do norte de o ajudarem na restauração. Dessa maneira, causou o derramamento de sangue e a miséria que se seguiu no capítulo seguinte.[c]

Que tribo deveria ter sido a primeira a dar as boas-vindas a Davi? (19.11). Por quê? (v. 12). Chegará o tempo em que Israel e

---

[c] Idem.

Judá darão boas-vindas ao filho de Davi? (Zc 12.10; Mt 23.39). Quem levou Davi de volta à cidade? (19.40). Em que resultou a preferência de Davi pela tribo de Judá? (19.41; 20.1,2). A que deu início a divisão entre Judá e Israel? (1Rs 12.16-24). Que crime Joabe acrescentou à sua vida nessa ocasião? (cap. 20).

III. *Os últimos anos de Davi* (caps. 21—24)

1. Os três anos de fome (cap. 21)
2. O cântico de Davi (cap. 22)
3. As últimas palavras de Davi (cap. 23)
4. O pecado de Davi por contar o povo (cap. 24)

O que causou a fome mencionada no capítulo 21? (cp. Js 9). Que pena a família de Saul pagou pela violação desse juramento?

Spurgeon chamou o capítulo 22 de "retrospecto de gratidão". No fim de sua vida, Davi revê o passado, as vicissitudes e provas de sua vida e reconhece com gratidão a graça e a fidelidade de Deus.

Os primeiros sete versículos do capítulo 23 registram as últimas palavras de Davi. Nessa seqüência deve-se ler o salmo 72, cujo último versículo parece indicar que seja a última oração de Davi. Quais as três coisas referentes a Davi mencionadas no versículo 1? O que Davi declarou no versículo 2? Quem foi testemunha disso? (Mt 22.43). Na opinião de Davi, como deve ser um governador ideal, escolhido por Deus? (v. 3,4). Davi sentia que ele e sua casa tinham alcançado esse ideal? (v. 5). Apesar de ter encontrado muitas dificuldades e fracassos, que fato o consola? (v. 5). O que Davi disse a respeito de seus inimigos? (v. 6,7). O restante do capítulo fornece uma relação dos valentes de Davi e das suas façanhas. Os versículos 16 e 17 dão-nos uma idéia da devoção desses homens para com Davi e de seu apreço por eles.

O capítulo 24 relata o pecado de Davi em contar o povo. Uma comparação com 1Cr 21.1-6 demonstra que foi Satanás o estimulador disso.

Embora Deus a ninguém tente (Tg 1.13), há, nas Escrituras, relatos de casos em que ele permite a tentação por intermédio de outros agentes. Nesse caso, permitiu que Satanás tentasse Davi. Foi Satanás quem agiu enquanto Deus somente retirou sua graça sustentadora. Assim, o grande tentador prevaleceu contra o rei. A ordem foi dada por Joabe que, embora não fosse escrupuloso, não deixou de apresentar em termos fortes (1Cr 21.3) o pecado e o perigo dessa medida, e usou todos os argumentos para dissuadir o rei do seu propósito: o fato de contar o povo não foi em si mesmo um ato pecaminoso, pois Moisés o fez pela autorização expressa de Deus. Mas Davi agiu por orgulho e vanglória; por autoconfiança e falta de confiança em Deus. Foi motivado, acima de tudo, por desígnios ambiciosos de conquista, para cujo êxito estava resolvido a forçar o povo ao serviço militar. Objetivava averiguar se podia ou não reunir um exército suficientemente grande para a magnitude da empresa que pensava levar a cabo. Violou a constituição, infringiu a liberdade do povo, em oposição à política divina que exigia que Israel continuasse uma nação separada. — JAMIESON, FAUSSET e BROWN[d]

---

[d]JAMIESON, Robert; FAUSSET, A. R.; BROWN, David. *Commentary Critical and Explanatory on the Whole Bible*, 1871 [edição de domínio público, disponível em: www.ccel.org (N. do E.)].

11
1Reis

Tema. Em 1 e 2Samuel relata-se que a nação judaica exigiu um rei a fim de tornar-se como as demais nações. Embora contrária à sua perfeita vontade, Deus lhe concedeu essa petição. Neste livro aprendemos a história de Israel sob o domínio dos reis. Apesar de governarem muitos reis de caráter reto, a história da maior parte deles é a de governos maus e iníquos. De acordo com a sua promessa em 1Sm 12.18-24, o Senhor não deixou de abençoar o seu povo quando o buscava, mas, nunca deixou de castigá-lo quando se afastava dele.

Autor. O autor humano é desconhecido. Acredita-se que Jeremias tenha compilado os registros escritos por Natã, Gade (1Cr 29.29) e outros.

Esfera de ação. 1Reis estende-se desde a morte de Davi até o reinado de Jorão sobre Israel; cobre um período de 118 anos, de 1015 a 897 a.C.

Conteúdo

    I. O estabelecimento do reino de Salomão (caps. 1 e 2)

    II. O reinado de Salomão (caps. 3—11)

    III. A divisão e o declínio do reino (caps. 12—22)

I. O estabelecimento do reino de Salomão (caps. 1 e 2)

1. A conspiração de Adonias (1.1-38)
2. Salomão nomeado por Davi (1.39-53)
3. A morte de Davi (2.1-11)
4. A subida de Salomão ao trono (2.12-46)

Qual era a condição física de Davi nessa época? Quem procurou tomar o reino? O que deveria ter servido de aviso para ele? (2Sm 15.1-6). Quais foram os seus cúmplices? Como a conspiração foi frustrada? Por que Adonias não poderia tornar-se rei? (1Cr 22.9,10).

Com referência às últimas instruções de Davi a Salomão (2.1-9), citamos do comentário de Bahr[a]:

> As instruções especiais referentes a indivíduos, Davi comunica-as, não como um indivíduo, mas como o rei de Israel. O assassinato duplo cometido por Joabe tinha passado sem castigo. Quando foi cometido, Davi não estava em condições de castigá-lo; mas sentiu todo o peso desse ato e, horrorizado, proferiu uma imprecação contra ele (2Sm 3.29). Na opinião do povo, porém, a falta de castigo deve ter sido considerada como um insulto contra a lei e a justiça, e a culpa recaiu sobre o rei. Era uma mancha no seu reinado que ainda não estava apagada. Mesmo no leito de morte, Davi pensa que é o seu dever, como juiz supremo, dar ao seu sucessor uma ordem explícita acerca desse assunto. Isto pesava na sua consciência e ele desejava que de alguma maneira ("Proceda com a sabedoria que você tem." — 1Rs 2.6) a mancha fosse removida. Além disso, a participação de Joabe na revolta de Adonias deve ter parecido muito perigosa para o trono de Salomão. Assim como o castigo de Joabe era uma questão de consciência, do mesmo modo foi a recompensa de Barzilai. O que Barzilai tinha feito, fez para ele

---

[a] Fonte não mencionada no texto original [N. do E.].

como rei, como ungido de Deus. Tal fidelidade e devoção à casa reinante deveria ser recompensada publicamente e reconhecida em honrosa recordação depois da morte do rei. Em contraste direto à ação de Barzilai estava a de Simei. Ele não amaldiçoou Davi como indivíduo, mas o amaldiçoou com a maldição mais pesada, como o ungido de Deus. Assim amaldiçoou indiretamente o próprio Deus, porque a blasfêmia contra o rei estava no mesmo nível da blasfêmia contra Deus (1Rs 21.10). Ambas eram passivas de castigo de morte (Lv 24.14; Êx 22.27), razão por que Abisai pensou que Simei deveria morrer (2Sm 19.21). Mas Davi desejava mostrar-se compassivo nesse dia em que Deus havia mostrado grande misericórdia para com ele e por esse motivo salvou a vida de Simei. Não era de pouca importância permitir ao infiel que vivesse perto dele (não se falou de nenhum exílio). Permitir-lhe que passasse os seus dias tranqüilamente sob o reinado seguinte (que nunca lhe foi prometido), teria sido uma bondade que poderia ser muito abusada, abrindo uma precedência de crimes não castigados. De fato, Simei era homem perigoso, capaz de repetir o que tinha feito com Davi. De resto, o rei deixou que Salomão escolhesse a maneira e o tempo de seu castigo, contanto que não ficasse impune.

II. O reinado de Salomão (caps. 3—11)

1. A sabedoria de Salomão (caps. 3 e 4)
2. A construção do templo (caps. 5—7)
3. A dedicação do templo (cap. 8)
4. A glória e a fama de Salomão (caps. 9 e 10)
5. A queda de Salomão (cap. 11)

Com quem Salomão se casou? Onde Salomão e o povo sacrificaram por falta de um santuário? (3.2-4). Que pedido fez Salomão nessa época? (3.9). O que o Senhor lhe deu além do que pediu? Que versículo da Bíblia ilustra isso? (Ef 3.20). Que acontecimento é relatado exemplificando a sabedoria de Salomão? Quais eram as condições de Israel e Judá durante o reinado de Salomão? (4.20,24,25). Quais eram as fronteiras dos domínios de Salomão? (4.21,24). Quem forneceu a Salomão o material para construir o templo? (5.7-10). Em que ano depois da partida de Israel do Egito iniciou-se a construção do templo? (6.1). Que mensagem Salomão recebeu nessa época? (6.11-13). Quanto tempo levou a construção do templo? (6.38). Quanto tempo levou a construção da casa de Salomão? (7.1). O que fizeram depois que o templo foi terminado? (8.1-19). O que havia dentro arca? (8.9). Como Deus manifestou sua presença nessa ocasião? (8.10,11). Observe cuidadosamente o sermão de Salomão (8.12-21); a oração dedicatória de Salomão (8.22-53); a bênção do povo por Salomão (8.54-61). Como foi celebrada a dedicação? (8.62-66). Quando a oração de Salomão foi respondida? (9.1-9). Que escolha o Senhor apresentou a Salomão e seu povo? (9.4-9). O que Israel escolheu finalmente? Descreva os feitos de Salomão (9.10-28). Descreva sua riqueza (10.1-29). Quem causou a queda de Salomão? (11.1,2). A que o conduziram? (11.5-8). Com que castigo Deus o ameaçou? (11.11). Quando isso aconteceria? (11.12). Quanto de seu reino restaria? (11.13). Que profeta é apresentado aqui? (11.29). Que oportunidade se apresentou a Jeroboão? (11.38).

III. A divisão e o declínio do reino (caps. 12—22)

A maneira mais proveitosa para o aluno aprender esta seção consiste em fazer uma lista dos reis de Judá e de Israel e anotar em resumo os seguintes fatos: o caráter do rei, o tempo em que reinou, os nomes dos profetas mencionados em conexão com seu reinado, e os acontecimentos principais de seu reino. Por exemplo:

JUDÁ
Roboão
Insensato e injusto; reinou por 17 anos; o reino dividido; o povo comete idolatria; invasão pelo rei do Egito.

A lista dos reis de Judá e Israel, que se segue agrupados tanto quanto possível em ordem cronológica, servirá de guia ao aluno.

JUDÁ	ISRAEL
Roboão	Jeroboão
Abias	
Asa	Nadabe
	Baasa
	Elá
	Zinri
	Onri
Josafá	Acabe
Jeorão	Acazias

Que pedido os anciãos do povo trouxeram a Roboão? Apesar da prosperidade material do reino de Salomão, qual era a condição do povo? (12.4). O que revelou a loucura de Roboão? O que perdeu por isso? Havia já o princípio de uma separação entre Judá e Israel? (2Sm 2.8-11; 19.41; 20.1,2). O que Roboão tentou fazer para impedir a separação das outras tribos? (12.21). O que o deteve? (12.23-24). O que Jeroboão temia? (12.26). O que fez para impedir isso? (12.27,28). Desejava a princípio destruir inteiramente o culto a Deus, ou queria dirigi-lo de outra maneira? Quem lhe sugeriu fazer os dois bezerros de ouro? (Êx 32.1-4). Onde os colocou? Que mandamento referente ao sacerdócio ele quebrou? E com relação às festas? Quem denunciou o seu pecado? (13.1,2). De quem profetizou o nascimento, 350 anos antes de acontecer? (cp. 2Rs 23.15). Que versículo da Bíblia a desobediência do homem de Deus ilustra? (cp. 13.18 e Gl 1.8,9). Que sentença foi pronunciada sobre Jeroboão? Que profecia referente a Israel foi pronunciada? (14.15,16).

Consideremos os acontecimentos principais do ministério de Elias. Para poder dar um relato completo da sua vida, citamos do livro de 1 e 2Reis o seguinte:

1. Sua mensagem a Acabe (17.1).
2. Sua fuga a torrente de Querite (17.2-7).
3. Alimentado pela viúva de Sarepta. Ressuscita seu filho dentre os mortos (17.8-24).
4. Seu desafio aos sacerdotes de Baal, no monte Carmelo (cap. 18).
5. Sua fuga de diante de Jezabel para o monte Horebe (19.1-18).
6. A vocação de Eliseu (19.19-21).
7. Sua denúncia de Acabe pelo assassinato de Nabote (21.17-29).
8. Sua mensagem a Acazias (2Rs 1.3-16).
9. Sua trasladação (2Rs 2.1-11).

Elias e João Batista são mencionados juntos no NT; o último, cumprindo o ministério do primeiro com relação à primeira vinda do Messias (Lc 1.17; Mt 17.10-13). Elias é o João Batista do AT e João Batista é o Elias do NT. Seus ministérios oferecem uma comparação interessante:

1. Ambos ministraram nas épocas em que Israel se havia afastado do verdadeiro culto a Deus.
2. Tinham aparência semelhante (2Rs 1.8; Mt 3.4).
3. Ambos pregaram o arrependimento nacional (1Rs 18.21; Mt 3.2).
4. Ambos repreenderam reis ímpios (1Rs 18.18; Mt 14.3,4).
5. Ambos foram perseguidos por rainhas ímpias (1Rs 19.1; Mt 14.8).
6. O sacrifício de Elias no monte Carmelo e o batismo de João marcam um tempo de arrependimento nacional.

7. Eliseu, sucessor de Elias, recebeu seu poder para o serviço no Jordão; Jesus, o sucessor de João, recebeu a unção do Espírito Santo no mesmo rio.

8. Ambos, no fim de seu ministério, cederam ao desânimo (1Rs 19.4; Mt 11.2-6).

12
2Reis

Tema. O segundo livro dos Reis é uma continuação da história da queda de Judá e Israel, que culmina no cativeiro de ambos. Temos aqui a mesma história de fracasso do rei e do povo, uma história de apostasia e idolatria. Embora esse tenha sido o grande período profético de Israel, a mensagem dos profetas não foi ouvida. As reformas que se realizaram sob o domínio de reis como Ezequias e Josias foram superficiais. O povo logo voltou a seus pecados e continuou neles até que não houvesse mais recurso (2Cr 36.15,16).

Autor. O autor humano é desconhecido. Acredita-se que Jeremias tenha compilado os registros feitos por Natã, Gade e outros.

Esfera de ação. 2Reis estende-se desde o reinado de Jeorão em Judá e Acazias em Israel, até o cativeiro; cobre um período de 308 anos, de 896 a 588 a.C.

Conteúdo

    I. O fim do ministério de Elias (caps. 1—2.13)
    II. O ministério de Eliseu (2.14—13.21)

III. O declínio e a queda de Israel (13.22—17.41)
IV. O declínio e a queda de Judá. (caps. 18—25)

Enquanto o aluno lê os capítulos, deve fazer uma lista dos reis de Judá e de Israel, como o fez no primeiro livro. Abaixo, uma lista paralela desses reis:

Reis de Judá	Profetas de Judá	Reis de Israel	Profetas de Israel
Acazias		Jeorão	Eliseu
Atalia		Jeú	
Joás			Jonas
Amazias		Jeoacaz	
Azarias	Isaías	Joás	
	Amós	Jeroboão II	
	Oséias	Zacarias	Joel
		Salum	
		Menaém	
		Pecaías	
Jotão		Peca	
Acaz	Miquéias	Oséias	
Ezequias	Naum		
Manassés			
Amom			
Josias	Sofonias		
	Jeremias		
Jeoacaz			
Jeoaquim	Habacuque		
Joaquim			
Zedequias			

I. O fim do ministério de Elias (caps. 1—2.13)

1. Elias e Acazias (1.1-18)
2. A trasladação de Elias (2.1-13)

Quem adoeceu nessa época? Que espécie de homem era? Qual foi seu grande pecado? (Êx 20.3; Dt 5.7). Que sentença foi pronunciada sobre ele? Como podemos descrever Elias? (1.8).

    Qualquer aparência de crueldade que há na sorte dos dois capitães e seus homens será removida, ao se levarem em consideração as circunstâncias. Sendo Deus o Rei de Israel, Acazias deveria governar o povo de acordo com a lei divina; portanto prender o profeta do Senhor por ter cumprido um dever ordenado, era ato de um ímpio notoriamente rebelde. Os capitães ajudaram o rei em sua rebelião, e excederam em seu dever militar empregando insultos depreciativos. Ao usar o termo 'varão de Deus' ou falaram de maneira irônica, crendo que não era um verdadeiro profeta, ou, se o consideravam um verdadeiro profeta, a intimação de que se rendesse e se submetesse ao rei era um insulto ainda mais flagrante, sendo a linguagem do segundo capitão pior que a do primeiro. O castigo foi infligido não para vingar um insulto pessoal a Elias, mas para vingar um insulto a Deus na pessoa de seu profeta; e o castigo não foi imposto pelo profeta, mas pela mão de Deus.[a]

O que o Senhor se propôs a fazer? (2.1). Quem sabia disso? (2.3). Que milagre fez Elias junto ao Jordão? Que pedido fez Eliseu? Com que condição lhe foi concedido?

II. O ministério de Eliseu (2.14—13.21)

Os acontecimentos principais do ministério de Eliseu são os seguintes:

    1. O primeiro milagre — divisão das águas do Jordão (2.14)

    2. O saneamento das águas amargas (2.19-22)

    3. A maldição dos meninos zombadores (2.23-25)

    4. A sua repreensão pela aliança de Josafá e Jorão (3.10-27)

---

[a]Fonte não mencionada no texto original [N. do E.].

5. O aumento do azeite da viúva (4.1-7)
6. A ressurreição do filho da sunamita (4.8-37)
7. O saneamento da panela mortífera (4.38-41)
8. A alimentação dos cem homens (4.42-44)
9. A cura de Naamã (5.1-27)
10. Fazer flutuar um machado (6.1-7)
11. Eliseu e o exército sírio (6.8-23)
12. Prometer alimento (7.1-20)
13. Sua predição de 7 anos de fome (8.1,2)
14. Sua visita a Ben-Hadade (8.7-15)
15. O envio de um profeta para ungir a Jeú rei (9.1-10)
16. Enfermidade e morte de Eliseu (13.14-21)

A partir da referência aos discípulos dos profetas (2.3), observamos que naquela época havia escolas onde os jovens israelitas eram preparados para o ministério profético (cp. 1Sm 10.5-10 e 2Rs 6.1).

O versículo 23 do capítulo 2 tem apresentado certa dificuldade a muitas pessoas. Citamos comentaristas[b] com opiniões diversas a respeito:

> Os meninos mencionados aqui eram os infiéis ou jovens idólatras do lugar, os quais, fingindo não acreditar na informação da trasladação do amo de Eliseu, instavam sarcasticamente que continuasse em sua carreira gloriosa. A expressão 'careca' era um nome depreciativo no Oriente, aplicado até a uma pessoa com muito cabelo.
>
> Os indivíduos em questão não eram pequenas crianças malcriadas, mas jovens responsáveis pelo que diziam e faziam. Não devemos esquecer o fato de que esses jovens pertenciam a uma

---

[b]Fonte não mencionada no texto original [N. do E.].

cidade que era o centro e a sede principal da apostasia e que, por essa razão, é chamada Bete-Áven, que significa casa do ídolo, em vez de Betel, casa de Deus. Assim, eram literalmente os filhos da apostasia e representavam em geral a nova geração apóstata. Os antigos expositores supõem que os adultos tivessem incitado os jovens e que o seu objetivo tivesse sido o de tornar ridículo e desprezível, desde o princípio de sua carreira, o novo chefe da classe de profetas. Assim sendo, não foi falta de moral da parte do profeta, nem indignidade, que levou Eliseu a ameaçar com castigo divino os jovens imprudentes, que desprezavam no santo profeta o ofício sagrado ao qual Deus o tinha chamado. Muito pelo contrário, o que ele fez era parte de seu trabalho profético. Ele mesmo, no entanto, não executou o castigo; deixou isso àquele que diz: 'A mim pertence a vingança e a retribuição' (Dt 32.35). Foi o juízo de Deus referente à ameaça da Lei que recaiu sobre esses meninos e, indiretamente, sobre a cidade da qual vieram: 'Se continuarem se opondo a mim e recusarem ouvir-me... mandarei contra vocês animais selvagens que matarão os seus filhos, acabarei com os seus rebanhos e reduzirei vocês a tão poucos que os seus caminhos ficarão desertos' (Lv 26.21,22).

III. O declínio e a queda de Israel (13.22—17.41)

Que nações foram enviadas contra Israel? (13.22; 15.19,29). Quais eram os sentimentos de Deus a respeito de Israel? (13.23; 14.26, 27). Sob que reinado se deu o cativeiro de Israel? (cap. 17). Como esse rei apressou o juízo de Israel? (17.4). Perceba a acusação de Deus contra Israel em 17.7-23.

A emigração forçada das tribos para a Assíria foi um dos resultados do princípio despótico aceito por todo o Oriente, segundo o qual era justificado tornar impossível uma revolta das nações subjugadas. Nesse caso não foi meramente uma trasladação a um outro país, mas também o começo da dissolução das dez tribos como nação. Não lhes foi designada uma província particular da Assíria como sua moradia, mas várias províncias distantes umas das outras, de maneira que, embora uma ou outra tribo tivesse permanecido mais ou menos unida, as diversas tribos ficaram espalhadas numa nação estrangeira sem a mínima relação entre si. Nunca mais voltaram a unir-se; pelo contrário, gradualmente se perderam entre as nações que as rodeavam, de maneira que nada se sabe até hoje do que aconteceu com elas; e toda tentativa de descobrir os seus vestígios tem sido em vão."Nesse particular, o exílio das dez tribos distingue-se do de Judá e de Benjamim. O exílio na Babilônia foi temporário. Durou um período definido que fora predito pelos profetas (2Cr 36.21; Jr 29.10). Não foi como o exílio assírio, um período de dissolução nacional. Judá não pereceu no exílio; ao contrário, ganhou forças e voltou à terra prometida, enquanto das dez tribos apenas poucos que se haviam unido a Judá e chegado a ser parte dessa tribo, conseguiram voltar. As dez tribos tinham, por meio de violenta separação do resto da nação, rompido a união do povo escolhido, e para poder manter essa separação tinham-se rebelado contra o pacto nacional com Deus. O rompimento do pacto deu início à sua existência como uma nação independente. Também com isso renunciaram ao destino de povo de Deus na história do mundo. Eram o fragmento maior da nação inteira, mas eram apenas um membro separado que fora cortado do tronco comum, um ramo separado do tronco, que somente poderia murchar. Depois de 250 anos de existência separada, quando todas as provas da graça e fidelidade divinas tinham sido em vão, o destino natural das dez tribos foi perecerem e deixarem de ser uma nação independente. O Senhor removeu-os da sua vista, restando apenas a tribo de Judá (17.18). O caso de Judá foi diferente. Embora tivesse pecado muitas vezes e profundamente contra o seu Deus, nunca se rebelou de modo formal contra o pacto e muito menos era a sua existência edificada sobre o rompimento do pacto. Permaneceu como apoio e preservação da lei e assim também da promessa. Sua deportação foi na verdade um castigo duro e bem merecido, mas não a fez perecer nem desaparecer da história como nação, mas foi preservada até que viesse aquele de quem se disse: 'O Senhor Deus lhe dará o trono de seu pai Davi, e ele reinará para sempre sobre o povo de Jacó; seu Reino jamais terá fim' (Lc 1.32,33). — BAHR[c]

Para ocupar o lugar dos israelitas, o rei da Assíria enviou colonos de seus domínios. Sua idolatria trouxe sobre eles o juízo de Deus em forma de leões. O rei da Assíria logo enviou um sacerdote israelita para instruir os colonos na religião de Deus. Embora aceitassem a religião, continuaram ainda adorando ídolos. Misturaram-se com as remanescentes das dez tribos que ficaram na terra e dessa união surgiram os samaritanos. Mais tarde, abandonaram a idolatria e chegaram a ser zelosos adeptos da Lei de Moisés. Depois do cativeiro, ansiosos por se tornarem israelitas, procuraram unir-se às duas tribos, mas foram rejeitados por Esdras e Neemias (Ed 4.1-3). Isso deu origem a ódio. Os samaritanos construíram mais tarde um templo rival no monte Gerizim e reivindicaram para esse local o seu lugar verdadeiro de adoração (Jo 4.20). Esse templo mais tarde foi destruído por um rei judeu. Os judeus odiavam-nos e com desprezo se referiam a eles como os "convertidos dos leões", pelas circunstâncias de sua conversão.

Quem, na sua opinião, foi o melhor rei de Israel? E o pior?

IV. *O declínio e a queda de Judá* (caps. 18—25)

O reino de Judá durou mais ou menos 150 anos mais do que o de Israel. Sua história é muito mais luminosa do que a de Israel. Apesar de Israel ter passado por muitas mudanças de dinastia, a linhagem real de Davi conservou-se intacta em Judá. Enquanto a história de Israel apresenta uma sucessão de revoltas e usurpações, a história de Judá é relativamente pacífica. A preservação de Judá pode explicar-se pelo fato de que por seu intermédio havia de vir o Messias.

[c]Idem.

Os capítulos 24 e 25 relatam o cativeiro de Judá. Há três períodos distintos:

1. A primeira invasão de Nabucodonosor (24.1,2)
2. A primeira deportação para a Babilônia (24.11-16)
3. O sítio, a destruição de Jerusalém e a deportação final (cap. 25)

Observe que, como no caso das dez tribos, a rebelião do rei de Judá contra a nação invasora foi a causa do cativeiro final (24.20). Leia a acusação e a condenação que Deus fez contra Judá (2Cr 36.15,17).

Qual foi, na sua opinião, o reinado de ouro de Judá? Qual foi o pior reinado?

13
1 e 2Crônicas

Introdução. Como os livros das crônicas abrangem, na sua maioria, a matéria que se encontra em 2Samuel e 1 e 2Reis, cremos que é suficiente dar apenas uma introdução a estes livros.

Tema. Os tradutores gregos da Bíblia referem-se a estes livros como "as coisas omissas", porque fornecem muitas informações que não estão nos livros dos Reis. Embora Reis e Crônicas demonstrem grande similaridade de conteúdo, foram escritos de diferentes pontos de vista: o primeiro, do ponto de vista humano; o último, do divino. Para exemplificar: 1Rs 14.20, relatando a morte de Jeroboão, relata que "descansou com os seus antepassados". Esse é o ponto de vista humano. O livro de 2Crônicas, relatando o mesmo acontecimento em 13.20, afirma que "até que o Senhor o feriu, e ele morreu." Esse é o ponto de vista divino. Um autor[a] dá o seguinte esquema interessante para demonstrar a diferença entre Reis e Crônicas:

> 1. Os livros dos Reis foram escritos pouco depois do princípio do cativeiro da Babilônia; os de Crônicas foram escritos pouco depois do regresso do cativeiro.

[a]Fonte não mencionada no texto original [N. do E.].

2. Os livros dos Reis foram compilados por um profeta — Jeremias; os de Crônicas, por um sacerdote — Esdras.
3. Os livros dos Reis põem em relevo o trono dos reis terrestres; os de Crônicas, o trono terrestre (templo) do Rei celestial.
4. Os livros dos Reis tratam de Judá e Israel; os de Crônicas, de Judá, sendo Israel mencionado apenas incidentalmente.
5. Os livros dos Reis são políticos e régios; os de Crônicas, eclesiásticos e sacerdotais.

Autor. "Não se sabe ao certo quem foi o autor de Crônicas, mas provavelmente seja correta a crença prevalecente dos judeus encontrada no Talmude. Ali se declara Esdras como o redator dos registros escritos preservados por homens dignos de confiança. Esses registros por homens tais como Samuel, Natã, Gade, Ido e outros foram inspirados por Deus; Esdras foi inspirado, além disso, para selecioná-los e reuni-los, numa narração contínua. Há pouca dúvida de que a história em Crônicas tenha sido escrita por Esdras ao regressar do cativeiro babilônico, a fim de animar o povo a construir o templo."

Esfera de ação. Os livros abrangem desde a morte de Saul até o decreto de Ciro, um período de 520 anos; de 1056 a 536 a.C.

14
Esdras

Introdução. Por serem os livros de Esdras, Neemias e Ester tão intimamente relacionados, e tratarem do mesmo período, levantamos aqui os acontecimentos principais contidos nestes livros, para que o aluno possa ver brevemente a história do período que se seguiu ao cativeiro.

1. A volta dos exilados sob o comando Zorobabel — 536 a.C.
2. A reconstrução do templo — 535 a.C.
3. O ministério dos profetas Ageu e Zacarias — 520 a.C.
4. A dedicação do templo — 515 a.C.
5. Os acontecimentos relatados no livro de Ester — 478 a 473 a.C.
6. Esdras vai para Jerusalém — 458 a.C.
7. Neemias é enviado a Jerusalém como governador — reconstrói o muro — 446 a.C.
8. Malaquias profetiza

Tema. A idéia predominante de Esdras é a restauração. Uma comparação entre Reis e Crônicas confirmará isso. Reis e Crônicas registram a destruição do templo de Israel; o último, a sua reconstrução. Um apresenta o quadro escuro de uma nação corrompida pela idolatria; o outro, uma nação completamente purificada do culto idólatra. Um registra o descuido da Lei; o outro, a restauração da Lei a seu devido lugar no coração do povo. Um registra a mistura de Israel com os pagãos; outro, a separação completa de Israel da influência e dos costumes pagãos. Esdras dá uma lição admirável da fidelidade de Deus. Fiel à sua promessa (Jr 29.10-14), ele estende a mão para reconduzir o povo à sua terra e, ao fazê-lo, usa reis pagãos — Ciro, Dario, Artaxerxes — como instrumentos.

Autor. O fato de o livro ser escrito na primeira pessoa, por Esdras (caps. 7 e 9), indica que ele foi o autor. Esdras foi o primeiro da classe conhecida como escribas, copistas oficiais e intérpretes das Escrituras. Lemos que Esdras se dedicou ao estudo da Palavra de Deus com a finalidade de expô-la ao povo (7.10). A ele foi atribuída a obra de pôr em ordem o cânon do AT, isto é, compilar num livro as Escrituras inspiradas.

Esfera de ação. Esdras abrange desde a volta da Babilônia até o estabelecimento na Palestina, um período de mais ou menos 79 anos; de 536 a 457 a.C.

Conteúdo

    I. O regresso sob a liderança de Zorobabel (caps. 1—6)

    II. O regresso sob direção de Esdras (caps. 7—10)

I. O regresso sob a liderança de Zorobabel (caps. 1—6)

    1. O decreto de Ciro (cap. 1)

    2. Os remanescentes que voltaram (cap. 2)

    3. Restaurados os alicerces do templo e o culto antigo (cap. 3)

4. A oposição dos samaritanos (caps. 4 e 5)

5. A dedicação do templo (cap. 6)

Ciro foi o rei da Pérsia que derrotou o império babilônico, em cumprimento à profecia divina (Is 14.22; Jr 27.7; Dn 5.28). Seu decreto que permitiu o regresso dos judeus foi predito por Isaías, que chamou Ciro pelo nome, 200 anos antes do nascimento deste, referindo-se a ele como libertador do povo de Deus e reconstrutor do templo (Is 44.28; 45.1-4). Josefo, historiador judeu, relata-nos que Daniel mostrou essas profecias a Ciro, e que o monarca ficou tão impressionado com elas, e tão bem disposto com o povo cativo, que publicou um decreto permitindo a ele voltar à sua terra.

Quem Deus usou para efetuar o regresso de seu povo? (1.1). De quem Ciro dizia estar obedecendo instruções? (1.2). Onde ele encontrou essa instrução? (Is 44.28). Quais as tribos que voltaram? (1.5). Quem foi o seu líder? (1.8). Por que outro nome é conhecido? (2.2, Zorobabel). Quantos voltaram nessa época? (2.64). Qual foi a primeira coisa que fizeram? (3.1-3). Quanto tempo depois de seu regresso foi começada a reconstrução do templo? (3.8). Que efeito teve isso sobre o povo? (3.10-13). Quem desejava ajudar na reconstrução do templo? (4.2; cp. 2Rs 17.24-41). O governador aceitou a ajuda dessa gente? O que causou essa recusa? (4.4). Quanto tempo durou a inimizade causada por esse episódio? (Jo 4.9). De que maneira manifestaram sua oposição? Quais foram os dois profetas que animaram o povo a continuar a construção do templo? (5.1). O que lhes assegurava que o templo seria terminado? (5.5). O que os inimigos dos judeus fizeram então? (5.7-17). Qual foi o resultado dessa oposição? (6.1-14). Como se celebrou a dedicação do templo? (6.17). Quantas tribos fizeram representar-se nessa ocasião? (6.17).

II. O regresso sob a direção de Esdras (caps. 7—10)

1. A comissão de Esdras (7.1-28)

2. Os companheiros de regresso de Esdras (cap. 8)

3. O pecado confessado (cap. 9)
4. O pecado abandonado (cap. 10)

Que rei estava no poder quando Esdras voltou a Jerusalém? De quem descendia Esdras? (7.5). Como ele é descrito? (7.6,12). Qual era o propósito de sua ida Jerusalém? (7.10). Que missão lhe foi dada? (7.25,26). Como Esdras iniciou seu retorno? (8.21). Como mostrou a sua fé absoluta em Deus? (8.22). Que lei referente às suas relações com o povo pagão os judeus tinham violado? (9.1, cp. Êx 34.15,16 e Dt 7.3). A infração da Lei sempre conduz a quê? (1Rs 11.4). Que efeito gerou em Esdras a infração da Lei? O que o povo sentiu ao reconhecer seu pecado? (10.1). Que pacto fizeram com Deus? Que proclamação fez Esdras? (10.7). Qual a intensidade da convicção do povo?

Observe que a ação dos judeus ao deixar esposas e filhos pagãos era algo severo, mas devemos lembrar que, no passado, o casamento com os pagãos conduzira ao pecado e à idolatria, e que era necessário que a tribo de Judá permanecesse pura, porque dela viria o Messias.

15
Neemias

Tema. Este livro gira em torno de uma pessoa — Neemias. É a autobiografia de um homem que sacrificou uma vida de luxo e de prazeres para poder ajudar seus irmãos necessitados em Jerusalém. Descreve um homem que combinou a espiritualidade com a prática — alguém que sabia tanto orar como trabalhar. Totalmente destemido, ele se recusou a fazer pactos com os inimigos externos e com o pecado interno. Depois de reconstruir o muro de Jerusalém e efetuar muitas reformas gerais entre o povo, humildemente deu glória a Deus por tudo o que havia realizado. A lição principal que a sua vida ensina é que a oração e a perseverança vencem todos os obstáculos.

Autor. Neemias.

Esfera de ação. O livro abrange desde a viagem de Neemias a Jerusalém até a restauração do culto no templo, um período de mais ou menos 12 anos; de 446 a 434 a.C.

Conteúdo

    I. A reconstrução do muro de Jerusalém (caps. 1—6)

II. O avivamento da religião e a restauração do culto (7—13.3)

III. A correção dos abusos (13.4-31)

I. A reconstrução do muro de Jerusalém (caps. 1—6)

1. A oração e a comissão de Neemias (caps. 1 e 2)
2. Os reconstrutores do muro (cap. 3)
3. A oposição dos samaritanos (cap. 4)
4. Os nobres repreendidos por oprimirem o povo (cap. 5)
5. O término da reconstrução (cap. 6)

Que notícias Neemias recebeu? (1.2,3) Que efeito tais notícias tiveram sobre ele? Com que freqüência orava por Israel? (1.6) Que posto Neemias ocupava?

> O copeiro, nas antigas cortes orientais sempre era uma pessoa de destaque e importância; e pela natureza confidencial de suas obrigações e seu acesso freqüente à presença real, exercia grande influência. Xenofonte, historiador grego, observou particularmente as maneiras graciosas e agradáveis com que os copeiros dos monarcas medos e persas desempenhavam a tarefa de apresentar o vinho a seus amos reais. Tendo lavado o vaso na presença do rei, e derramado na mão esquerda um pouco de vinho que tomavam na sua presença, então lhe entregavam o copo, que era seguro com as pontas dos dedos.[a]

Qual foi a causa indireta de Neemias ter sido enviado a Jerusalém? (2.1,2). Observe que o temor de Neemias explica-se pelo fato de ser considerado extremamente impróprio aparecer na presença do rei com sinais de tristeza ou de pranto. O que Neemias fez antes de apresentar seu pedido ao rei? (2.4). Quais foram as pessoas que

---

[a] Fonte não mencionada no texto original [N. do E.].

se sentiram mal por sua ida a Jerusalém? (2.10,19). Qual foi a primeira tentativa de desanimar Neemias? (4.1-3). Como ele reagiu a essa tentativa? (v. 4-6). Qual foi a segunda tentativa para desanimá-lo? (4.7,8). A que recorreu então Neemias? (v. 9). Que outro desalento surgiu nessa época? (4.10,16). Que precauções tomou Neemias contra ataques-surpresa? (4.16-23). A que foi obrigado o povo por causa de sua pobreza? (5.1-3). Quem eram os culpados de opressão? (v. 7). Que exemplo pôs Neemias perante os nobres? (5.14-19). Que outras tentativas foram feitas para atrapalhar a obra de Neemias? (cap. 6). O que revela 6.11 quanto ao caráter de Neemias? Que fato desanimou os seus inimigos? (6.16). Quanto tempo levou para se reconstruir o muro? (6.15).

II. O avivamento da religião e a restauração do culto (7—13.3)

1. O recenseamento do povo (cap. 7)
2. A leitura da lei (cap. 8)
3. O arrependimento e a reconsagração do povo (caps. 9 e 10)
4. Jerusalém novamente habitada (cap. 11)
5. A dedicação do muro e a restauração do serviço do templo (12—13.3)

Quem Neemias deixou responsável por Jerusalém quando retornou ao rei da Pérsia? (7.2). Que precauções o povo deveria tomar contra os ataques-surpresa? (7.3).

Antes de sair, Neemias fez outro recenseamento do povo baseado no que foi feito por Esdras, com o propósito de distribuir a terra de acordo com a ordem genealógica de cada família, para verificar com exatidão a quem pertencia legalmente o dever de ministrar ante o altar e dirigir os vários serviços do templo. O versículo 73 do capítulo 7 relata o resultado desse registro, isto é, que todas as famílias estivessem nas suas próprias cidades.

Quem se uniu a Neemias mais tarde? (8.1). Com que propósito? Qual foi o mandamento de Moisés, referente à leitura pública da Lei? (Dt 31.9-13). Quantas pessoas se congregaram para ouvir a leitura da Lei? (8.2). Quem explicou seu significado? (8.7,8). Que efeito produziu no povo? (8.9). Que outro efeito produziu? (8.12). Por quantos dias continuou a leitura? (8.18). O que se seguiu à leitura da Lei? (9.1-3). Que eventos históricos foram relatados na oração dos levitas? Que fizeram então? (9.38). Quantos assinaram o pacto? O que se comprometeram a fazer segundo os termos do pacto? (10.28-39).

O capítulo 11 registra o estabelecimento do povo em Jerusalém. Como essa cidade era a metrópole do país, era necessário que a sede do governo e uma população adequada estivessem ali para a sua defesa e para guardar os seus edifícios. De acordo com isso, cada décimo homem de Judá e Benjamim foi escolhido por sorteio para ser habitante permanente dessa cidade.

III. A correção dos abusos (13.4-31)

1. A violação da santidade do templo (v. 4-9)
2. A violação da lei referente aos levitas (v. 10-14)
3. A violação do descanso do sábado (v. 15-22)
4. A violação da lei da separação (v. 23-31)

Depois de suas primeiras reformas, Neemias retornou à corte do rei da Pérsia (13.6). Ao regressar à Palestina, encontrou o sacerdócio e o povo recaídos nos seus pecados antigos. O sumo sacerdote hospedava um governador pagão nos recintos sagrados do templo; o sustento do sacerdócio fora negligenciado; o espírito de comercialismo ameaçava a santidade do dia de descanso, e muitos tinham contraído união ilegal com os pagãos. Com seu zelo e energia característicos, Neemias logo corrigiu esses abusos.

16
Ester

Tema. O livro de Ester tem uma peculiaridade que o distingue de qualquer outro livro da Bíblia: não contém uma única menção ao nome de Deus, tampouco há referências à Lei ou à religião judaica. Apesar de não se mencionar o nome de Deus, há abundantes sinais de que ele estivesse operando e cuidando de seu povo. O livro registra o livramento dado por Deus de uma ameaça de destruição do povo.

Assim como Deus salvou o seu povo do poder do faraó, livrou Israel das mãos do malvado Hamã. No primeiro caso, o livramento foi efetuado por uma manifestação de seu poder e uma revelação de si mesmo; mas, no último caso, Deus permaneceu invisível ao seu povo e a seus inimigos, efetuando a salvação por intermédio de instrumentos humanos e por meios naturais.

É a ausência do nome de Deus que constitui a beleza principal do livro e não deve ser considerada como uma mancha sobre ele. Matthew Henry afirmou: 'Se o nome de Deus não está aqui, está o seu dedo.' Este livro é, como o chama o Dr. Pierson, 'O Romance da Providência'.

Por providência queremos dizer que, em todos os assuntos e acontecimentos da vida humana, individuais e nacionais, Deus tem uma parte e uma porção. Mas essa influência é secreta e oculta. Assim, nessa admirável história, que ensina a realidade da divina providência, o nome de Deus não aparece e só o olho da fé vê o fator divino na história humana. Para o observador atento, toda a história é uma sarça ardente, acesa pela presença divina. A tradição judaica cita Deuteronômio 31.18 como outra razão por que não se menciona o nome de Deus. Por causa de seu pecado, Deus tinha escondido seu rosto a Israel. No entanto, embora tenha escondido o rosto, não se esqueceu de seu povo nem deixou de interessar-se por ele, apesar de fazê-lo sob um véu. — LEE[a]

Podemos resumir a mensagem do livro como: a realidade da providência divina.

Autor. Desconhecido. Provavelmente Mardoqueu (v. 9.20). Alguns acreditam que foi Esdras quem o escreveu.

Esfera de ação. Entre os capítulos 6 e 7 de Esdras, antes de este partir para Jerusalém.

Conteúdo. Seguindo a sugestão de Robert Lee, da Escola Bíblica Mildmay, centralizamos o conteúdo do livro ao redor das três festas mencionadas.

    I. A festa do rei Xerxes (caps. 1 e 2)
    II. A festa de Ester (caps. 3—7)
    III. A festa de Purim (caps. 8—10)

I. A festa do rei Xerxes (caps. 1 e 2)

    1. A desobediência da rainha Vasti (cap. 1)
    2. A coroação de Ester (2.1-20)
    3. Mardoqueu salva a vida do rei (2.21-23)

[a] Fonte não mencionada no texto original [N. do E.].

O fato de Vasti haver recusado obedecer a uma ordem que lhe impunha expor-se de maneira indecente ante um grupo de bêbados desordenados, correspondia à modéstia de seu sexo e à sua dignidade de rainha, porque, segundo os costumes persas, a rainha, ainda mais que as mulheres de outros homens, estava reclusa da vista do público; e se o sangue do rei não estivesse esquentado pelo vinho, ou sua razão ofuscada pelo orgulho, ele teria percebido que a sua própria honra, tanto quanto a dela, foi mantida por sua digna conduta. Os sábios, a quem o rei consultou, eram provavelmente os magos, sem cujo conselho a respeito do tempo propício de realizar alguma coisa, os reis persas nada faziam. As pessoas nomeadas eram os 'sete conselheiros' que formavam o ministério de Estado. Parece que a sabedoria global de todos foi reunida para consultar o rei quanto ao rumo que deveria tomar depois de uma ocorrência tão inaudita como foi a desobediência de Vasti ao chamado real. É quase impossível imaginar o assombro produzido por essa negativa num país onde a vontade do soberano era absoluta. Os grandes que se tinham congregado ficaram petrificados de horror ante a atrevida afronta; um mal-estar pelas conseqüências que pudessem advir a cada um deles em sua casa, apoderou-se de suas mentes e o ruído da orgia bacanal transformou-se numa consulta profunda e ansiosa sobre qual seria o castigo a ser aplicado à rainha transgressora. — JAMIESON, FAUSSET e BROWN[b]

Repare o que se diz no versículo 19 referente à lei dos medos e persas. Parece que os persas tinham atingido um grau tão elevado de sabedoria na redação de suas leis, que nunca podiam ser emendadas ou revogadas; e nisto baseia-se a frase: "leis dos medos e dos persas, e não se revogue". Evidentemente, Xerxes arrependeu-se do tratamento dispensado a Vasti (2.1), mas segundo a mesma lei que tornava irrevogável a palavra de um rei persa, ela não podia ser restaurada ao lugar de rainha.

Os versículos 3 e 4 do capítulo 2 referem-se a um costume áspero do Oriente. Quando chegava a ordem da corte real para que

---

[b]JAMIESON, Robert; FAUSSET, A. R.; BROWN, David. Commentary on Ester. *In*: – *Commentary Critical and Explanatory on the Whole Bible*, 1871 [edição de domínio público, disponível em: www.ccel.org (N. do E.)].

uma jovem se apresentasse ante o rei, não importava quão relutantes estivessem seus país, não se atreviam a recusar.

Assim, Ester foi obrigada a apresentar-se na corte de Assuero. Deve-se levar em conta que, no Oriente, onde prevalecia a poligamia, não era considerada desgraça uma jovem pertencer ao "harém" de um rei. Cada uma delas era considerada esposa do rei.

Observe que Mardoqueu tinha dito a Ester que ocultasse a sua nacionalidade (2.10). Se Ester a tivesse revelado, teria impedido o seu progresso à dignidade de rainha, pois os judeus eram geralmente desprezados. Na instrução de Mardoqueu a Ester, vemos a indicação da direção divina, pois não foi por ter sido rainha que ela pôde salvar seu povo?

O versículo 21 do capítulo 2 menciona outro elo na cadeia da providência divina. Mardoqueu protegeu a vida do rei contra os conspiradores, conforme registrado nas crônicas do reino. Esse incidente desempenhou um papel importante no livramento dos judeus, como veremos mais tarde.

II. A festa de Ester (caps. 3—7)

1. A conspiração de Hamã (cap. 3)
2. A lamentação dos judeus (cap. 4)
3. A petição de Ester (cap. 5)
4. A elevação de Mardoqueu (cap. 6)
5. A morte de Hamã (cap. 7)

Os dados citados a seguir são extraídos do comentário de Jamieson, Fausset e Brown[c].

A homenagem de prostrar-se, não inteiramente estranha aos costumes do Oriente, não tinha sido exigida pelos vizires an-

[c] Idem, ibidem.

teriores; mas Hamã queria que todos os oficiais subordinados da corte se prostrassem ante ele com o rosto em terra. Mas a Mardoqueu parecia que tal atitude de profunda reverência era devida somente a Deus.

A nacionalidade de Hamã, amalequita, membro de uma raça amaldiçoada e condenada, era sem dúvida mais um elemento que contribuiu para sua recusa. O fato de Mardoqueu ser judeu, e sua desobediência basear-se em escrúpulos religiosos, aumentou ainda mais a gravidade da ofensa, visto que o exemplo de Mardoqueu seria imitado pelos seus patrícios. Se a homenagem tivesse sido uma simples prova de respeito civil, Mardoqueu não a teria recusado; mas os reis persas exigem uma espécie de adoração que até os gregos consideravam degradante, e que, para Mardoqueu, teria sido uma violação do segundo mandamento.

Hamã ficou tão irritado por Mardoqueu ter-se recusado a adorá-lo, que resolveu destruir inteiramente a raça judaica e, a fim de marcar um dia para a execução de seu propósito, lançou "pur", isto é, lançou sortes.

Ao recorrer a esse método para fixar o dia mais propício à execução do seu projeto atroz, Hamã fez o que os reis e nobres da Pérsia sempre fizeram, nunca tomando parte em nenhuma empresa sem consultar os astrólogos e assim estar certos quanto a hora da sorte. Fazendo voto de vingança, mas desdenhando destruir uma só vítima, planejou o extermínio de toda a raça judaica, os quais, como ele bem sabia, eram inimigos mortais de seus patrícios. Hamã representou-os habilmente como povo de hábitos, costumes e maneiras estranhas e inimigos do resto de seus súditos, procurando obter a sanção do rei para o massacre planejado. Um motivo apresentado para fazer prevalecer o seu plano evocava o amor do rei pelo dinheiro. Temendo que seu amo dissesse que o extermínio de uma grande parte de seus súditos abaixasse grandemente as contribuições públicas, Hamã prometeu a restituição da perda (3.9).

Embora, como dissemos em nossa introdução, não haja referências diretas à religião judaica, o fato de que Ester e Mardoqueu jejuaram, indica oração a Deus. Repare que, embora não se faça menção ao nome de Deus, o versículo 14 do capítulo 4 ensina claramente a fé no cuidado e na proteção de Deus. Parece que Mardoqueu tinha plena certeza de que Deus livraria seu povo, e que, pela providência divina, Ester tinha subido ao trono com o propósito de libertar seu povo.

As circunstâncias naturais aparentes favoreciam uma audiência de Ester com o Rei? (4.11). O que Ester esperava? (4.16). Como a influência de Deus se manifestou a seu favor? (5.3). Ela rogou imediatamente pela libertação de seu povo? O que deveria acontecer antes de fazer tal pedido? (6.1,10). Que versículo da Bíblia exemplifica 7.10? (Pv 26.27, Sl 9.15).

III. A festa de Purim (caps. 8—10)

1. O decreto do rei permitiu que os judeus se protegessem (cap. 8)
2. A vingança dos judeus (9.1-19)
3. A instituição da festa de Purim (9.20-32)
4. A grandeza de Mardoqueu (10.1-3)

Como as leis dos medos e persas eram irrevogáveis (1.19; Dn 6.8), não se podia alterar o edito do rei de destruir os judeus. Mas, para neutralizar essa ordem, o rei deu-lhes permissão para defender-se. Com o apoio do rei e do governo, e de um primeiro ministro judeu, a vitória foi assegurada. Mas por trás desses meios naturais, estava o Deus invisível que protegia os seus.

Quais foram os sentimentos dos judeus ao ouvirem o decreto do rei? (8.16,17). Que efeito produziu nos pagãos? (8.17). Quantos de seus inimigos os judeus mataram? (9.16). Como os judeus celebraram sua vitória?

Àqueles dias chamam-se Purim, do nome Pur" (9.26). Pur, na língua persa significa sorte; e a festa de Purim, ou sortes, tem referência ao tempo marcado por Hamã mediante o lançamento da sorte (3.7). Como conseqüência da célebre libertação nacional obtida pela providência divina contra as maquinações infames de Hamã, Mardoqueu ordenou aos judeus que comemorassem o acontecimento com um aniversário festivo que duraria dois dias, de acordo com os dois dias de guerra de defesa que tiveram de sustentar. Havia uma pequena diferença no tempo desse festival; os judeus das províncias, tendo-se defendido no dia 13, dedicaram o dia 14 à festividade, ao passo que seus irmãos em Susã, tendo prolongado a obra por dois dias, só foram observar a sua festa de ação de graças no dia 15. Mas isso foi corrigido pela autoridade que marcou o dia décimo quarto e o décimo quinto do mês de Adar. Transformou-se num tempo de lembranças alegres para todos os judeus. E pelas cartas de Mardoqueu, distribuídas por todas as partes do império persa, essa data foi estabelecida como uma festa anual, cuja celebração até hoje se guarda. Nos dois dias da festa, os judeus modernos lêem o livro de Ester em suas sinagogas. A cópia não deve ser impressa, mas escrita em pergaminho em forma de rolo e os nomes dos dez filhos de Hamã estão escritos de maneira peculiar, agrupados quais cadáveres numa forca. O leitor deve pronunciar todos os nomes de um só fôlego. Sempre que se pronuncia o nome de Hamã, faz-se um barulho terrível nas sinagogas. Alguns batem com os pés no chão e os meninos trazem uns martelos com os quais batem fazendo barulho. Preparam-se para o seu 'carnaval' por um jejum de três dias, imitando o de Ester, mas a maioria reduziu-o a apenas um dia.[d]

Lições do livro de Ester

1. Embora algumas vezes os bons sofram e os maus prosperem, quando Deus quer, inverte essa ordem. Hamã, cruel tirano, planejou a destruição de Mardoqueu e de sua nação. Por fim, Hamã foi rebaixado e Mardoqueu exaltado.

2. O cuidado de Deus com o seu povo não é sempre um fato aparente; não obstante isso, é eficaz. Não se menciona o nome de

---

[d]Idem, ibidem.

Deus neste livro, mas há muitas evidências de seu cuidado e proteção. Um escritor[e] ilustra essa verdade por meio da figura de um "diretor de cenas", que, embora oculto atrás do palco, tem parte importante na representação da peça.

> O grande Vingador
> > parece ser indiferente;
> > > as páginas da história apenas registram uma luta de morte nas trevas
> > > > entre a Palavra e os sistemas há muito existentes.
>
> A Verdade para sempre na forca; o Mal para sempre no trono
> > — Sem dúvida esse cadafalso do futuro é dono;
> > > contudo, por trás do opaco desconhecido, no meio da sombra, está Deus
> > > > velando pelos seus. — LOWELL.

3. Deus vê de antemão e provê para cada emergência; com ele nada sucede ao acaso. Deus previu desde o princípio a destruição que se intentava contra seu povo, e providenciou para essa emergência. Uma pobre moça judia chega a ser rainha e dessa maneira salva o seu povo. Deus viu de antemão que Hamã procuraria destruir Mardoqueu; assim ele agrupou os acontecimentos de maneira que a insônia do rei conduzisse à exaltação de Mardoqueu. Deus previu que, como os decretos dos medos e persas fossem imutáveis, os judeus teriam de lutar para salvar sua vida; por isso pôs temor no povo e permitiu que os judeus achassem graça perante os governadores.

4. A providência divina faz uso de detalhes. O incidente da insônia do rei, sua idéia de que se lesse o livro das memórias, a leitura por acaso do relato do ato de Mardoqueu que salvou a vida do rei, o fato de o rei receber Ester ao apresentar-se ela sem ser chamada — todos esses acontecimentos, aparentemente acidentais e insignificantes, foram usados por Deus para libertar seu povo.

---

[e]Fonte não mencionada no texto original [N. do E.].

Seção C
Os livros poéticos

17
Jó

Tema. O livro de Jó trata de um dos maiores mistérios — o do sofrimento. A pergunta que ressoa por todo o livro é: Por que os justos sofrem? Jó, um homem descrito como perfeito, é despojado da riqueza, dos filhos e da saúde. Suporta essas aflições com uma coragem inabalável.

Jó não compreende a causa dessas calamidades, mas resigna-se com o pensamento de que Deus envia aos homens tanto o mal como o bem, e que, sendo Deus, tem o direito de fazer o que lhe aprouver com as suas criaturas. Portanto os homens devem aceitar o mal sem se queixarem, da mesma forma que aceitam o bem das mãos de Deus. Os amigos de Jó argumentam que, sendo o sofrimento o resultado do pecado, e sendo Jó o mais aflito dos homens, ele deveria ser o mais ímpio de todos. Jó fica indignado e nega a acusação de ter cometido pecado, levando sua negação até o ponto da autojustiça. Na conclusão da discussão entre Jó e seus amigos, Eliú fala, condenando Jó por sua autojustiça e os outros por sua áspera condenação de Jó. Continua, explicando que Deus tem um propósito ao enviar o sofrimento aos homens; que ele castiga o homem com a intenção de trazê-lo para mais perto de si mesmo.

Deus usou as aflições para experimentar o caráter de Jó e como um meio de revelar-lhe um pecado do qual, até então, não se tinha dado conta: autojustiça.

Autor. O autor de Jó é desconhecido. Acredita-se que Eliú pode tê-lo escrito (32.18-20).

Conteúdo

I. O Ataque de Satanás contra Jó (1.1—2.10)
II. Jó e seus amigos (2.11—31.40)
III. A resposta de Eliú (caps. 32—37)
IV. A resposta de Deus a Jó (caps. 38—42.6)
V. Conclusão (42.7-17)

I. O ataque de Satanás contra Jó (1.1—2.10)

Em que outro lugar das Escrituras menciona-se Jó? (Ez 14.14; Tg 5.11). Que se diz acerca de seu caráter? Sobre sua prosperidade e da sua piedade?

Os "anjos", que, em algumas versões bíblicas, lêem-se "filhos de Deus", mencionados em 1.6, vinham diante de Deus em certas ocasiões, provavelmente para dar alguma informação de seu ministério na terra (Hb 1.14). Como um Judas entre os apóstolos, Satanás aparece entre os anjos. Por que tinha acesso à presença de Deus é um mistério, mas Apocalipse 12.10 ensina claramente que tinha acesso ao céu, e que ali age como "o acusador dos nossos irmãos" (v. tb. Lc 22.31). Perceba em 1.7 o que Satanás disse acerca da sua atividade no mundo (cp. 1Pe 5.8).

Deus apresenta Jó como um homem perfeito e temente a Deus, um homem que tem fugido à corrupção do mundo. Satanás admite isto, mas impugna o motivo de Jó. Sua contestação é a de que Jó serve a Deus por conveniência, porque isso lhe traz prosperidade. Ao caluniar Jó, Satanás também ataca Deus, porque suas palavras insinuam que Deus não pode ganhar o amor desinteressado da parte do homem. Deus, desejando justificar o seu próprio caráter e o de seu servo, não tem outra alternativa a não ser sujeitar Jó a uma prova. É um consolo saber que a aflição dos filhos de Deus por Satanás só tem lugar com a permissão divina. Com base na leitura de 1.21 e 2.10 vemos que Jó justificou a confiança que Deus tinha nele.

II. *Jó e seus amigos* (2.11—31.40)

Vimos a causa das aflições de Jó do ponto de vista divino. Agora veremos as opiniões de seus amigos a respeito da causa das suas dificuldades. Devemos lembrar que as suas palavras em si mesmas não são inspiradas, porque o próprio Senhor os acusou de erro (42.8). É o *registro* dessas palavras que é inspirado. Embora esses homens dissessem muitas coisas certas, não disseram a verdade completa.

Aprenda os seguintes pontos que resumem os discursos dos amigos de Jó:

1. Afirmam que o sofrimento é o resultado do pecado. Assim sendo, se alguém está aflito, deve-se concluir que pecou.

2. A medida da aflição indica o grau do pecado. Argumentam que, sendo Jó o homem que mais sofria, deveria ser ele o maior dos pecadores.

3. Dizem a Jó que, se ele se arrepender de seus pecados, Deus lhe restaurará a felicidade. Avisam-no de que se procurar justificar-se a si mesmo, isso retardará a sua restauração.

4. Admitem que algumas vezes os ímpios prosperam, mas dizem que essa prosperidade é transitória, que logo passará, e a retribuição divina sobrevirá.

Podemos resumir as respostas de Jó a seus amigos da seguinte maneira:

1. Jó afirma que é possível o justo ser afligido. Considera uma crueldade que seus amigos o acusem de pecado por causa de suas aflições. Ele mesmo não compreende o propósito de Deus em afligi-lo. Aceita como fato que Deus, ao distribuir o bem e o mal, não considera o mérito nem a culpa, mas que age como agrada à sua soberania. Crê que haja casos em que aquele que sofre tem o direito de justificar-se a si mesmo e queixar-se das ordens de Deus.

2. Mais tarde, Jó retira algumas de suas afirmações extravagantes, admitindo que Deus aflige geralmente os ímpios e abençoa os justos. Insiste ainda que há exceções à regra, como: a aflição do piedoso. Por causa dessas exceções, é injusto chegar à conclusão de que o homem é pecador devido aos seus sofrimentos.

3. Jó crê ser nosso dever adorar a Deus, embora estejamos sofrendo calamidades não merecidas; mas devemos abster-nos de julgar duramente aqueles que, quando em angústia, proferem queixas contra Deus.

III. A resposta de Eliú (caps. 32—37)

O discurso de Eliú pode resumir-se da seguinte maneira:

1. Disse a Jó que fez mal em vangloriar-se da sua integridade (33.8-13), e de fazer parecer que Deus lhe deva recompensas. Deus não é devedor de ninguém (35.7). Por mais justo que Jó seja, não tem o direito de exigir nada de Deus, porque a seus olhos todos os homens são pecadores.

2. Admite que as calamidades são castigos pelos pecados cometidos, mas ao mesmo tempo são corretivas. Podem ser infligidas àqueles que são relativamente mais justos do que outros. Se o fim da aflição for alcançado e a falta

reconhecida pelo aflito, Deus o abençoará com uma felicidade maior do que antes (33.14-33). Depois, ele expõe a majestade e a perfeição de Deus na criação e reprova Jó por discutir com ele em vez de humilhar-se e confessar que estava em pecado (caps. 36 e 37).

IV. A resposta de Deus a Jó (38—42.6)

Deus fala com Jó somente para iniciar a discussão. Ele não discute com ele, mas proporciona-lhe revelações das mais eficientes, pelas quais desafia Jó nas suas próprias premissas erradas. Primeiro desafia o erro de Jó pelo fato de questionar o Todo-Poderoso. Ao julgar Deus, Jó assumiu autoridade igual à pessoa daquele que media, a saber, o Eterno, o Criador de todas as coisas. Nos capítulos 38 e 39, Deus desafia a capacidade de Jó para julgar, como se este estivesse direta e pessoalmente familiarizado com todas as coisas desde o princípio delas. Isso faz calar Jó, um homem de existência e conhecimento original tão curtos. Deus então revela a Jó sua surpreendente habilidade em criar, e governar de uma maneira benévola os monstros mais espantosos do mundo antigo, o Beemote — ou elefante — o Leviatã — ou crocodilo do Nilo — evidentemente servem como ilustrações simbólicas de sua perícia de criar, por assim dizer, e governar, de uma maneira benévola, as mais espantosas dificuldades que um Pai onisciente e amoroso possa permitir ao 'leão que ruge' infligir. Jó agora rompe o silêncio em adoração e humilhação perante Deus. Confessa que o que havia aprendido dele teoricamente, antes de receber a certeza da sabedoria e bondade divinas, é agora para ele uma bendita realidade. Essa certeza satisfaz e regozija o seu coração de tal maneira que qualquer idéia de sustentar seus próprios méritos, sob qualquer providência de Deus, fica excluída para sempre — STEVENS[a]

[a]Fonte não mencionada no texto original [N. do E.].

V. Conclusão (42.7-17)

Os últimos versículos de Jó ilustram Tiago 5.11: "Vocês ouviram falar sobre a perseverança de Jó e viram o fim que o Senhor lhe proporcionou. O Senhor é cheio de compaixão e misericórdia", isto é, vocês viram, na questão do tratamento de Deus com Jó, a manifestação de sua compaixão e ternura.

18
Salmos

Tema. O livro de Salmos é uma coleção de poesia hebraica inspirada, que mostra a adoração e descreve as experiências espirituais do povo judaico. É a parte mais íntima do AT; dá-nos uma revelação do coração do judeu santo, e percorre todas as escalas de suas experiências com Deus e a humanidade. Nos livros históricos vemos *Deus falando sobre o homem*, descrevendo seus fracassos e seus êxitos; nos livros proféticos vemos *Deus falando ao homem*, advertindo os ímpios e consolando os justos à luz do futuro. Mas, em Salmos, vemos *o homem falando a Deus*, derramando o seu coração em oração e louvor e falando de Deus, descrevendo-o e exaltando-o pela manifestação de seus gloriosos atributos. Enquanto o santo do AT falava dessa maneira a seu Deus, fosse a sua experiência de prosperidade ou de adversidade, de bênção ou de castigo, do êxtase mais elevado ou do desalento mais profundo, sempre predominava uma nota por toda a sua adoração — a do louvor. O homem santo do AT pode louvar a Deus em todas as circunstâncias, porque a fidelidade divina no passado é uma garantia de sua fidelidade no futuro. A comparação do passado com o futuro foi também o que ocasionou a introdução do elemento profético em Salmos, porque o escriba ou profeta, vendo o fracasso do reino e dos reis terrestres de Israel, prorrompeu em palavras inspiradas referentes à vinda do reino glorioso de Deus e de seu glorioso Rei — o Messias. Podemos resumir desta maneira o tema do livro: Deus deve ser louvado em todas as circunstâncias da vida; e isto por causa da sua fidelidade no passado, que é uma garantia de sua fidelidade no futuro.

Autores. Muitos dos salmos são anônimos e há dúvida quanto à autoria de alguns. Os autores geralmente reconhecidos são os seguintes:

Davi. É considerado autor dos 71 salmos que levam o seu nome;
Asafe. Diretor do serviço do coro do templo no tempo de Davi; é também profeta (1Cr 6.39; 2Cr 29.30);
Salomão. Rei de Israel;
Moisés. Líder e legislador de Israel;
Hemã. Cantor e profeta do rei (1Cr 6.33; 15.19; 25.5,6);
Esdras. Escriba que ensinou a lei aos judeus depois do cativeiro;
Etã. Cantor (1Cr 15.19);
Ezequias. Rei de Judá;
Os filhos de Corá. Dirigentes do culto em Israel;
Jedutum. Cantor-mor do tabernáculo (1Cr 16.41,42; 25.6).

Conteúdo. Na Bíblia hebraica os salmos estão divididos em cinco livros, da seguinte maneira:

 I. Salmos 1—41

 II. Salmos 42—72

 III. Salmos 73—89

 IV. Salmos 90—106

 V. Salmos 107—150

Sugere-se a classificação dos salmos a seguir. Leia os salmos mencionados nesta classificação e tenha em mente os seis pontos principais da classificação:

1. **SALMOS DE INSTRUÇÃO**: Sobre o caráter dos homens bons e maus, sua felicidade e sua miséria (1); sobre a excelência da lei divina (19 e 119); sobre a futilidade da vida humana (90); deveres dos que governam (82); humildade (131).
2. **SALMOS DE LOUVOR E ADORAÇÃO**: Reconhecimento da bondade e do cuidado de Deus (23 e 103); reconhecimento de seu poder e de sua glória (8, 24, 136 e 148).
3. **SALMOS DE AÇÕES DE GRAÇAS**: Pela misericórdia com os indivíduos (18 e 34); pela misericórdia com os israelitas em geral (81 e 85).
4. **SALMOS DEVOCIONAIS:** Os sete salmos penitenciais (6, 32, 38, 51, 102, 130 e 143); expressivos de confiança durante a aflição (3 e 27); expressão de extremo abatimento, mesmo assim não sem esperança (13 e 77); orações em tempo de aflição severa (4, 28 e 120); orações quando privado do culto público (42); orações em tempo de aflição e perseguição (44); orações de intercessão (20 e 67).
5. **SALMOS MESSIÂNICOS:** 2, 16, 22, 40, 45, 72, 110 e 118.
6. **SALMOS HISTÓRICOS:** 78, 105 e 106.

19
Provérbios

Tema. O livro de Provérbios é uma coleção de expressões curtas e concisas que contêm lições morais. O propósito do livro é declarado logo no princípio, a saber: dar sabedoria aos jovens (1.1-7). É o livro prático do AT, que aplica os princípios de justiça, pureza e piedade à vida diária. A sabedoria ensinada em Provérbios não é meramente carnal ou prudência comum, mas baseada no temor do Senhor (1.7). Podemos assim, resumir o seu tema: sabedoria prática, tendo como fonte e base o caráter religioso. "O temor ao SENHOR é o princípio do conhecimento".

Autores. O próprio Salomão escreveu a maioria dos provérbios (1Rs 4.32; Ec 1.13; 12.9). Pela referência em certos lugares aos "ditados dos sábios", crê-se que, além de seus próprios provérbios, Salomão tenha colecionado alguns conhecidos no seu tempo, incorporando-os aos seus. Os provérbios dos últimos dois capítulos foram escritos por Agur e Lemuel, autores que a Bíblia não menciona em outra parte.

Conteúdo. Damos a seguinte análise:

    I. Discurso sobre o valor e a aquisição da verdadeira sabedoria (caps. 1—9)

    II. Provérbios intitulados "Provérbios de Salomão" (10.1—22.16)

    III. Advertências e conselhos reiterados sobre o estudo da sabedoria intituladas "Ditados dos sábios" (22.17—24.34)

    IV. Provérbios de Salomão reunidos pelos homens de Ezequias (caps. 25—29)

    V. Instruções sábias de Agur aos seus discípulos, Itiel e Ucal, e lições ensinadas ao rei Lemuel por sua mãe (caps. 30 e 31)

20
Eclesiastes

Título. A palavra "eclesiastes", do grego, significa "o pregador". Pode ter sido assim chamado pelo fato de ter Salomão, após sua triste experiência de desviar-se, ensinado publicamente suas experiências e lições aprendidas.

Tema. No livro dos Provérbios tomamos conhecimento da sabedoria que tem o sua origem em Deus. Agora, em Eclesiastes, tratamos da sabedoria meramente natural, a qual, à parte de Deus, procura encontrar a verdade e a felicidade. Ambos os livros foram escritos por Salomão; o primeiro, durante a primeira parte de seu reinado, quando andava com Deus; o segundo, durante a última parte de seu reinado, quando o pecado o separara de seu Criador. Nos Provérbios, ouve-se dos seus lábios uma nota de júbilo e contentamento ao meditar sobre as bênçãos da sabedoria divina; em Eclesiastes, um tom de tristeza, desalento e perplexidade, ao ver o fracasso da sabedoria natural ao tentar resolver os problemas humanos e obter a felicidade perfeita. Depois de seu afastamento de Deus (1Rs 11.1-8), Salomão ainda tinha riquezas e sabedoria. Rico e sábio, começou a sua investigação a respeito da verdade e da felicidade longe de Deus.

O resultado dessa pesquisa tem sua expressão na sentença sempre citada, "tudo é inútil" ("vaidade"). Salomão aprendeu a seguinte verdade que resume o tema do livro: sem a bênção de Deus, sabedoria, posição e riquezas não satisfazem; pelo contrário, trazem cansaço e decepção.

Autor. Salomão (v. 1.1,16; 12.9).

Conteúdo

> I. A inutilidade do prazer e da sabedoria humana (caps. 1 e 2)
>
> II. A felicidade terrestre, seus obstáculos e meios de progresso (caps. 3—5)
>
> III. A sabedoria prática verdadeira (6.1—8.15)
>
> IV. A relação entre a sabedoria verdadeira e a vida do homem (8.16—10.20)
>
> V. Conclusão (11.1—12.14)

Ao ler o Eclesiastes, o aluno encontrará muitos ensinamentos sadios e muitos que contrariam as doutrinas da Bíblia. (Leia 1.15; 2.24; 3.3,4,8,11,19,20; 7.16,17; 8.15). Deve recordar-se de que o livro *é o registro inspirado das palavras não inspiradas* de um homem natural, arrazoando sobre as experiências humanas e a providência divina. Da mesma maneira a Bíblia contém muitas palavras proferidas pelos ímpios. As palavras não são inspiradas, mas o seu registro é.

I. A inutilidade do prazer e da sabedoria humana (caps. 1 e 2)

Em 1.1-3, Salomão estabelece o tema de seu discurso: a inutilidade de todos os esforços humanos. Todo esforço é vão, porque o espírito que investiga os segredos da vida não está satisfeito. Os homens vêm e vão sem descobrir a solução dos problemas da vida, mas o mundo continua a existir com os seus mistérios não resolvidos (1.4-18). Assim, a sabedoria teórica do homem fracassa. Salomão aplica agora a sua sabedoria prática ao problema de encontrar a felicidade (cap. 2). Ele experimenta a alegria, o riso (v. 1,2), o vinho (v. 3), construções (v. 4), riqueza e música (v. 5-8). O resultado final de sua investigação encontra-se no versículo 2 — a decepção. Enche-se de desespero e de fadiga ao ver que, com toda a sua sabedoria, não é mais adiantado do que um tolo qualquer em sua tentativa de resolver os problemas da vida (v. 12-19). Ao ver que terá de deixar as riquezas a alguém que nunca trabalhou por elas, riquezas que foram acumuladas por meio de tanto trabalho, e que não lhe trouxeram satisfação, sente-se dominado pelo desânimo e pela inutilidade do esforço (v. 20-23). Chega à conclusão de que a melhor coisa para o homem natural é extrair o maior prazer possível desta vida, e ao mesmo tempo esforçar-se ao máximo para viver uma vida moral (v. 24,25).

II. *A felicidade terrestre, seus obstáculos e meios de progresso* (caps. 3—5)

Salomão argumenta que, a fim de alcançar a felicidade, o homem deve regozijar-se nos benefícios dela e utilizar esses benefícios corretamente (cap. 3). Na melhor das hipóteses, a felicidade humana é limitada, porque todas as ações e esforços humanos são restritos por uma lei superior e inalterável, e dependem dela. Em outras palavras, tudo o que acontece, seja bom ou mau, tem de acontecer, porque todas as coisas têm o seu tempo. O homem não pode alterar essa ordem; assim sendo, deve submeter-se a ela extraindo da vida toda a felicidade possível (v. 1-15). A felicidade humana é restrita por causa da ignorância humana acerca das coisas da vida futura. A esperança de uma vida futura é tão incerta para ele, que duvida que a vida humana seja melhor nesse sentido do que a dos animais (v. 16-21). Por causa dessa incerteza de uma vida após a morte, não há nada melhor a fazer do que desfrutar da vida atual (v. 22).

Ele passa a citar os obstáculos da felicidade (4.1-16), mencionando o infortúnio pessoal de muitos (v. 1-6), os males da vida social (v. 7-12) e os males da vida civil (v. 13-16).

Sugere que a felicidade se alcança por entregar-se ao culto a Deus (5.1-7), abstendo-se das injustiças, da avareza e da violência (v. 8-17), e pelo gozo moderado dos prazeres e tesouros da vida concedidos por Deus (v. 18-20).

III. A sabedoria prática verdadeira (6.1 — 8.15)

A sabedoria verdadeira não consiste em esforçar-se para descobrir as fontes terrestres da felicidade (6.1,2), porque, mesmo aqueles que possuem riquezas, não conseguem desfrutar do que elas podem proporcionar (v. 1-6), e nunca escapam do sentimento de sua inutilidade e da incerteza do futuro (v. 7-12).

A sabedoria verdadeira consiste no desprezo do mundo e das vãs concupiscências (7.1-7), num espírito quieto e resignado (v. 8-14) e num temor de Deus fervoroso e reconhecimento sincero do pecado (v. 15-22).

Essa sabedoria deve ser preservada apesar das concupiscências mundanas (7.23-29), apesar das tentações de deslealdade e rebelião (8.1-8), e apesar das opressões e injustiças (v. 9-15).

IV. A relação entre a sabedoria verdadeira e a vida do homem (8.16—10:20)

A maneira de Deus tratar o homem às vezes é misteriosa (8.16—9.6), mas isso não deve impedir que o sábio tome parte ativa na vida; antes, ele deveria desfrutar desta vida e usá-la proveitosamente (9.7-10). Embora o resultado do trabalho humano seja às vezes incerto, o homem não deve desanimar em sua busca pela sabedoria (v. 11-16).

Na presença da insolência, do orgulho e da violência de insensatos afortunados, o sábio deve conservar a sua paz espiritual por meio do silêncio e da modéstia (9.17—10.20).

V. Conclusão (11.1—12.14)

Depois desses raciocínios, alguns verdadeiros, outros parcialmente verdadeiros e outros falsos, Salomão tira suas conclusões, que representam o melhor que o homem natural consegue obter, à parte da revelação, na procura da felicidade e do favor de Deus. São as seguintes:

1. A fidelidade na benevolência e na vocação (11.1-6)
2. Desfrutar desta vida de uma maneira tranqüila e feliz (11.7-10)
3. O temor de Deus para jovens e velhos, em vista de um juízo vindouro (12.1-7)
4. O temor de Deus e a observância dos seus mandamentos (12.13,14)

21
Cântico dos Cânticos

Título. O livro Cântico dos Cânticos é assim chamado pelo fato de ser este o principal de todos os cânticos de Salomão (1Rs 4.32).

Tema. Cântico dos Cânticos é uma história de amor, que glorifica o amor puro e natural e focaliza a simplicidade e a santidade do casamento.

O significado típico dessa história pode inferir-se do fato de que, sob a figura da relação matrimonial, descreve-se o amor de Deus para com Israel (v. Os 1-3; Is 62.4), e o amor de Cristo para com a Igreja (Mt 9.15; 2Co 11.2; Ef 5.25; Ap 19.7; 21.2).

Sugere-se o seguinte tema: o amor do Senhor pelo seu povo é representado pelo amor existente entre marido e mulher.

Nota. Ao ler o livro, o aluno deve recordar-se de que está lendo um poema oriental, e que os orientais usam uma linguagem clara nas questões mais íntimas — uma clareza de linguagem estranha e algumas vezes desagradável à maioria dos ocidentais. Por mais delicada e íntima que a linguagem seja em muitas partes do livro, deve-se observar que não há nada que ofenderia ao mais modesto oriental. Dr. Campbell Morgan[a] disse:

---

[a] Fonte não mencionada no texto original [N. do E.].

Em primeiro lugar, era indubitavelmente um canto de amor terrestre, mas muito puro e muito lindo. Há pessoas que encontrariam indecências no céu — se por acaso lá chegassem — mas as ocultariam em suas próprias almas corrompidas.

Para aqueles que vivem vidas puras e simples, esses cânticos são cheios de beleza e expressam a linguagem do amor humano. Finalmente, nas experiências espirituais, expressam a relação daqueles que têm sido ganhos por Deus em Cristo, a quem passaram a amar e conhecer.

Autor. Salomão (1.1).

Conteúdo. De todos os livros do AT, Cântico dos Cânticos é, provavelmente, o mais difícil de interpretar e analisar. Neste estudo, limitar-nos-emos a um breve esboço da história contida no cântico, e dos diálogos entre Salomão e sua noiva.

A história em que está entrelaçado esse idílio parece ser esta: o rei Salomão visita sua vinha no monte do Líbano. Chega de improviso aonde está uma linda donzela sulamita. Ela foge, mas ele vai visitá-la, disfarçado de pastor, e a convence a casar-se com ele. Logo vem recebê-la como rainha. Encaminham-se para o palácio real. Aqui começa o poema e relata a história de amor. — HAAS[b]

I. A noiva nos jardins de Salomão (1.2—2.7)

1. A noiva pede uma prova de amor e elogia o noivo (1.1-4).
2. Ela pede às filhas de Jerusalém que não desprezem a sua humilde origem, e pergunta onde pode encontrar o seu noivo. As mulheres de Jerusalém respondem em uníssono (1.5-8).
3. Segue-se então uma conversa amorosa entre Salomão e sua noiva (1.9—2.7). Salomão fala (1.9-11); a noiva,

[b]Idem.

(1.12-14); Salomão (1.15); a noiva, (1.16—2.1); Salomão, (2.2); a noiva, (2.3-7).

II. *As recordações da noiva* (2.8—3.5)

1. A visita de seu amado na primavera (2.8-17).
2. Um sonho referente a ele (3.1-5).

III. *As núpcias* (3.6—5.1)

1. Os habitantes de Jerusalém descrevem a chegada do rei e da noiva (3.6-11).
2. Depois, segue-se uma conversa: Salomão (4.1-5); a noiva (4.6); Salomão (4.7-16a); a esposa (4.16b); Salomão (5.1).

IV. *No palácio* (5.2—8.4)

1. A esposa relata um sonho referente a Salomão. Sonhou que ele partira e que, ao procurá-lo, foi maltratada pelos guardas da cidade. Em seu sonho, ela perguntou por ele às filhas de Jerusalém, e descreveu sua formosura (5.2—6.3).
2. Salomão entra e a elogia (6.4-9).
3. Diálogo entre o coro das mulheres de Jerusalém e a esposa: Coro (6.10); esposa (6.11,12); coro e esposa alternadamente (6.13); coro (7.1-5).
4. Salomão entra e elogia a esposa (7.6-9).
5. A esposa convida seu amado a visitar o seu lar (7.10—8.4).

V. *O lar da esposa* (8.5-14)

Os habitantes do país conversam (8.5a); Salomão (8.5b); a esposa (8.6,7); seus irmãos (8.8,9); a esposa (8.10,12); Salomão (8.13); a esposa (8.14).

Seção D
Os livros dos profetas maiores

22
Isaías

Tema. De todas as escrituras proféticas, o livro de Isaías é a mais bela e sublime. Em nenhum dos outros livros obtemos uma visão tão gloriosa do Messias e de seu reino. Por causa da ênfase dada à graça de Deus e à sua obra redentora com relação a Israel e às nações, o livro de Isaías tem sido chamado "O quinto evangelho", e seu autor "O evangelista do AT". As duas divisões principais do livro ajudar-nos-ão a encontrar o seu tema. A chave da primeira divisão (caps. 1—39) é "Denúncia". Ao ler essa seção, sentimos os estrondos da ira divina contra o apóstata Israel e contra as nações idólatras que o rodeiam. Nesses capítulos são profetizados o cativeiro da Babilônia, a tribulação e os julgamentos dos últimos dias. A chave da segunda seção (caps. 40—66) é "Consolação". Essa seção contém profecias do regresso de Israel do cativeiro babilônico, de sua restauração e reunião na Palestina nos últimos dias. Baseando-nos nessas duas divisões, podemos resumir o tema de Isaías da seguinte maneira: a ira de Deus que resulta na condenação e tribulação de Israel; a graça de Deus que resulta na salvação e exaltação de Israel.

Autor. Isaías. Considerado o maior dos profetas, Isaías foi chamado ao ministério no reinado de Uzias (cap. 6). Seu nome, que significa "salvação de Deus", descreve bem o seu ministério e a sua mensagem. Profetizou durante os reinados de Uzias, Jotão, Acaz e Ezequias, e talvez durante o reinado de Manassés (entre 757 a 697, a.C.). Foi estadista e também profeta, porque o encontramos falando e tratando dos assuntos públicos da nação. A tradição diz-nos que foi morto pelo ímpio Manassés sendo serrado pelo meio.

Esfera de ação. Os acontecimentos históricos registrados em Isaías abrangem um período de mais ou menos 62 anos, de 760 a 698 a.C.

Conteúdo. O livro de Isaías divide-se naturalmente em três seções:

I. A seção condenadora, na maior parte com repreensões pelos pecados de Israel (caps. 1—35).

II. A seção histórica, com o relato da invasão assíria, a libertação misericordiosa de Jerusalém por Deus e a cura de Ezequias (caps. 36—39). Esses capítulos formam um elo entre a primeira e a última seção. Servem de apêndice à primeira seção, porque registram a profecia do cativeiro babilônico (39.5-8), que foi a punição pelos pecados de Israel condenados nos capítulos de 1 a 35. Por causa dessa mesma profecia, os capítulos de 36 a 39 formam uma introdução à última seção que trata da restauração de Israel do cativeiro.

III. A seção consoladora, com palavras de consolo a Israel castigado e promessas de restauração e bênção (caps. 40—66).

Como base para nosso estudo usaremos o seguinte esboço:

I. Profecias referentes a Judá e Jerusalém (caps. 1—12)

II. Profecias de juízos sobre as nações (caps. 13—23)

III. Profecias de juízos mundiais que terminam com a redenção de Israel (caps. 24—27)

IV. Profecias de juízo e misericórdia (caps. 28—35)
V. Invasão e libertação de Judá (caps. 36—39)
VI. Libertação do cativeiro por Ciro (caps. 40—48)
VII. Redenção pelo sofrimento e sacrifício (caps. 49—57)
VIII. A glória futura do povo de Deus (caps. 58—66)

Seção I: CONDENADORA

Antes de continuar o estudo do livro de Isaías, o aluno deve ler 2Cr 26.1—32.33, que lhe dará o fundo histórico do livro.

I. Profecias referentes a Judá e Jerusalém (caps. 1—12)

Isaías começa a sua profecia com uma vigorosa denúncia dos pecados de Judá e Jerusalém. O primeiro capítulo contém os temas principais do livro inteiro. Descreve a completa apostasia de Israel, uma apostasia tão grande que, se não fosse o fato de Deus em sua graça ter conservado um remanescente, a nação teria sido exterminada como o foram Sodoma e Gomorra (v. 1-9). A apóstata de Israel tem ainda a forma de piedade, mas é simplesmente uma formalidade vã que é um cheiro desagradável às narinas de Deus (v. 10-15). Depois se segue uma promessa de perdão (v. 16-23), e de restauração por meio do juízo (v. 24-31).

Os capítulos de 2 a 4 contêm três descrições de Sião: (1) sua exaltação nos últimos dias (2.1-4), depois de ser introduzido o reino milenar; (2) sua condição atual de impiedade, orgulho e idolatria (2.5—4.1); (3) sua purificação pelo fogo do juízo nos últimos dias (4.2-6).

Isaías continua a sua denúncia dos pecados de Judá e Israel (cap. 5). Segue-se um breve resumo do capítulo 5.

1. Na sua parábola da vinha, ele mostra o castigo de Israel pela falha em não cumprir as responsabilidades que as

bênçãos e privilégios peculiares de Deus lhe tinham imposto (5.1-7; cp. Mt 21.23-46).

2. Seis ais são pronunciados contra a nação (5.8-24); contra os ricos avarentos (v. 8,9), os amantes do prazer (v. 11,12), os céticos (v. 18,19), os pregadores de doutrina falsa (v. 20), os presunçosos (v. 21), e contra os juízes injustos (v. 22,23).

3. O juízo contra a nação é profetizado na forma de invasão estrangeira (5.25-30).

O capítulo 6 contém o relato da chamada de Isaías ao ministério. Note:

1. A visão — a glória de Cristo (cp. Jo 12.41).
2. O efeito da visão — a consciência do profeta acerca de seu estado pecaminoso (v. 5).
3. Sua purificação e chamada (v. 6-8).
4. Sua mensagem — a cegueira judicial de Israel por causa da sua rejeição voluntária da luz (v. 9,10; cp. Mt 13.14,15; Jo 12.39,40; At 28.25-28).
5. Seu brado "Até quando?" (v. 11, a saber, até quando duraria a cegueira de Israel). O sentido geral da resposta nos versículos 12 e 13 é que esta condição durará até um grande cativeiro e exílio e o regresso de um remanescente fiel (v. tb. Mt 23.39; Lc 21.24; Rm 11.25).

Os capítulos 7.1—9.7 contêm uma advertência dirigida ao rei de Judá contra a formação de uma aliança com o rei da Assíria. Os reis de Israel (das dez tribos) e da Síria tinham-se unido para invadir Judá (7.1) e planejavam colocar um rei estrangeiro no trono de Davi. Acaz, temendo pela segurança de Judá e desejando a continuação do trono de Davi, preparava uma aliança com o rei da Assíria (2Rs 16). Nesse ponto, Isaías foi enviado a Acaz para tranqüilizá-lo e exortá-lo a confiar em Deus em vez de confiar no rei da Assíria, porque os planos de seus inimigos seriam frustrados (7.1-9). Acaz teme que a descendência de Davi cesse caso seus inimigos tenham êxito em capturar Jerusalém (7.6). Portanto o próprio Deus dá-lhe um sinal de que a casa de Davi perdurará para sempre: o nascimento de um menino por meio de uma virgem (7.14; cp. Mt 1.21), um menino que será a luz para os israelitas que andavam nas trevas (9.1,2), e que reinará na casa de Davi para sempre (9.6,7).

Os capítulos 9.8 a 10.4 contêm um relato das calamidades que Deus enviara sobre as dez tribos, calamidades que não foram respeitadas. Essas calamidades foram: invasão estrangeira (9.8-17), anarquia (9.18-21) e cativeiro iminente (10.1-4).

Os versículos 5 a 34 do capítulo 10 descrevem a nação assíria como o instrumento do juízo de Deus sobre Judá. A nação da qual Judá já obtivera ajuda anteriormente (Acaz procurou a aliança com Tiglate-Pileser, rei da Assíria) tornou-se agora um açoite contra ele. Embora Deus tenha ordenado à nação assíria que castigasse Israel, essa nação, no entanto, será julgada por causa do seu orgulho e arrogância contra aquele que a tem usado (10.5-19). Israel então aprenderá a não confiar em nações idólatras (v. 20). Por mais severos que sejam os castigos de Israel em qualquer época, Deus, na sua misericórdia, deixará sempre um remanescente que formará o núcleo de uma nova nação (v. 20-23).

Os judeus não devem temer o rei da Assíria, que marchará contra Jerusalém, porque Deus o destruíra de uma maneira sobrenatural (10.24-34; cp. 2Rs 18 e 19).

Enquanto o profeta prediz a libertação de Israel dos assírios por Deus, a sua visão abrange o fim dos tempos quando Israel será libertado do antítipo do rei assírio — o anticristo, e quando o Messias, o Filho de Jessé, estabelecerá todo o Israel na sua terra e inaugurará o reino milenar (caps. 11 e 12).

II. *Profecias de juízos sobre as nações* (caps. 13—23)

Os acontecimentos profetizados referentes às nações nos capítulos 13 a 23 cumpriram-se algumas gerações após a sua predição.

Embora essas profecias tenham encontrado cumprimento quase completo no regresso de Israel do cativeiro, deve-se recordar que muitas delas terão um cumprimento futuro nos últimos dias. O fim da visão profética era o milênio, época que traria a restauração final e a subseqüente exaltação de Israel. Ao consolar e exortar a nação, os profetas geralmente se referiam a esse distante acontecimento, porque, à parte disso, não podiam prometer uma bênção permanente para a nação. Tendo em mente a restauração final de Israel, o profeta, pela inspiração do Espírito, predizia o *futuro* à luz do *presente*; isto é, fazia dos acontecimentos atuais e iminentes um símbolo dos acontecimentos futuros e remotos. Por exemplo: ao profetizar *uma tribulação iminente*, e sua restauração, geralmente olhou para além desses acontecimentos no futuro e predisse a *tribulação final* de Israel e a *restauração final* nos últimos dias. O princípio que acabamos de mencionar é conhecido como a "Lei da dupla referência", e encontra-se freqüentemente em todas as profecias. As nações mencionadas nesta seção são as seguintes:

1. Babilônia — (13.1—14.27). A destruição do império babilônico pelos medos e persas é predita. Para o profeta, esse acontecimento é um símbolo da destruição do império do anticristo com o seu imperador e inspirador, Satanás (14.9-17). Ela será seguida pela restauração de Israel (14.1-6).
2. Filístia — (14.28-32). Adverte aos filisteus que não se regozijem com a invasão de Israel pelos assírios, pois o seu destino será o mesmo. No versículo 32 espera-se a restauração futura de Israel.
3. Moabe — (caps. 15 e 16). A destruição de Moabe pelos assírios é profetizada para três anos a partir do tempo da profecia. Atente para a referência aos últimos dias em 16.5.
4. Damasco, isto é, a Síria — (cap. 17). Ao dirigir à Síria um aviso quanto ao juízo vindouro, o profeta menciona também o seu aliado, Efraim (as dez tribos do norte).

Para Israel, brilha um raio de esperança de restauração nos últimos dias (v. 6,7,13).

5. Etiópia — (cap. 18). Este capítulo descreve a Etiópia como a passar dias de grande agitação, enviando embaixadores a todas as direções e buscando ajuda contra o esperado invasor assírio. Isaías aconselha esses embaixadores que voltem e esperem quietamente e vejam como Deus há de frustrar a tentativa assíria de conquistar Judá.
6. Egito — (caps. 19 e 20). Aqui estão profetizados os juízos de Deus sobre o Egito — guerra civil, o jugo de um opressor e a decadência nacional. Aguardando os dias milenários, o profeta vê o Egito restaurado com a Assíria, formando uma aliança com Israel (19.18-25).
7. "O deserto do mar", isto é, a Babilônia — (21.1-10). Outra profecia da subjugação da Babilônia pelos medos e persas.
8. Dumá, isto é, Edom — (21.11,12). Edom vê-se em grande ansiedade investigando o futuro. A resposta causa decepção, mas mostra simpatia.
9. "O vale da visão", isto é, Jerusalém — (cap. 22). O profeta interrompe as suas denúncias das nações pagãs para proferir uma advertência contra os habitantes de Jerusalém, que se entregavam ao luxo e ao prazer enquanto os inimigos estavam à sua porta.
10. Tiro — (cap. 23). Isaías predisse que Tiro seria devastada, sua fama comercial humilhada, suas colônias se tornariam independentes e a própria cidade seria esquecida por setenta anos. Mas havia uma promessa de restauração.

III. Profecias de juízos mundiais que terminam com a redenção de Israel (caps. 24—27)

No capítulo 24, o profeta anuncia um juízo geral da Palestina, dos reis e das nações da terra seguido pela restauração de Israel.

O capítulo 25 registra o cântico que Israel entoará depois da sua restauração, um cântico que celebra o poder de Deus para destruir as cidades de seus inimigos e a sua fidelidade em defender Jerusalém. Deus fará uma festa para todas as nações no monte Sião, tirará o véu da cegueira espiritual de seus olhos, abolirá a morte e enxugará todas as lágrimas. Todos os seus inimigos, dos quais Moabe é símbolo e representante, serão destruídos.

Os versículos de 1 a 19 do capítulo 26 registram o cântico de louvor e testemunho de Israel depois da sua restauração na Palestina.

Deus adverte o remanescente fiel de Israel para que se esconda no abrigo que ele preparou para a sua proteção contra a grande tribulação (26.20—27.1). Depois da tribulação, a vinha verdadeira de Deus será protegida contra os espinheiros e roseiras bravas da invasão estrangeira (27.2-6). Os castigos de Israel eram leves, comparados com os das outras nações (v. 7-11). Após o seu castigo, serão novamente unidos (v. 12,13).

IV. Profecias de juízo e misericórdia (caps. 28—35)

Os capítulos mencionados contêm uma série de ais contra Samaria, Jerusalém e Edom, intercalados, e terminam com promessas consoladoras de restauração e bênção para Israel:

1. Ai dos chefes espirituais e civis de Samaria e Jerusalém, soberbos, escarnecedores e bêbados (cap. 28).
2. Ai de Jerusalém, pelo formalismo e falta de sinceridade no seu culto (29.1-14).
3. Ai daqueles que procuram fazer planos em segredo, pensando em escondê-los de Deus (29.15-24).
4. Ai daqueles que vão ao Egito buscar auxílio em vez de confiar no Senhor (caps. 30 e 31).
5. Aqui o profeta introduz um quadro do reino milenar onde prevalecerá a justiça, administrada pelo Rei justo de Deus, o Messias (cap. 32).

6. Ai dos assírios por seu modo traiçoeiro de tratar o povo de Deus (cap. 33).
7. Ai de Edom, o implacável inimigo de Israel, símbolo de seus inimigos dos últimos dias (cap. 34).
8. A gloriosa restauração de Israel na terra santa (cap. 35).

Seção II: HISTÓRICA

V. *Invasão e libertação de Judá* (caps. 36—39)

Esta seção é um apêndice dos capítulos de 1 a 36, e registra o cumprimento das predições referentes à invasão de Judá pelos assírios e a sua libertação pelo Senhor (caps. 8; 10.5-34; 31.5-9).

Esta mesma seção serve de introdução aos capítulos de 40 a 66, e registra a profecia do cativeiro babilônico (39.5-8), preparando dessa maneira o caminho para as promessas de restauração.

Podemos resumir o conteúdo desta seção da seguinte maneira:

1. A invasão de Senaqueribe (cap. 36).
2. A oração de Ezequias e a resposta de Deus (cap. 37).
3. A enfermidade de Ezequias e seu restabelecimento (cap. 38).
4. A tolice de Ezequias (cap. 39).

Seção III: CONSOLADORA

VI. *Libertação do cativeiro por Ciro* (caps. 40—48)

Esta seção prediz a libertação de Israel do cativeiro babilônico por Ciro, rei dos persas, que derrubou o império babilônico (v. tb. Ed 1.4). O pensamento principal desses capítulos é: a grandeza de Deus em contraste com os deuses das nações. Segue-se um breve sumário de seu conteúdo.

1. O capítulo 40 é o principal desta seção. O profeta é exortado a consolar Israel em vista do Libertador vindouro

(v. 1-11), da grandeza de Deus, (v. 12-26), e do seu poder em dar forças aos exaustos (v. 13-31).

2. O pensamento central do capítulo 41 é: o poder de Deus demonstrado pela sua habilidade de predizer acontecimentos futuros (cf. v. 1-4,22,23).

3. Deus profetizou a libertação *temporal* de Israel por meio de Ciro. Nos capítulos 42.1 a 43.13, ele promete libertação *espiritual* por meio de seu Servo, o Messias.

4. Essa libertação espiritual efetuar-se-á pela extinção dos pecados de Israel por meio da graça de Deus. Essa é a mensagem dos capítulos 43.14 a 44.23.

5. Os capítulos 44.24 a 45.25 apresentam-nos uma descrição da missão do libertador de Israel — Ciro, rei dos persas, que aqui é símbolo do Messias. Ressalte-se que Ciro foi comissionado e nomeado — com título de honra — pelo Senhor, 150 anos antes de seu nascimento (45.1-4).

6. Os capítulos 46 e 47 descrevem os juízos de Deus sobre a Babilônia, capturador e opressor de Israel.

7. O argumento do capítulo 48 é o seguinte: como Deus, 150 anos antes, havia predito a restituição da independência a Israel do jugo da Babilônia por meio de um príncipe pagão, os desterrados não poderiam dizer que havia sido o poder dos ídolos que fizera com que Ciro os libertasse.

VII. Redenção pelo sofrimento e sacrifício (caps. 49—57)

Esses capítulos descrevem o Autor da redenção espiritual de Israel — o Servo de Deus. O tema principal é: redenção por meio do sofrimento. Segue-se um breve resumo dos capítulos:

1. O ministério do Messias, o Servo de Deus (cap. 49).

2. A humilhação do Messias pelo rebelde Israel (cap. 50).

3. Encorajamento do remanescente fiel de Israel a que confie em Deus para resgate do seu longo desterro babilônico e da sua dispersão atual (51.1—52.12).

4. A rejeição, humilhação, morte, ressurreição e glorificação do Messias (52.13—53.12).

5. O arrependimento de Israel pela rejeição do Messias será seguido pela restauração (cap. 54).

6. O resultado da restauração de Israel — todas as nações chamadas a crerem no Messias (caps. 55 e 56).

7. Promessas consoladoras ao remanescente fiel em Israel, e denúncias dos ímpios da nação (cap. 57).

VIII. A glória futura do povo de Deus (caps. 58—66)

O pensamento principal desta seção é: o estabelecimento do reino universal de Deus e seu triunfo sobre toda forma de mal. Segue-se um breve resumo de seu conteúdo:

1. Uma exortação à religião prática em oposição à mera formalidade (cap. 58).

2. Uma exortação para que Israel abandone os pecados que causavam sua separação de Deus.(59.1-15). Vendo o desamparo de Israel na sua iniqüidade e a incapacidade de seus chefes de prestarem auxílio, o próprio Deus, na pessoa do Messias, vem para resgatá-los de seus pecados e de seus inimigos, fazendo em seguida um pacto eterno com eles e pondo o seu Espírito dentro deles (59.16-21).

3. Segue-se uma descrição da glória de Israel depois de sua aflição (cap. 60).

4. O capítulo 61 expõe a missão dupla do Messias de trazer a misericórdia do evangelho na sua primeira vinda e o juízo sobre os incrédulos e consolo para Sião na sua segunda vinda.

5. A prescrição de orações intercessoras para a restauração de Sião (cap. 62).

6. Os versículos de 1 a 6 do capítulo 63, por si só, apresentam-nos um quadro vivo do Messias como o Vingador do seu povo na sua segunda vinda.
7. Os capítulos 63.7 a 64.12 registram as orações intercessoras dos judeus fiéis remanescentes. Lembram a Deus de sua misericórdia e graça anteriores para com a nação; rogam por essa mesma misericórdia e graça; pelo perdão de seus pecados e pela reintegração na sua terra.
8. Na resposta à oração de seu povo (65.1-6), Deus justifica a sua maneira de tratá-lo. Por causa da apostasia, ele o rejeitou e chamou um povo que não o buscava e que nem foi chamado por seu nome — os gentios. Em Israel, Deus distinguia duas classes: seus próprios servos e os apóstatas. Os primeiros serão salvos e os últimos perecerão.
9. Isaías encerra a sua profecia com uma gloriosa previsão do reino milenar vindouro (65.17—66.24). A humanidade desfrutará de longevidade como no tempo dos patriarcas; possuirá casas e vinhas (65.17-24). Até a natureza das feras será mudada (65.25).

A religião chegará a ser espiritual e universal; os cultos místicos e idólatras desaparecerão e seus adeptos serão castigados (66.1-5). A população de Sião aumentará maravilhosamente e o povo regozijar-se-á (66.6-14). Após julgar as nações que se uniam contra Jerusalém (v. 15-18), Deus enviará os seus servos para pregar-lhes as boas-novas (v. 19). Aqueles que uma vez perseguiram Israel transportá-los-ão à Palestina (v. 20), e entre aqueles que antes eram inimigos da verdadeira religião, Deus escolherá ministros para que sirvam perante ele (v. 21), como representantes de um culto universal (v. 22-24).

23
Jeremias

Tema. Tanto Isaías como Jeremias levaram mensagens de condenação ao Israel apóstata. Enquanto o tom de Isaías é vigoroso e severo, o de Jeremias é moderado e suave. O primeiro leva uma expressão da ira de Deus contra o pecado de Israel; o último, uma expressão de seu pesar por causa dele. Ao repreender Israel, Isaías imergiu sua pena no fogo e Jeremias, nas lágrimas. Depois de denunciar a iniqüidade de Israel, Isaías prorrompe em êxtase de alegria ao ver a antecipação da independência vindoura. Jeremias teve um vislumbre do mesmo acontecimento feliz, mas esse vislumbre não foi suficiente para enxugar-lhe as lágrimas ou dissipar a névoa de seu pesar pelo pecado de Israel. Por causa desse último fato Jeremias é conhecido como "o profeta chorão". O amor imutável de Deus ao seu povo apóstata e sua tristeza pela condição dele é o tema deste livro.

Autor. Jeremias. Era filho de Hilquias, um sacerdote de Anatote na terra de Benjamim. Foi chamado ao ministério quando ainda era jovem (1.6), no ano décimo terceiro do rei Josias, mais ou menos setenta anos depois da morte de Isaías. Mais tarde, provavelmente por causa da perseguição de seus patrícios e de sua própria família (11.21; 12.6), deixou Anatote e foi para Jerusalém. Ali e em outras cidades de Judá, exerceu seu ministério por cerca de quarenta anos. Nos reinados de Josias e Jeoacaz, foi-lhe permitido continuar seu ministério sem embaraços, mas, nos reinados de Jeoaquim, Joaquim e Zedequias, sofreu perseguição severa. No reinado de Jeoaquim foi aprisionado pela audácia de profetizar a desolação de Jerusalém. No reinado de Zedequias, foi preso como desertor, e permaneceu na prisão até a tomada da cidade, época em que foi posto em liberdade por Nabucodonosor, que lhe permitiu voltar a Jerusalém. Quando regressou, procurou dissuadir o povo de voltar para o Egito a fim de escapar do que acreditavam ser um perigo iminente. Eles ignoraram seus apelos e emigraram para o Egito levando consigo Jeremias. No Egito, continuou os seus esforços para levar o povo de volta ao Senhor. A tradição antiga conta que, encolerizados por suas contínuas advertências e repreensões, os judeus mataram-no no Egito.

Esfera de ação. Estende-se desde o ano 13 de Josias até a primeira parte do cativeiro da Babilônia; cobre um período de mais ou menos 40 anos.

Conteúdo. Por causa da falta de ordem cronológica das profecias de Jeremias, é difícil apresentar uma análise satisfatória. Sugerimos a seguinte:

    I. O chamado e a comissão de Jeremias (cap. 1)
    II. Mensagem geral de repreensão a Judá (caps. 2—25)
    III. Mensagens mais detalhadas de repreensão, de juízo e de restauração (caps. 26—39)
    IV. Mensagens depois do cativeiro (caps. 40—45)
    V. Profecias referentes às nações (caps. 46—51)
    VI. Retrospecto: O cativeiro de Judá (cap. 52)

Antes de continuar o estudo de Jeremias, leia 2Reis capítulos 22 a 25, que fornecerá o fundo histórico deste livro.

I. *O chamado e a comissão de Jeremias* (cap. 1)

Como conteúdo do capítulo, notaremos:

1. A origem de Jeremias — de uma família sacerdotal que morava em Benjamim (v. 1).
2. A época de seu ministério — desde o reinado de Josias ao princípio do cativeiro babilônico (v. 2,3).
3. Sua chamada — para ser um profeta às nações (v. 4,5).
4. Sua investidura — inspirado por Deus (v. 6-9).
5. Sua comissão — de profetizar a queda e a restauração das nações (v. 10).
6. Sua mensagem a Israel — de profetizar a invasão babilônica vindoura (simbolizada por uma panela fervendo) e a iminência desse acontecimento (simbolizada por um ramo de amendoeira, v. 11-16).
7. As palavras animadoras de Jeremias — proteção contra a perseguição (v. 17-19).

II. *Mensagem geral de repreensão a Judá* (caps. 2—25)

O conteúdo desta seção é o seguinte:

1. A primeira mensagem de Jeremias a Judá (2.1—3.5). Nessa mensagem, Deus repete o passado de Israel, recorda-lhe suas bênçãos e libertações recebidas, repreende-o por sua apostasia atual, sua autojustiça e idolatria e pede-lhe que volte para ele.
2. A segunda mensagem de Jeremias (3.6—6.30). Deus lembra a Judá o fato de ter lançado fora de sua vista as dez tribos, por causa de sua idolatria, e que, em lugar de aceitar a advertência pelo que aconteceu, as dez tribos continuam nos mesmos pecados (3.6-10). O Senhor então exorta o reino do norte (em cativeiro) a se arrepender;

expressa amor por ele e faz promessas de restauração nos últimos dias (3.11—4.2). Em seguida, dirige a Judá uma exortação de arrependimento e, ao fracassar esse apelo, pronuncia sobre ele o juízo da invasão babilônica (4.3—6.30).

3. Discurso à porta do templo (caps. 7—10). O tema do discurso é o seguinte: por causa do formalismo do culto de Israel, da idolatria, da violação à lei de Deus, da rejeição de seus mensageiros, da apostasia universal e incurável, Deus entregará a terra à invasão e espalhará seus habitantes pelas nações.

4. A mensagem do pacto violado (caps. 11 e 12). Essa mensagem aconteceu por ocasião do encontro do livro da lei no reinado de Josias (2Reis 22.8-23). O tema principal desta mensagem é o seguinte: a maldição de Deus sobre Judá por causa da violação do pacto mosaico.

5. A mensagem do cinto de linho (cap. 13). As ações simbólicas do profeta de pôr um cinto, enterrá-lo na margem do Eufrates e em seguida desenterrá-lo, simbolizavam a eleição de Israel por Deus para que fosse seu povo, a rejeição divina por causa da rebelião de Israel, e a humilhação que Deus lhes infligiu por meio do cativeiro babilônico.

6. Profecias motivadas por uma seca na Judéia (caps. 14 e 15). Jeremias, reconhecendo essa seca como castigo de Deus, faz intercessão pelo povo (cap. 14). Mas a iniqüidade de Israel chegou a ser tão incurável, que a intercessão já não tinha nenhum valor, ainda que Moisés e Samuel — dois dos maiores intercessores de Israel — rogassem por eles (15.1-10). Embora a nação inteira estivesse condenada ao julgamento, Deus preservaria um remanescente, do qual Jeremias é representante (15.12-21).

7. O sinal do profeta solteiro (16.1—17.18). Ordenou-se a Jeremias que não se casasse, como sinal da iminência dos castigos divinos cujo terror faria que o estado de solteiro fosse preferível ao de casado. Como sinais adicionais do mesmo acontecimento, ele recebe ordens de não fazer luto (v. 5), porque desde que Deus tirou a paz de seu povo somente uma consolação falsa poderia ser dada; também recebe mandamento de não participar mesmo dos prazeres lícitos porque em vista da punição iminente, esses seriam uma zombaria (v. 9). Através das calamidades profetizadas nesses capítulos, aparecem alguns raios de esperança para Israel (16.15-21).

8. A mensagem referente ao sábado (17.19-27). O sábado era um sinal do pacto de Deus com os filhos de Israel (Êx 31.16,17). Assim, violar o sábado seria equivalente a violar o pacto de Deus, e traria a pena profetizada por Jeremias (17.27).

9. O sinal da casa do oleiro (18.1—19.13). O poder de Deus de tratar com as nações segundo sua soberana vontade simboliza-se pela formação dos vasos pelo oleiro. Deus pode moldar Israel, como o oleiro molda um vaso. Se forem rebeldes, ele pode destruí-los; caso se arrependam, pode reconstruí-los (cap. 18). Como Israel persiste em sua apostasia, Deus o rejeitará. Isso é simbolizado pelo quebrar do vaso (19.1-13).

10. A primeira perseguição de Jeremias (19.14—20.18). A predição de Jeremias referente à destruição de Jerusalém aborrece o filho de um sacerdote chamado Pasur, o qual profetizou a segurança de Jerusalém (20.6). Ele descarrega a sua ira sobre o profeta infligindo-lhe o doloroso castigo de ser atado ao tronco. Por causa desse ato de perseguição, Deus manda um castigo sobre Pasur, repetindo ao mesmo tempo a profecia do cativeiro babilônico.

A última parte do capítulo 20 revela o efeito dessa perseguição sobre a natureza tímida de Jeremias. Foi tentado a cerrar os lábios e abster-se de profetizar. Mas o fogo interno era mais poderoso do que o externo; assim, ele continuou a pregar (20.9).

11. A mensagem ao rei Zedequias (caps. 21 e 22). Essa foi pronunciada em resposta à pergunta de Zedequias referente à invasão de Nabucodonosor. Evidentemente o rei, ao inquirir o Senhor, não tinha a mínima intenção de atender aos conselhos ou aos mandamentos que fossem dados, porque a resposta à sua pergunta é uma mensagem de juízo severo para ele (v. 1-7). Deus, em seguida, dirige-se ao povo, oferecendo àqueles que estejam dispostos a escutá-lo um meio de escape da destruição vindoura (21.8-10). Depois oferece à casa real um meio de escapar ao juízo vindouro — uma fuga que se poderia realizar se eles executassem juízo e justiça (21.11-14). Como exemplos da certeza da retribuição divina, Deus relembra a Zedequias a sorte dos três reis que o precederam, provavelmente repetindo as mensagens que foram dirigidas a eles; Salum, ou Joacaz (22.11), Jeoaquim (22.18), Conias ou Joaquim (22.24).

12. Deus falou acerca dos reis ímpios de Israel. Agora promete a vinda do Rei justo, o Messias que restaurará Judá e Israel (23.5-6). O capítulo 23 contém, em sua maioria, uma denúncia dos falsos profetas que, em vez de exortar o povo a arrepender-se pelas advertências do julgamento iminente, acalmavam-no com uma esperança falsa, prometendo paz e segurança.

13. O sinal das duas cestas de figos (cap. 24). Sob a figura de figos bons e maus, mostra-se o futuro dos judeus na primeira deportação do reinado de Joaquim e dos do cativeiro final no reinado de Zedequias. Os primeiros seriam

restaurados e restituídos à Palestina; os últimos seriam entregues à espada e espalhados entre os pagãos.
14. Os versículos de 1 a 4 do capítulo 25 contêm uma profecia dos setenta anos do cativeiro de Judá, que será seguido pela destruição da Babilônia, os opressores de Israel.
15. Sob a figura do cálice de vinho da ira, é exposto o juízo de Deus sobre as nações (25.15-38).

III. Mensagens mais detalhadas de repreensão, de juízo e de restauração (caps. 26—39)

O conteúdo desta seção é o seguinte:

1. As repetições de Jeremias de sua mensagem referente à destruição de Jerusalém põem em perigo a sua vida. Porém é protegido da fúria dos sacerdotes e do povo pelos juízes da cidade (cap. 26).
2. Sob a figura de jugos expõe-se a subjugação de Judá e das nações vizinhas por Nabucodonosor, rei da Babilônia (caps. 27 e 28). Essa mensagem, entregue nos reinados de Jeoaquim e Zedequias, foi dirigida contra os falsos profetas que incitavam o povo a rebelar-se contra Nabucodonosor, e que prometiam uma volta rápida dos desterrados da primeira deportação.
3. A mensagem aos cativos da primeira deportação (cap. 29). Essa carta foi escrita para instruir os desterrados a que se preparassem para fazer seu lar na Babilônia por um período de setenta anos, e para adverti-los a que não ouvissem os profetas que falsamente prediziam uma volta rápida.
4. Depois de considerar o cativeiro atual de Israel e a libertação vindoura, o profeta contempla o futuro, e vê Israel liberto da tribulação final no fim dos tempos, restaurado

à sua terra, vivendo sob o Reino do Messias, filho de Davi, limpo de seus pecados e desfrutando das bênçãos do Novo Pacto que Deus fará com ele (caps. 30 e 31).

5. Como um sinal da restauração vindoura da terra, Jeremias é instruído pelo Senhor a comprar uma porção de terra de um dos seus parentes (cap. 32). Ao ver a condição da cidade rodeada pelos caldeus, a fé de Jeremias referente à promessa de restauração parece falhar. Em sua perplexidade, ele vai à presença do Senhor em oração (v. 16-25). A Jeremias é assegurado que não há nada demasiado difícil para o Senhor que é poderoso para perdoar e purificar a iniqüidade de Israel e restaurá-lo à sua terra (v. 26-44).

6. O capítulo 33 dá continuidade ao tema da restauração de Israel. Sua libertação final é assegurada pela promessa de Deus (v. 1-14), pelo Renovo de Deus, o Messias (v. 15-18), e pela fidelidade de Deus em guardar seu pacto (v. 19-26).

7. O capítulo 34 contém uma profecia do cativeiro de Zedequias e a denúncia contra o povo de Jerusalém pela violação de um pacto. A Lei de Moisés requeria que os escravos hebreus fossem postos em liberdade depois de sete anos de serviço. Esse mandamento tinha sido violado por muito tempo. Parece que a pregação de Jeremias e o temor do cativeiro vindouro despertou a consciência do povo até o ponto de estar disposto a assinar um pacto para libertar seus escravos. Mas quando Nabucodonosor retirou seus exércitos por algum tempo, e o perigo de invasão parecia ter passado, o povo demonstrou a superficialidade de seus motivos, violando o seu acordo. Como tinham feito cativos a outros, eles também seriam cativos, decretou Deus.

8. A mensagem referente aos recabitas (cap. 35). Os recabitas descendiam de Hobabe, cunhado de Moisés. Eram queneus

e emigraram com Israel para Canaã (Nm 10.29; Jz 1.16; 4.11-17; 5.24; 1Sm 15.6). Eles são apontados como exemplo aos judeus e a desobediência destes à Lei de Deus é contrastada com a obediência inabalável dos recabitas às simples leis de vida dadas pelos seus antepassados.

9. A escritura das profecias de Jeremias nos dias de Jeoaquim (cap. 36). Numa tentativa final para levar Israel ao arrependimento, o Senhor ordenou a Jeremias que escrevesse todas as profecias que tinha pronunciado desde o princípio de seu ministério, para que fossem repetidas ao povo. A forma com que Jeoaquim tratou essa escritura era típica da atitude da nação em geral e selou a sua sorte.

10. O aprisionamento de Jeremias (cap. 37). O exército caldeu que sitiava Jerusalém, levantou o sítio a fim de enfrentar o exército do rei do Egito que avançava para atacá-lo. Zedequias, temendo que, no caso de os caldeus vencerem o rei do Egito, voltassem a cercar Jerusalém, mandou consultar Jeremias. A resposta de Deus foi que certamente voltariam a destruir a cidade. Jeremias, aproveitando a partida do exército sitiante, preparou-se para visitar sua terra natal. Ao fazê-lo, foi preso como desertor pelo inimigo. Quando os caldeus regressaram, como Jeremias havia profetizado, Zedequias voltou a inquirir dele. De novo recebeu uma resposta desanimadora. Sua maneira de tratar Jeremias (v. 21) demonstra que a repreensão sincera tem mais valor que a bajulação.

11. Enquanto Jeremias estava preso (37.21), veio a Zedequias uma comitiva pedindo que Jeremias fosse morto por causa da sua persistência em pregar que Jerusalém estava condenada à destruição e que só os que se rendessem aos caldeus escapariam. Essa mensagem, diziam eles, debilitava o ânimo do povo. Então Jeremias foi encarcerado,

mas foi transferido para a prisão do tribunal pela intercessão de Ebede-Meleque. Ali teve uma entrevista secreta com Zedequias, na qual assegurou ao monarca que sua única oportunidade de escape estava em render-se aos caldeus (cap. 38).

12. O capítulo 39 registra a queda de Jerusalém, o cativeiro final de Judá, a morte de Zedequias, a libertação de Jeremias por Nabucodonosor e a recompensa de Ebede-Meleque.

IV. Mensagens depois do cativeiro (caps. 40—45)

1. Tendo-se-lhe oferecido a escolha de ir à Babilônia com a possibilidade de vantagem material ou voltar ao seu próprio povo, Jeremias nobremente escolheu o último. Voltou e morou com Gedalias, governador da terra nomeado pelo rei da Babilônia. Este último recebeu notícias de uma conspiração contra a sua vida, que imprudentemente negligenciou (cap. 40).

2. A conspiração anunciada foi realizada e Gedalias foi assassinado por Ismael, filho de Netanias. Este último recolheu o povo restante, que estava em Mispá, e se preparou para fugir para Moabe, mas sua tentativa foi frustrada por Joanã e capitães das forças que estavam ao seu comando. Temendo que os caldeus se vingassem do resto do povo pelo assassinato de Gedalias, Joanã preparou-se para conduzi-lo ao Egito (cap. 41).

3. Embora os chefes já tivessem decidido o que fazer, inquiriram ao Senhor qual curso deveriam seguir. Deus respondeu que a segurança deles dependia da sua permanência na Judéia, e que a ida ao Egito significaria destruição (cap. 42).

4. Esse conselho era contrário aos planos e intenções dos chefes que o desprezaram e foram para o Egito, a despeito da proibição de Deus, levando com eles o resto do povo. Enquanto no Egito, Jeremias predisse, por meio de uma parábola, a conquista do Egito por Nabucodonosor (cap. 43).

5. O capítulo 44 contém a última mensagem de Jeremias a Judá. As profecias restantes do livro referem-se aos gentios. Não passou muito tempo e o povo cedeu à sedução da idolatria egípcia, e quando foram repreendidos por Deus, expressaram audaciosamente a sua intenção de sacrificar à rainha do céu, Vênus. Por causa dessa atitude, a sua destruição é profetizada e, como sinal dela, se predisse a invasão do Egito por Nabucodonosor.

6. O capítulo 45 contém uma mensagem a Baruque, dirigida mais ou menos 18 anos antes da queda de Jerusalém. A ocasião para a mensagem declara-se nos versículos de 1 a 3. A perseguição que surgiu no reinado de Jeoaquim, devido ele ter copiado e lido as profecias de Jeremias, evidentemente desanimou Baruque (v. 3) e talvez tenha frustrado alguns dos seus planos e ambições (v. 5).

Deus disse-lhe que, como ele traria o mal sobre toda a terra de Judá, Baruque não mais deveria regozijar-se pelo fato de sua vida ser protegida lá; antes, deveria regozijar-se pelo fato de que sua vida seria protegida aonde quer que fosse.

V. Profecias referentes às nações (caps. 46—51)

São dirigidas às seguintes nações:

1. Egito (cap. 46). Esse capítulo contém três profecias distintas. A derrota do faraó Neco, rei do Egito, pelo rei da Babilônia na batalha de Carquemis, junto ao Eufrates (v. 1-12). Foi a caminho da Babilônia que o rei egípcio en-

controu e matou o rei Josias (2Cr 35.20-24). A conquista do Egito pelo rei da Babilônia (v. 13-26). A restauração de Israel (v. 27,28).

2. Filístia e Tiro (cap. 47). É predita a invasão desses países por Nabucodonosor.

3. Moabe (cap. 48; cp. Is 15 e 16). Um juízo em forma de invasão e devastação pelos caldeus é pronunciado sobre Moabe pelas razões seguintes: confiança em suas obras e tesouros (v. 7); a vida de luxo e ócio (v. 11); o regozijo pelos infortúnios de Israel (v. 27); seu engrandecimento próprio contra Deus (v. 42). Sua restauração nos últimos dias é profetizada (v. 47).

4. Amom (49.1-6). Amom deve ser julgado por ter tomado a terra de Gade quando as dez tribos foram ao cativeiro (2Rs 17), sendo Judá e não Amom, herdeiro desse território (v. 1); também por seu orgulho pela terra, pelas riquezas e por sua segurança carnal (v. 4). Essa mesma nação auxiliou os caldeus em seus ataques contra Judá (2Rs 24.2) e mais tarde regozijou-se por sua queda (Sl 83.1-7). A Amom, promete-se a restauração nos últimos dias (v. 6).

5. Edom (49.7-22). Deus pronuncia a sentença de destruição completa sobre uma nação que sempre foi inimiga implacável de Israel (Nm 20.18; Ez 25.12-14; 35; Am 1.11; Ob 1).

6. Damasco, capital da Síria (49.23-27). Essa cidade foi invadida por Nabucodonosor cinco anos depois da destruição de Jerusalém.

7. Quedar e Hazor (49.28-33). Quedar era o país dos árabes; Hazor, um país vizinho.

8. Elão (49.34-39). O castigo de dispersão é pronunciado contra essa nação, talvez por ter ajudado Nabucodonosor

contra Judá. Sua restauração é prometida nos últimos dias, promessa que pode ter encontrado um cumprimento parcial no dia de Pentecoste, quando os elamitas ouviram o evangelho (At 2.9).

9. Babilônia (caps. 50 e 51; cp. Is 13, 14 e 47). Nos capítulos anteriores aprendemos que Deus usou a Babilônia como chicote sobre Israel e as nações vizinhas. O fato de ter sido usada por Deus não a salvará do juízo por seus pecados (27.7). Compare a maneira divina de tratar com a nação assíria (Is 10.4-34; 37.36-38). Para conhecer o registro do cumprimento das profecias que se encontram em Jeremias 50 e 51, leia o capítulo 5 de Daniel. Recordando o que se disse com respeito à lei da dupla referência, podemos considerar a queda da Babilônia como símbolo da queda do reino do anticristo e de sua capital, provavelmente uma Babilônia reconstruída. Com Jeremias 50 e 51, comparar cuidadosamente Apocalipse 17 e 18.

VI. Retrospecto: o cativeiro de Judá (cap. 52)

Repete-se o relato da destruição de Jerusalém registrado em 2Rs 24 e 25; 2Cr 36 e Jr 39. É natural que o registro do acontecimento que fez Jeremias derramar tantas lágrimas e que quase partiu seu coração, sirva de conclusão ao seu livro.

24
Lamentações de Jeremias

Tema. Lamentações é um apêndice à profecia de Jeremias, que registra a tristeza aguda e dolorosa do profeta pelas misérias e desolações de Jerusalém, resultantes de seu sítio e destruição. As dores e lamentações expressas na profecia de Jeremias encontram aqui o seu auge; o rio de lágrimas que correu ali neste livro transborda. O objetivo principal do livro era o de ensinar os judeus a reconhecerem a mão castigadora de Deus em suas calamidades e que se voltassem a ele com arrependimento sincero. A triste lamentação de Jeremias foi adotada pela nação judaica. Os judeus cantam este livro todas as sextas-feiras junto ao Muro das Lamentações, em Jerusalém, e o lêem na sinagoga, no jejum do dia nove de agosto, o dia destinado à lamentação das cinco grandes calamidades que sobrevieram à nação.

Resumiremos o tema de Lamentações da seguinte maneira: as desolações de Jerusalém, o resultado de seus pecados, e o castigo de um Deus fiel, que visava conduzi-la ao arrependimento.

Autor. Jeremias.

Conteúdo. Daremos aqui o esboço sugerido pelo Sr. Robert Lee[a], de Londres. O livro consiste em cinco poemas.

---

[a]Fonte não mencionada no texto original [N. do E.].

I. Primeiro poema: A cidade como uma viúva que chora (cap. 1)

II. Segundo poema: A cidade, como uma mulher com véu, chora em meio às ruínas (cap. 2)

III. Terceiro poema: A cidade representada pelo profeta que chora e lamenta perante Deus, o Juiz (cap. 3)

IV. Quarto poema: A cidade representada como ouro embaçado (cap. 4)

V. Quinto poema: A cidade representada como um suplicante que roga ao Senhor (cap. 5)

Os judeus ainda usam este livro para exprimir o seu pesar pelos sofrimentos e pela dispersão de Israel. Lêem-se as Lamentações anualmente para comemorar o incêndio do templo. Todas as sextas-feiras, anciãos e jovens israelitas, de ambos os sexos, congregam-se no Muro das Lamentações em Jerusalém, perto do ângulo sudoeste dos alicerces do velho templo, onde um muro de 47 metros de comprimento e 17 metros de altura ainda é venerado como uma memória do santuário da raça. Dr. Geikie escreveu:

> É comovente ver a fila de judeus de muitas nações, vestidos de gabardine preto, como sinal de luto, lamentando em voz alta a ruína da casa cuja memória ainda é tão querida para sua raça, e recitando tristes versículos de Lamentações e Salmos, entre lágrimas, enquanto beijam fervorosamente as pedras. No dia 9 do mês Av — que corresponde mais ou menos ao mês de julho do nosso calendário — este cântico triste, composto há cerca de seiscentos anos a.C., é lido em voz alta em todas as sinagogas do mundo.

25
Ezequiel

Tema. Ezequiel exerceu seu ministério de profeta na Babilônia, começando-o sete anos antes da destruição de Jerusalém, e encerrando-o cerca de 15 anos depois. Sua mensagem, como a de Isaías, foi de denúncia e consolação.

O ponto central das predições de Ezequiel é a destruição de Jerusalém. Antes desse acontecimento, seu motivo principal era chamar ao arrependimento aqueles que viviam em segurança descuidada, advertindo-os a que não abrigassem a esperança de que, com a ajuda dos egípcios, sacudiriam o jugo da Babilônia (17.15-17), e assegurando-lhes que a destruição da cidade e do templo eram inevitáveis e se aproximavam rapidamente. Depois desse acontecimento, seu cuidado principal foi consolar os judeus desterrados, prometendo-lhes libertação futura e restauração para sua terra; animando-os com a certeza de bênçãos futuras. — ANGUS-GREEN[a]

Faremos um resumo do tema, como segue: o afastamento da glória de Deus de Israel, em vista do juízo vindouro e a volta da sua glória, em vista da restauração futura.

[a]Fonte não mencionada no texto original [N. do E.].

Autor. Ezequiel. Como Jeremias, foi ao mesmo tempo sacerdote e profeta. Foi levado cativo com o rei Jeoaquim, por Nabucodonosor, cerca de dez anos antes da destruição de Jerusalém. Seu lar era Tel-Abibe, na Babilônia. Nesse lugar ministrou aos desterrados, a maioria dos quais resistiam às suas palavras, aderindo à esperança falsa de um regresso rápido. A tradição informa que Ezequiel foi morto por um dos desterrados repreendido por ele por causa de idolatria.

Esfera de ação. Os acontecimentos históricos registrados neste livro abrangem um período de cerca de 21 anos — de 595 a 574 a.C.

Conteúdo

    I. A chamada do profeta (caps. 1—3)

    II. A sorte de Jerusalém e da nação (caps. 4—24)

    III. Profecias contra as nações (caps. 25—32)

    IV. A restauração de Israel (caps. 33—48)

I. A chamada do profeta (caps. 1—3)

Notaremos aqui:

    1. A visão de Ezequiel (cap. 1). Como no caso de Isaías, a chamada de Ezequiel foi precedida por uma visão da glória do Senhor (cp. Is 6). As criaturas viventes mencionadas nesse capítulo são os querubins, uma ordem de seres angelicais, cujo ministério parece ser, com relação aos homens, a guarda e vindicação da santidade de Deus (v. Gn 3.24; Êx 25.18-22; Nm 7.89; 1Sm 4.14; 2Sm 6.2; 1Rs 8.6,7; 2Rs 19.15; Sl 18.10; 80.1; 99.1; Ap 4.6-8).

    2. Sua missão e mensagem (2.1—3.9). Como no caso de Isaías, a mensagem de Ezequiel foi de condenação a um povo desobediente.

3. Sua responsabilidade (3.10-21). Ele é posto como atalaia sobre a casa de Israel, com uma advertência solene contra o descuido de seu dever.

4. Sua segunda visão da glória do Senhor (3.22-27). Ezequiel não devia começar imediatamente o ministério de pregação, mas devia abster-se de falar até receber instruções do Senhor para que o fizesse. Tinha de permanecer em sua casa até que recebesse de Deus as revelações referentes ao destino de Israel.

II. A sorte de Jerusalém e da nação (caps. 4—24)

1. O Senhor ordenou a Ezequiel que ficasse calado até receber instruções para profetizar (3.26,27); mas, apesar de ficar em silêncio quanto às mensagens orais, foi-lhe ordenado que falasse à nação por meio de ações simbólicas, ou sinais (caps. 4-6), da seguinte maneira:

a) por meio de um tijolo e uma panela de ferro, Ezequiel representa o sítio de Jerusalém (4.1-3);

b) para simbolizar o castigo que Israel sofreria por causa dos 390 anos de iniquidade (desde o estabelecimento da idolatria por Jeroboão até o 23º ano de Nabucodonosor); e o castigo de Judá por seus quarenta anos de iniquidade (começando com a aliança de Josias, — 2Rs 23.3-27; terminando com os acontecimentos registrados em Jeremias 52.30). Ezequiel deita-se sobre o lado esquerdo por um dia para cada ano desse período de idolatria e pecado (4.4-8);

c) para significar a fome que prevalecerá durante o sítio, deve comer o seu pão por peso e beber a sua água por medida (4.9-17);

d) o símbolo de cortar o cabelo do profeta significa a destruição do povo de Jerusalém por fome, pestilência e pela espada (5.1-17).

2. Uma série de mensagens prediz desolações sobre o país e juízos sobre o povo (caps. 6 e 7).

3. Uma visão da destruição de Jerusalém (caps. 8—11):

   a) uma das causas da destruição vindoura — a idolatria de seus habitantes (cap. 8), a idolatria de animais do Egito (v. 10). As cerimônias imorais da adoração de Tamuz (v. 14); a adoração persa do sol (v. 16);

   b) uma visão da matança do povo e a conservação de um remanescente fiel (cap. 9);

   c) uma visão da aspersão do fogo do altar sobre Jerusalém, talvez símbolo do incêndio da cidade (cap. 10);

   d) a afastamento da glória divina de Jerusalém — um símbolo do juízo vindouro (cap. 11).

4. Pelo afastamento de Ezequiel como um fugitivo e pelo comer do seu alimento como em tempos de fome, expõe-se a proximidade do cativeiro de Judá (cap. 12). Segue-se uma denúncia aos profetas que falsamente predisseram paz e uma volta rápida do cativeiro (cap. 13), e daqueles líderes que, com intenções fingidas, inquiriram ao Senhor com relação ao mesmo assunto (cap. 14).

5. A inutilidade de Israel expõe-se sob a figura de uma vinha consumida no fogo (cap. 15), e sua infidelidade sob a figura de uma meretriz (cap. 16).

6. Na parábola da grande águia, demonstra-se a punição da traição de Zedequias por quebrar o pacto com Nabucodonosor, e por pedir auxílio ao Egito em sua rebelião contra ele (cap. 17).

7. A justificação de Deus contra a acusação de castigar a geração presente pelos pecados de seus pais (cap. 18).

8. Uma lamentação sobre a queda da casa de Davi (cap. 19).

9. Um resumo da história de Israel ilustra sua infidelidade, a longanimidade e lealdade de Deus, e ensina que essa é uma garantia de sua restauração futura, embora essa restauração deva vir por meio do fogo purificador da tribulação (cap. 20).

10. Pelo sinal do gemido do profeta e da espada de Deus, novamente repete-se o aviso da destruição vindoura de Jerusalém por Nabucodonosor (cap. 21). Ressalte-se a profecia da queda do trono de Davi até a vinda do Messias (v. 26 e 27).

11. Uma enumeração dos pecados de Jerusalém, que deverá passar pelo forno ardente da aflição para ser purificado (cap. 22).

12. A apostasia de Israel e Judá e o castigo são expostos sob a parábola de Oolá e Oolibá, as duas mulheres infiéis e adúlteras (cap. 23).

13. Jerusalém é comparada a uma panela fervente e seus habitantes aos ossos e carne que estão dentro dela, produzindo uma espuma vil — símbolo da perversidade fervente da cidade (24.1-4). A destruição do seu templo, o orgulho da nação, é simbolizada pela esposa de Ezequiel, levada pelo Senhor (24.15-20).

III. Profecias contra as nações (caps. 25—32).

Como Isaías e Jeremias, Ezequiel traz uma mensagem para as nações vizinhas de Israel (cp. Is 13—23 e Jr 46—51). É uma mensagem de juízo baseada, na maioria dos casos, no seu tratamento com Judá. São mencionadas as seguintes nações:

1. Os amonitas (25.1-7)
   a) causa do castigo: seu regozijo pela calamidade de Judá (v. 3);
   b) forma do castigo: invasão e desolação.
2. Moabe (25.8-11)
   a) causa do castigo: sua insinuação de que Judá não era melhor do que os pagãos que adoravam ídolos — um golpe indireto contra Deus (v. 8);
   b) forma do castigo: invasão.
3. Edom (25.12-14)
   a) causa do castigo: a sua atitude para com Judá no dia de sua calamidade (v. 12);

b) forma do castigo: retribuição do Senhor pelas mãos de Israel.

4. Filístia (25.15-17)

a) causa do castigo: aproveitar-se da calamidade de Judá para desafogar seu ódio antigo contra ela (v. 15);

b) forma do castigo: destruição.

5. Tiro (caps. 26—28)

a) causa do castigo: seu regozijo pela queda de Jerusalém, na expectativa de lucrar com sua perda (26.2); a exultação blasfema do seu príncipe (28.2,6);

Nota: Em 28.12-19, Ezequiel vê, além do príncipe de Tiro, aquele que lhe dá o poder — Satanás, o deus e o príncipe deste mundo.

b) forma do castigo: invasão e destruição por Nabucodonosor e desolação perpétua.

6. Sidom (28.20-24)

a) causa do castigo: eram como cardos perfurantes à casa de Israel, pois foram o meio de lançar Israel no pecado e os instrumentos do seu castigo (cp. Nm 33.55);

b) forma do castigo: matança e pestilência.

7. Egito (caps. 29—32)

a) causa do castigo: a arrogância e o orgulho de seu rei (cap. 31); sua promessa de ajudar Israel e a falta de cumprimento na hora da necessidade (29.6,7);

b) forma do castigo: matança, cativeiro, degradação entre as nações, opressão estrangeira, destruição dos ídolos e perda permanente de governantes nativos.

IV. *A restauração de Israel* (caps. 33—48)

Até aqui, a mensagem de Ezequiel foi de castigo iminente para a cidade, e de cativeiro para o povo. Mas, agora, uma vez cumpridas suas predições, predomina o elemento de consolação em sua profecia.

1. A missão de Ezequiel é renovada, e depois da chegada da notícia da tomada de Jerusalém, ele pode falar ao povo claramente em vez de pregar por meio de sinais e símbolos.
2. Uma repreensão dos falsos pastores de Israel que conduzem e oprimem o rebanho e a promessa da vinda do verdadeiro Pastor que recolherá e alimentará as ovelhas perdidas da casa de Israel (cap. 34).
3. O castigo dos inimigos de Israel representados por Edom, o ajuntamento de Israel (v. 24), sua completa restauração a uma terra renovada da Palestina e a sua conversão (caps. 35 e 36).
4. Pela visão do vale dos ossos secos simboliza-se a atual morte nacional de Israel e a ressurreição nacional futura, quando os reinos de Judá e Israel estiverem unidos sob o rei Davi, (seja Davi ressuscitado ou o próprio Messias, o descendente de Davi), e a nação inteira ligada a Deus por um pacto eterno (cap. 37).
5. Os capítulos 38 e 39 registram o ataque das nações gentílicas contra Israel depois que tiver sido restaurado à Palestina. De 39.22 pode-se inferir que o ataque acontecerá após Israel ter sido recolhido à terra da Palestina, em descrença, porque o versículo nos informa que Israel saberá que Deus é seu Deus "desse dia em diante"; quer dizer, depois da destruição das nações invasoras. Leia na seqüência Zc 12.1-4; 14.1-9; Mt 24.14-30; Ap 14.14-20; 19.17-21. Muitos eruditos crêem que 39.1 refere-se à Rússia; Meseque (Moscou), Tubal (Tobolsk). A verdade dessa opinião confirma-se poderosamente, ao aprendermos que as palavras "príncipe maior" deve-se

traduzir por "príncipe de Rosh" que, segundo um grande hebraísta, refere-se provavelmente à Rússia.

6. A glória de Deus que se separou de Israel antes de seu cativeiro, agora volta a habitar no templo milenar, do qual encontramos uma descrição detalhada nos capítulos 40—48.

26
Daniel

Tema. O livro de Daniel é, na sua maior parte, uma história profética dos poderes gentílicos mundiais desde o reinado de Nabucodonosor até a vinda de Cristo. Os profetas em geral salientam o poder e a soberania de Deus com relação a Israel e o revelam como aquele que determina os destinos de seu povo escolhido ao longo dos séculos até a restauração final. Daniel, por sua vez, destaca a soberania de Deus com relação aos impérios gentílicos do mundo, e revela Deus como aquele que domina e governa os negócios desses impérios até a época de sua destruição, na vinda de seu Filho.

> A visão é a de um Deus que governa, cheio de sabedoria e poder; de reis que reinam e desaparecem; da elevação e queda de dinastias e impérios, enquanto Deus, entronizado no céu, governa seus movimentos. — CAMPBELL MORGAN[a]

O tema de Daniel pode ser resumido da seguinte maneira: Deus revelado como o que domina a elevação e a queda dos reinos deste mundo até a sua destruição final e que estabelece seu próprio reino.

---

[a] Fonte não mencionada no texto original [N. do E.].

Por causa de suas muitas visões, o livro de Daniel tem sido chamado "O Apocalipse do Antigo Testamento".

Autor. Daniel. Daniel era da tribo de Judá e provavelmente membro da família real (1.3-6). Ainda muito jovem, foi levado cativo à Babilônia no terceiro ano do rei Jeoaquim (2Cr 36.4-7), e oito anos antes de Ezequiel. Com outros três jovens foi colocado na corte de Nabucodonosor a fim de obter uma preparação especial na educação dos caldeus. Nesse lugar, chegou a um dos postos mais elevados do reino, posição que manteve durante o governo persa que se seguiu ao babilônico. Profetizou durante todo o cativeiro e sua última profecia foi proferida no reinado de Ciro, dois anos antes do regresso dos judeus à Palestina. Sua vida imaculada em meio à corrupção de uma corte oriental, leva Ezequiel a mencioná-lo como um dos exemplos notáveis de piedade e dá testemunho de sua sabedoria (Ez 28.3).

Esfera de ação. Daniel estende-se de Nabucodonosor até Ciro, abrangendo um período de cerca de 73 anos — 607 a 534 a.C.

Conteúdo

    I. Introdução: Daniel e seus companheiros (cap. 1)

    II. O domínio de Deus sobre as nações do mundo com relação ao desenvolvimento dessas e ao seu Reino (caps. 2—7)

    III. As visões de Daniel a respeito dos destinos do povo de Deus (caps. 8—12)

I. Introdução: Daniel e seus companheiros (cap. 1)

A resolução de Daniel. Daniel foi verdadeiramente um grande homem. No que concerne à santidade pessoal, vivia uma vida imaculada em meio à sensualidade de uma corte oriental; quanto à sabedoria e conhecimento, superava os homens mais sábios da Babilônia; e no que se refere à sua posição, ocupava um dos mais elevados postos do reino. O versículo 8 revela o segredo de seu êxito: "Daniel, contudo, decidiu não se tornar impuro..." Era costume entre os babilônios jogar no chão uma pequena parte da comida e bebida como oferta aos deuses, para consagrar a esses a refeição inteira. Se Daniel tivesse participado do referido alimento, teria sancionado a idolatria. Assim como Moisés e José, preferiu "ser maltratado com o povo de Deus a desfrutar os prazeres do pecado durante algum tempo" (Hb 11.25). Como no caso de José, Daniel e seus companheiros foram bem recompensados por sua fidelidade.

II. O domínio de Deus sobre as nações do mundo com relação ao desenvolvimento dessas e ao seu Reino (caps. 2 — 7)

1. Em resposta a um desejo não expresso de Nabucodonosor, de saber o futuro de seu grande império, Deus deu-lhe um sonho que, interpretado por Daniel, proporcionou a esse monarca uma revelação da elevação, progresso e queda do poder terrestre gentílico durante o período descrito por Cristo como "os tempos deles (gentios)" (Lc 21.24). Com "tempos deles" referimo-nos ao período de tempo durante o qual o domínio mundial está nas mãos dos gentios em vez dos judeus, e durante o qual os judeus estão sob o governo gentílico. Esse período começou com o cativeiro, em 606 a.C., e terminará com a vinda de Cristo. A sucessão dos impérios do mundo expõe-se sob a figura de uma gigantesca imagem, composta de vários metais. O valor decrescente dos metais que compõem a imagem representa a degeneração dos impérios do mundo com relação ao seu caráter de governo. A interpretação do sonho de Nabucodonosor é a seguinte:

    a) A cabeça de ouro representa o império de Nabucodonosor, Babilônia (606-538 a.C.). O poder de Nabucodonosor era absoluto; podia ele fazer o que quisesse (Dn 5.19). Seu império era uma unidade.

    b) O peito e os braços de prata representam o império inferior medo-persa (538-330 a. C). Esse reino era inferior ao primeiro, porque seu monarca dependia do apoio da nobreza, e não podia fazer o que desejasse, como demonstra a incapacidade de Dario de livrar Daniel (6.12-16). Esse império era duplo, composto dos impérios da Média e da Pérsia.

c) O ventre e as coxas de latão representam o império da Grécia, inferior em valor (330-30 a.C.). "O governo de Alexandre foi uma monarquia apoiada pela aristocracia militar, tão fraca quanto as ambições de seus líderes". Esse império foi mais tarde dividido em quatro partes (7.6; 8.8).

d) As pernas de ferro; os pés e os dedos, parte de ferro e parte de barro, representam o império romano (30 a.C. até a volta de Cristo). Aqui está representada uma forma de governo mais inferior ainda. O imperador de Roma era eleito e seu poder dependia da boa vontade do povo. Nos últimos dias, esse império será dividido em dez partes. A mistura de ferro com barro nos dez dedos simboliza ainda outra deterioração desse governo numa monarquia democrática em que o monarca executa a vontade do povo (2.41-43).

e) A pedra cortada sem mãos que cai aos pés da imagem significa a vinda de Cristo numa época em que o império romano terá sido restaurado, e dar-se-á a destruição pelo Senhor do poder gentílico mundial, e o estabelecimento de seu próprio reino.

2. A imagem de Nabucodonosor, a recusa dos três judeus de prestar adoração e sua libertação da fornalha ardente (cap. 3).

3. A visão da árvore por Nabucodonosor, sua degradação e restauração (cap. 4).

4. A história pessoal de Daniel sob o reinado de Belsazar e Dario (caps. 5 e 6):

    a) sob o reinado de Belsazar: a interpretação da inscrição na parede (cap. 5);

b) sob o reinado de Dario: a libertação da cova dos leões (cap. 6).

5. A visão das quatro bestas (cap. 7). Esse capítulo trata do mesmo tema do segundo — a elevação e queda do poder gentílico. No capítulo 2, os impérios são vistos do ponto de vista *político*, com relação à degeneração da sua forma de governo; no capítulo 7, são vistas do ponto de vista *moral* com relação ao seu caráter feroz e destrutivo, como se demonstra pela simbolização de bestas ferozes. No capítulo 2, a visão foi adaptada ao ponto de vista de Nabucodonosor, que via superficialmente o império mundial como uma esplêndida figura humana, e o Reino de Deus, a princípio, como uma mera pedra. No capítulo 7, a visão foi adaptada ao ponto de vista de Daniel, que discernia os impérios quanto ao seu verdadeiro caráter de bestas ferozes, e que desde o princípio distinguia a superioridade e o triunfo do Reino de Deus. A interpretação da visão é a seguinte:

a) O leão representa o império de Nabucodonosor. O versículo 4 pode fazer referência à experiência de Nabucodonosor, registrada em 4.16-34.

b) O urso simboliza o império medo-persa. O levantamento de um lado significa a força superior do império persa. As três costelas em sua boca representam três reinos que esse império subjugava — Lídia, Egito e Babilônia.

c) O leopardo representa o império da Grécia. As asas significam a rapidez de suas conquistas. As quatro cabeças significam as quatro divisões em que foi dividido o império depois da morte de seu governante.

d) A besta não descrita representa o império romano forte e terrível. Os dez cornos significam os dez reinos em que serão divididos nos últimos dias. Desses cornos sai um outro — o anticristo. Os dias dos dez reinos testemunharão a vinda de Cristo em poder, que destruirá esse grande sistema mundial e seu governante. Os capítulos 13 e 19 do Apocalipse devem ser lidos como parte da seqüência.

III. As visões de Daniel a respeito dos destinos do povo de Deus (caps. 8—12)

1. A visão do carneiro e do bode (cap. 8). Segue-se uma breve interpretação dessa visão:

    a) O carneiro bicorne representa os impérios da Média e da Pérsia.

    b) O bode significa o império grego que destruiu a Média e a Pérsia.

    c) O chifre que se vê entre os olhos do bode representa Alexandre Magno, governante do império grego.

    d) Os quatro chifres que surgiram depois da queda do chifre grande representam as quatro divisões do império de Alexandre após a sua morte.

    e) O chifre pequeno que surge de uma das divisões do império de Alexandre após a sua morte (v. 9-14; 23-27). Alguns eruditos crêem que as predições referentes ao chifre pequeno foram cumpridas por um rei sírio chamado Antíoco Epifânio que, na sua feroz perseguição aos judeus, contaminou seu santuário e tentou abolir a religião judaica. Outros afirmam que o fator tempo mencionado nos versículos 17, 19 e 23 transfere o cumprimento da profecia para o fim dos tempos quando o anticristo, do qual Antíoco não passa de uma sombra, aparecerá.

2. A visão das setenta semanas (cap. 9). Ao aprender, com as profecias de Jeremias, que os setenta anos do cativeiro de Israel foram cumpridos, Daniel foi à presença do Senhor interceder pelo seu povo. Enquanto orava, foi enviado um anjo para revelar-lhe o futuro de Israel. A nação, em verdade, seria restaurada do cativeiro,

mas essa restauração não seria a última. Um período de setenta semanas (mais literalmente "setenta setes") interviria antes da consumação da história de Israel (v. 24). Essas semanas não são semanas de dias, mas semanas proféticas de anos. Por meio de cálculos cuidadosos, os eruditos descobriram que esse período marca a data exata da primeira vinda de Cristo e determina o tempo do reinado do anticristo. As setenta semanas estão divididas em três períodos (v. 9.25,26):

    a) Sete semanas, ou quarenta e nove anos. O período inteiro das semanas tinha de calcular-se desde o decreto da reconstrução de Jerusalém, que foi dado em março de 445 a.C., durante o reinado de Artaxerxes (Ne 2.1-10). O império dos 49 anos provavelmente represente o tempo ocupado na construção do muro, como se menciona em 9.25.

    b) As 62 semanas, ou 434 anos. Depois do período dos 49 anos, 62 semanas, ou 434 anos — 483 anos ao todo — passariam antes da vinda do Messias. Calculando-se desde março de 445 a.C. o ano do decreto para se construir Jerusalém, levando-se em consideração a diferença do calendário usado naqueles dias, e dando lugar para os anos bissextos, os estudiosos calcularam que os 483 anos, ou as 69 semanas, terminaram em abril de 30 d.C., o mês e o ano exatos em que Cristo entrou em Jerusalém como o Príncipe Messias (Mt 21.1-11). Depois desse período, o Messias seria tirado.

    c) Até aqui, contamos 69 semanas das 70, e 483 anos dos 490. Resta ainda uma semana, ou sete anos, para se cumprirem. Entre as 69 semanas e a última semana há uma lacuna durante a qual o tempo não é calculado em relação a Israel. Esse espaço é preenchido pela época da Igreja, que não foi revelada aos profetas. A última semana, ou sete anos, mencionados no versículo 26, não encontram seu cumprimento até a aparição do anticristo no fim dos tempos. O versículo 27 afirma que certo governante fará um pacto com os judeus por um período de 7 anos, que será quebrado depois de três anos e meio, depois do qual fará guerra contra a religião dos judeus. Isso significa que os últimos três anos e meio dos sete serão uma época de tribulação para o povo judeu. O livro do Apocalipse menciona um período semelhante de três anos e meio (citado sob diferentes números simbólicos; v. Ap 11.2,3,9; 12.6,14; 13.5), cujo período se associa ao reinado do anticristo, à tribulação do povo judeu, ao derramamento dos juízos de Deus sobre a terra — um período ao qual deverá seguir-se a vinda de Cristo e a restauração de Israel. Assim, vemos que a última semana das setenta ainda está para se cumprir.

3. A última visão de Daniel (caps. 10—12). Esses capítulos contêm uma história profética do povo escolhido de Deus desde o tempo de Dario até a vinda do Messias. O conteúdo desses capítulos é o seguinte:

a) A visão da glória do Senhor por Daniel (cap. 10).

b) As guerras entre duas das quatro divisões do império de Alexandre — Egito e Síria, o reino do Sul e o do Norte (11.1-20). A Palestina teve certa relação com as lutas entre esses países, por estar situada entre eles.

c) Uma descrição profética de Antíoco Epifânio, o grande perseguidor sírio dos judeus, um tipo do anticristo (11.21-35).

d) Daniel agora deixa de lado Antíoco, o tipo, para ver o anticristo, o antítipo, e descreve este último (11.36-45).

e) A grande tribulação e a libertação do povo judeu (12.1).

f) A ressurreição (12.2,3).

g) A última mensagem a Daniel (12.4-13) declara que as palavras que escrevera estão fechadas e seladas até o tempo do fim, isto é, as visões não encontrarão sua interpretação completa até o fim dos tempos.

As profecias que escrevera não eram para ele (cp. 1Pe 1.10,12), mas para aqueles que viveriam no tempo do fim, quando os sábios, isto é, os que tiverem sabedoria espiritual, entenderiam (v. 10; cp. Mt 24.15). As instruções a Daniel contrastam com as que João recebeu em Apocalipse 22.10.

# Seção E
Os livros dos profetas menores

27
Oséias

Oséias é o primeiro dos livros proféticos menores. Estes livros são chamados "menores", não pela sua menor importância, mas por seu tamanho, e a esse respeito contrastam com os escritos dos profetas maiores.

O aluno deve ler 2Rs 14.23 a 15.31, que lhe proporcionará o fundo histórico do livro.

Tema. O livro de Oséias é uma grande exortação ao arrependimento dirigida às dez tribos, durante os 50 ou 60 anos antes do cativeiro destas. Seu cálice de iniqüidade enchia-se rapidamente. Os reis e sacerdotes eram assassinos e libertinos; os sacerdotes idólatras desviavam o povo do culto a Deus; em dificuldades, o governo se voltava ao Egito ou à Assíria pedindo ajuda; em muitos casos, o povo imitava a vileza moral dos cananeus; viviam numa segurança descuidada, interrompida somente em tempos de perigo por um arrependimento fingido; Deus e sua Palavra, sobretudo, eram esquecidos. Esses pecados da nação, no seu estado de separação de Deus, são resumidos pelo profeta como o pecado de adultério espiritual, ilustrado pela própria experiência do profeta ao se casar com uma mulher impura que o abandonou por outro amante. O pecado de Israel é mais grave que o das nações vizinhas. Os pecados dessas nações são ofensas cometidas por aqueles que não tinham relação com Deus. O pecado de Israel é o de infidelidade a seu esposo, Deus, que a libertou do Egito, cuidou dela e com quem fez votos sagrados de obediência e fidelidade no monte Sinai. Mas em lugar de matar a esposa adúltera, como prescrevia a Lei, Deus manifesta por ela um amor que vai além do humano — ele a acolhe novamente. O tema de Oséias é o seguinte: Israel, a esposa infiel, abandona seu esposo compassivo, que a acolhe novamente.

Autor. Oséias foi um profeta do reino do Norte (as dez tribos). Foi contemporâneo de Amós em Israel e de Isaías e Miquéias em Judá. De todos os profetas, seu ministério de cerca de 60 anos é o mais longo.

Esfera de ação. Os acontecimentos históricos a que se refere o livro de Oséias cobrem um período de mais ou menos 60 anos — desde 785 a.C., até o tempo do cativeiro das dez tribos.

Conteúdo

I. Separação: Israel, a esposa infiel de Deus (caps. 1—3)
II. Condenação: Israel, a nação pecaminosa (caps. 4—13.8)
III. Reconciliação: Israel, a nação restaurada (13.9—14.9)

I. Separação: Israel, a esposa infiel de Deus (caps. 1—3)

1. O casamento de Oséias com uma mulher impura (cap. 1). Muitas vezes Deus falou ao seu povo por meio de sinais e ações simbólicas (cp. Jr 13.1-11; 19.1-13; caps. 27 e 28; Ez 4). Esses sinais serviam de ilustrações vigorosas para a mensagem do profeta e para despertar a atenção do povo em tempos em que se recusava prestar atenção à palavra falada. É ordenado a Oséias que se case com uma mulher impura como um sinal para o povo de que

ele, como esposa de Deus, fora infiel a seus votos de fidelidade. Essa união deve ter escandalizado o povo, como foi a intenção, para que eles, na investigação desse casamento, descobrissem que eram tais qual a esposa infiel de Oséias.

Além disso, o motivo de o profeta casar-se com a mulher era puro e elevado. Ele dar-lhe-ia seu nome e sua proteção, e elevá-la-ia da sua vida anterior de degradação moral ao mesmo nível elevado em que ele vivia. Mas, por que faz isso? Não é evidente que o casamento de Oséias com essa mulher impura ilustra o casamento de Deus com um povo impuro? Israel teve algo mais que o recomendasse ao amor e cuidado de Deus quando ele o tomou para si, do que teve essa mulher quando Oséias se casou com ela? (Dt 9.4-6; Is 51.1,2) — GRAY[a]

Os filhos nascidos dessa união receberam nomes simbólicos dos juízos de Deus sobre a nação:

    a) Jezreel ("Deus espalhará"): um sinal de condenação tanto da casa de Jeú como da nação de Israel. Jezreel era a cidade real de Acabe e seus antepassados. Nesse lugar Jeú praticou as suas maiores crueldades e os assírios derrotaram os exércitos de Israel;

    b) Desfavorecida: sinal da retirada da misericórdia de Deus de seu povo;

    c) Não-meu-povo: sinal de que Deus já não o chamaria seu povo.

2. A restauração de Israel nos últimos dias e sua união com Judá sob o Reino do Messias (1.10,11).

3. Israel, a esposa infiel (cap. 2). O capítulo 2 dá-nos uma visão mais ampla da culpa e miséria de Israel, e de sua restauração final. Contém uma explicação dos sinais do primeiro capítulo. Depois de desfrutar da bondade e proteção de Deus, Israel desertou e jun-

---

[a]Fonte não mencionada no texto original [N. do E.].

tou-se a Baal numa união idólatra (v. 1-8). Por causa disso, Deus a despojará de todos os seus dons e fará a sua terra em desolação (v. 9-13). Por meio da tribulação, Israel voltará a seu esposo, Deus, com quem estará desposada para sempre (v. 14-23).

4. Deus, o esposo fiel (cap. 3). Como sinal da misericórdia e do amor de Deus por seu povo, Oséias é instruído a receber novamente a esposa infiel que o deixara (v. 1). Parece que fora vendida em escravidão da qual Oséias a resgatou (v. 2). Mas antes da completa restauração dos seus direitos conjugais, era necessário passar muitos dias, durante os quais ela viveria livre de impureza (v. 3). Da mesma maneira, Israel deve permanecer livre de toda idolatria por um longo período até o tempo de sua restauração aos privilégios completos do pacto, sob o Reino do Messias (v. 4,5). Essa última profecia cumpriu-se admiravelmente no povo judeu. Por centenas de anos ficou sem rei ou príncipe, sem sacerdote ou sacrifício, e desde o regresso do cativeiro da Babilônia, esteve livre da idolatria.

II. Condenação: Israel, a nação pecaminosa (caps. 4—13.8)

Nos três primeiros capítulos, Deus falou da infidelidade de Israel com ele por meio do sinal do casamento de Oséias. Nos capítulos 4-13, fala em linguagem clara à nação mencionando os diferentes pecados que resultaram na apostasia de Israel. Esta seção consiste em muitos discursos de difícil análise. Podemos resumir o tema desta seção da seguinte maneira: o pecado, a culpa de Israel e a exortação de Deus para que Israel se arrependa.

III. Reconciliação: Israel, a nação restaurada (13.9—14.1)

1. Embora Israel se tenha destruído por meio do pecado e morrido como nação, Deus a trará à ressurreição nacional (13.9-16) (cp. Ez 37).

2. Como alguém que ensina uma criança a orar, Deus dá a Israel as palavras exatas que deve usar ao voltar-se para ele (14.1-3).

3. Assim que Israel estiver preparado com palavras de arrependimento, Deus estará pronto com palavras de bênçãos e restauração (14.4-9).

28
Joel

Tema. Por ocasião da profecia de Joel houve uma invasão extraordinariamente calamitosa de insetos destrutivos — gafanhotos — que devastaram a terra, destruíram as colheitas, e trouxeram uma fome generalizada. O profeta vê nessa calamidade uma visitação do Senhor e refere-se a ela como um tipo do castigo final do mundo — "o dia do SENHOR" (1.15). Como muitos dos outros profetas, Joel predisse o futuro à luz do presente, considerando um acontecimento atual e iminente como símbolo de um acontecimento futuro. Por isso ele vê na invasão dos gafanhotos um indício da invasão vindoura do exército assírio (2.1-27; cp. Is 36 e 37). Projetando sua visão ainda mais para o futuro, vê a invasão final da Palestina pelos exércitos confederados do anticristo. Tomando o "dia do SENHOR" como o pensamento central e tendo em mente que a mesma expressão é usada com referência à invasão dos gafanhotos e dos assírios, resumiremos o tema de Joel da seguinte maneira: o dia do Senhor visto como imediato (na invasão dos gafanhotos), como iminente (na invasão assíria), e como futuro (na invasão final).

Autor. Pouco se sabe acerca de Joel. Acredita-se que profetizou durante o tempo de Joás, rei de Judá (2Rs 12).

Conteúdo

    I. O dia do Senhor visto como imediato: a invasão dos gafanhotos (cap. 1)

    II. O dia do Senhor visto como iminente: a invasão assíria (2.1-27)

    III. O dia do Senhor visto como futuro: a invasão final (2.28—3.21)

A primeira seção (cap. 1) descreve a praga dos gafanhotos. O terror da praga pode ser julgado pela seguinte descrição dos gafanhotos:

> A terra sobre a qual passam as hordas devastadoras imediatamente assume a aparência de esterilidade e penúria. Bem os romanos os chamavam 'os queimadores da terra', que é o significado literal da palavra 'locusta', ou gafanhoto. Avançam cobrindo o chão completamente até ocultá-lo da vista, e em tais quantidades que muitas vezes e necessário três ou quatro dias para que passe o exército poderoso. Observado de longe, o enxame de locustas ao avançar assemelha-se a uma nuvem de poeira ou areia com alguns metros de altura, enquanto as miríades de insetos saltam para adiante. A única coisa que os pode deter é uma mudança repentina do tempo, porque o frio os paralisa. Também ficam quietos à noite, em enxames como as abelhas nos arbustos e sebes até que o sol da manhã os esquente, reanimando-os e capacitando-os a continuarem a sua marcha devastadora. Não têm 'rei' nem chefe, mas não vacilam e avançam em fileiras compactas levados na mesma direção por um impulso irresistível, e não desviam nem para a direita nem para a esquerda, seja qual for o obstáculo. Quando se opõe em seu caminho uma parede ou casa, eles sobem verticalmente, passam sobre o teto para o outro lado e cegamente precipitam-se pelas portas e janelas abertas. Quando chegam à água, seja charco ou rio, lago ou mar aberto, nunca procuram rodear, mas sem

vacilação saltam para dentro e afogam-se; e seus corpos mortos, flutuando na superfície, formam uma ponte sobre a qual passam seus companheiros. Muitas vezes a praga chega, dessa maneira, ao seu fim, mas também como sucede outras vezes, a decomposição de milhões de insetos causa pestilência e morte.
— Van Lennap[a]

Podemos resumir o conteúdo da segunda seção da seguinte maneira:

1. A invasão dos assírios simbolizada pela invasão dos gafanhotos (2.1-11). Os assírios eram como gafanhotos por causa de seu número e por sua influência destrutiva.
2. Um apelo ao arrependimento (2.12-17).
3. Uma promessa de libertação (2.18-27).

De 2.28 a 3.21 o profeta projeta sua visão no tempo do fim e vê:

1. O derramamento do Espírito sobre a nação judaica (2.28,29). Essa profecia cumpriu-se parcialmente no dia de Pentecoste.
2. Os sinais que precedem a vinda do Senhor (2.30-32).
3. O Armagedom e o juízo das nações (3.1-16).
4. A restauração de Israel (v. 17-21).

---

[a]Fonte não mencionada no texto original [N. do E.].

29
Amós

Tema. A mensagem de Amós é de castigo vindouro seguido de restauração. Observa-se certa semelhança com os temas de muitos profetas. Isto se explica pelo fato de haver um fator predominante que ocasiona suas mensagens, a saber, o pecado nacional; por isso, as mensagens, na sua maioria, são condenadoras. Mas, quando chegava a mensagem de repreensão para o povo em geral, chegava também a de consolação e restauração para uma minoria fiel. Amós vê o pecado de Israel em relação aos grandes privilégios que lhe foram concedidos, e demonstra que, por causa desses privilégios e por não andar de uma maneira digna dos favores que Deus lhe havia concedido, o castigo seria maior do que o dos pagãos que não desfrutavam dos mesmos privilégios que eles (3.2). Podemos apresentar o tema de Amós da seguinte maneira: exposição dos pecados de um povo privilegiado, cujos privilégios lhes trouxeram grande responsabilidade e cujas faltas sob essa responsabilidade acarretaram-lhes um castigo de acordo com a luz que tinham recebido.

Autor. Amós era natural de Tecoa, situada cerca de dez quilômetros ao sul de Belém, habitada na sua maioria por pastores a cuja classe Amós pertencia, sendo também um dos que recolhiam figos silvestres.

Não foi ordenado oficialmente como profeta, nem tinha pertencido à escola deles; seu único motivo para pregar foi uma chamada divina (7.14,15). Seu ministério foi especialmente às dez tribos, embora tivesse também uma mensagem para Judá e para os países vizinhos. Profetizou durante os reinados de Uzias, rei de Judá (2Cr 26) e de Jeroboão II, rei de Israel (2Rs 14.23-29), cerca de 60 a 80 anos antes do cativeiro das dez tribos.

Betel foi a cena principal de sua pregação, talvez a única. Após haver feito ali vários discursos, Amasias, o sumo sacerdote do santuário real, enviou uma mensagem ao rei, que aparentemente não estava presente, acusando o pregador de traição, e ao mesmo tempo ordenou a este último que saísse do reino. Evidentemente havia alguma razão para temer que os pobres oprimidos se rebelassem contra os seus senhores e amos. As ameaças do castigo vindouro perturbariam muitos ouvintes. As denúncias de crueldade e injustiça produziriam grandes repercussões. A linguagem do sacerdote demonstra todo o desprezo de um oficial de posto elevado por um intruso que não é ninguém, um homem que vive a sua vida de maneira precária, profetizando (7.10-17). Ao chegar a casa, Amós indubitavelmente escreveu o teor dos seus discursos. — J. TAYLOR[a]

Conteúdo

I. Julgamento das nações (caps. 1 e 2)
II. Julgamento de Israel (caps. 3—9.6)
III. A restauração de Israel (9.7-15)

I. Julgamento das nações (caps. 1 e 2)

Israel e Judá são incluídos nessa mensagem acusadora contra as nações, porque Deus é considerado o juiz de todas as nações admi-

---

[a]Fonte não mencionada no texto original [N. do E.].

nistrando julgamento imparcial. Note como começa cada uma das mensagens: "Por três transgressões..., e por quatro". Essa é uma maneira figurada de declarar que Deus não castiga imediatamente, mas que espera para dar a cada nação a oportunidade do arrependimento. O Dr. Campbell Morgan resume brevemente o pecado de cada nação da seguinte maneira:

1. O pecado da Síria: crueldade (1.3-5)
2. O pecado da Filístia: tráfico de escravos (1.6-8)
3. O pecado da Fenícia: negociantes de escravos, apesar do pacto (1.9,10)
4. O pecado de Edom: uma irreconciliabilidade determinada e vingativa (1.11,12)
5. O pecado de Amom: crueldade baseada na cobiça (1.13,15)
6. O pecado de Moabe: ódio com violência e vingança (2.1-3)
7. O pecado de Judá: as leis de Deus desprezadas (2.4,5)
8. O pecado de Israel: corrupção e opressão (2.5-16)

II. Julgamento de Israel (caps. 3 — 9.6)

Os julgamentos são expostos em três discursos (3.1—6.14) e por cinco visões (7.1—9.6).

1. Os três discursos, cada um começando com as palavras "ouçam esta palavra/ isto":
   a) O tema do primeiro discurso (cap. 3) é o seguinte: a ingratidão de Israel com o amor e favor de Deus e sua falta de responsabilidade reclamam castigo (3.1-3). Não é por acaso que esse castigo é anunciado pelos profetas, mas pela instrução de Deus que não podem deixar de cumprir (v. 4-8). Somente um remanescente (v. 12) escapará do castigo (v. 9-15).

b) O tema do segundo discurso (cap. 4). Por causa da opressão dos nobres (4.1-3) e da idolatria geral da nação (v. 4,5), eles foram castigados (v. 6-11). Porque não atentaram aos castigos, Israel tem de ser preparado para encontrar-se com seu Deus no último julgamento que é o pior de todos (v. 12,13).

c) O tema do terceiro discurso (5.1-6.14). O julgamento iminente pode ser evitado buscando a Deus (5.1-15). Para aqueles que desdenhosamente querem ver o dia de Deus, ele virá com todo o seu terror (5.16-20); por ter abandonado o verdadeiro culto a Deus, imitando seus pais no deserto, a nação será levada para o cativeiro (v. 21-27); ai daqueles que vivem em segurança carnal como se esse cativeiro não fosse iminente (cap. 6).

2. As cinco visões do castigo:

a) Os gafanhotos (7.1-3). São os símbolos dos assírios que constantemente saqueavam Israel. Pela intercessão do profeta, Deus promete que Israel não será completamente destruída.

b) Fogo do abismo (7.4-6). Refere-se provavelmente às águas que secariam, e a uma conseqüente seca.

c) O prumo (7.7-9). Como um sinal de que o julgamento será aplicado segundo a justiça. Essa última mensagem causou a perseguição do profeta pelo sumo sacerdote de Israel (7.10-17).

d) O cesto com as frutas de verão (8.1-3). Esse é o símbolo da maturidade de Israel para o julgamento. Logo segue uma mensagem (8.4-14), cujo tema é o seguinte: por ter Israel desprezado a Palavra de Deus, este trará uma fome da mesma Palavra.

e) O Senhor sobre o altar (9.1-6). Vê-se o Senhor ordenando que se lance e mate, indicando a ordem para o início do julgamento.

III. A restauração de Israel (9.7-15)

1. A dispersão de Israel é para seu aperfeiçoamento e purificação (v. 7-10).
2. Depois de esses fatos serem realizados, o reino davídico será novamente estabelecido (v. 11).
3. Então a nação de Israel inteira será a cabeça das nações (v. 12).
4. A Palestina prosperará (v. 13,14).
5. E Israel a herdará para sempre (v. 15).

30
Obadias

Tema. Podemos notar claramente o tema de Obadias na primeira leitura do livro. É o grande pecado de Edom — violência contra Judá; seu castigo — extinção nacional.

"Edom descende de Esaú, e Israel de Jacó. O antagonismo entre eles é evidente em toda a Bíblia. No livro do Gênesis há uma declaração simples, mas muito sugestiva: 'Os meninos se empurravam dentro dela' (Gn 25.22,23). A partir daquele indício, do qual Rebeca tinha consciência, a história do antagonismo prosseguiu. Começou no seio da família e continuou quando os descendentes de cada um formaram uma nação. Os edumeus eram um povo orgulhoso que, com amargura e ressentimento, sempre buscava oportunidades de prejudicar os descendentes de Jacó. Israel e Edom estavam perpetuamente em guerra. Quando Nabucodonosor capturou Jerusalém, Edom regozijou-se pela queda de Israel e cruelmente tomou parte no saque e na matança (Sl 137.7). Em dias passados, Deus ordenara a seu povo que tratasse bem a Edom (Dt 23.7), mas agora a sua conduta atroz encheu o seu cálice da iniqüidade e foi-lhe dada a sentença de condenação e aniquilação. Depois da restauração de Israel, Ciro, rei da Pérsia, venceu-os, matando milhares deles. Tiveram outra derrota terrível pelos judeus sob o comando dos macabeus (109 a.C.). O antagonismo entre Edom e Judá chegou ao extremo no tempo de Cristo. Jesus Cristo era judeu, descendente de Jacó; Herodes, edumeu, descendia de Esaú. Cristo nunca falou com ele (Mt 14.6-9; Lc 23.9). Depois do sítio de Jerusalém, em 70 d.C., os edumeus perdem-se de vista." Os versículos 10-14 indicam que o livro foi escrito depois da destruição de Jerusalém.

Autor. Não se sabe absolutamente nada a respeito de Obadias. Há muitos com esse nome no AT.

Conteúdo

I. O pecado de Edom: orgulho (v. 1-9)

II. Seu pecado maior: violência contra Judá no dia de sua calamidade (v. 10-14)

III. Seu castigo: destruição nacional (v. 15-21)

31
Jonas

Tema. O livro de Jonas é diferente dos outros proféticos, por não conter uma mensagem direta a Israel; a mensagem do profeta é dirigida aos ninivitas. Embora não mencionada diretamente, há uma grande lição neste livro para a nação judaica, a saber, que Deus é Deus não só dos judeus mas também dos gentios, e é dever do seu povo escolhido levar-lhes a luz da revelação divina. Assim, o livro de Jonas é uma repreensão contra o exclusivismo dos judeus que se conservavam a certa distância dos gentios e consideravam-se superiores a eles. Devido à descrição de Jonas como um profeta que prega aos gentios, é considerado o livro missionário do AT.

O tema do livro pode ser resumido da seguinte maneira: o amor de Deus pelos gentios revela-se ao enviar-lhes um profeta que os chama ao arrependimento.

Autor. Jonas era galileu, da cidade de Gate-Héfer, perto de Nazaré. Os fariseus, no tempo de Cristo, evidentemente não repararam nisso, quando disseram que jamais algum profeta tivesse vindo da Galiléia (Jo 7.52). Pregou às dez tribos no reinado de Jeroboão II, durante o qual profetizou a restauração de algum território israelita (2Rs 14.25-27). Ao término do ministério de Eliseu, o de Jonas teve início; o próprio Jesus deu testemunho da existência de Jonas, do seu livramento milagroso e do seu ofício profético (Mt 12.40).

Conteúdo

I. A primeira missão de Jonas, sua desobediência e os resultados dela (caps. 1 e 2)

II. A segunda missão de Jonas, sua obediência e os resultados dela (cap. 3)

III. A queixa de Jonas e a resposta de Deus (cap. 4)

I. A primeira missão de Jonas, sua desobediência e os resultados dela (caps. 1 e 2)

1. O destino de Jonas: Nínive. No auge do seu orgulho e prosperidade no tempo de Jonas, Nínive era a capital do império assírio. Tinha uma circunferência de 87 a 96 quilômetros e era rodeada por um muro de 30 metros de altura, tão largo que três carros de guerra podiam passar lado a lado sobre ele. A população seria de mais ou menos um milhão de habitantes. As cidades da Babilônia, cercadas de muros, provavelmente incluíam grandes espaços para cultivo e pasto, podendo, assim, suportar um sítio prolongado. Pela referência de Nínive ter "muitos rebanhos", afirma-se que era uma cidade dessa classe.

2. A desobediência de Jonas. Muitos crêem que o motivo de sua desobediência a Deus era pessoal e egoísta — a saber, o temor de ser classificado como um falso profeta, sabendo que Deus perdoaria a cidade se ela se arrependesse, e que o arrependimento traria um resultado contraditório à sua mensagem de destruição iminente. Outros, porém, não acham esse motivo suficientemente forte para explicar por que Jonas fugiu do seu dever. Afirmam que foi inspirado pelo patriotismo, e que o fanatismo o cegou, a ponto de não ter misericórdia. Sendo profeta, sabia que a Assíria, algum dia,

invadiria a terra de Israel e praticaria contra seus habitantes as crueldades pelas quais era conhecida. Assim, preferiu desagradar a Deus em vez de fazer o possível pela preservação de uma nação que traria sofrimento indizível ao seu povo. John Urquhart[a], erudito notável, explica a questão desta maneira:

> A Assíria tinha posto as mãos, havia várias gerações, sobre as nações da costa do Mediterrâneo, dominando-as com crueldade e ferocidade. A política assíria não permitia nenhuma compaixão. Faltando-lhe os recursos para defender suas conquistas, punha em prática um plano que em sua maior parte tornava desnecessárias guarnições atrás do exército assírio. De início começavam com uma matança geral. Os reis, segundo as suas inscrições, pareciam ver com avidez o espetáculo apresentado no campo de batalha. Descreviam como esse estava coberto de corpos dos conquistados. A carnificina era seguida por sofrimentos cruéis nas cidades. Os homens principais, como em Láquis, quando Senaqueribe conquistou essa cidade, eram presos e conduzidos pelos algozes, sujeitos a vários castigos, todos horrorosos. Algumas das vítimas eram deitadas no chão enquanto alguém da parte dos conquistadores, que figuravam no monumento apreciando diabolicamente sua obra horrível, introduzia a mão na boca da vítima, prendia-lhe a língua e arrancava-a pela raiz. Em outro lugar, cravam-se estacas no chão. A estas amarram-se os pulsos de outra vítima, com cordas. Seus tornozelos são atados de maneira semelhante, e o homem é estendido de tal maneira que não pode mover nenhum dos seus músculos. O algoz logo põe mãos à obra; começando no lugar apropriado; a faca afiada faz sua incisão, e a pele é levantada centímetro por centímetro até que o homem seja esfolado vivo. Em seguida, estendem as peles nos muros da cidade, ou usam-nas de alguma outra maneira para criar terror no povo, deixando impressões vivas da vingança assíria. Para outras vítimas, eram preparados postes compridos e pontiagudos. A ví-

---

[a] Fonte não mencionada no texto original [N. do E.].

tima, como as outras, tomada dentre os homens principais da cidade, é colocada no chão; a ponta do poste é introduzida na parte inferior do peito; depois levantam o poste, suspendendo a vítima que se retorce de dor e fincam-na em um buraco feito no chão, deixando-a ali para morrer.

Ninguém em Israel ignorava essas coisas. Jonas pode até ter sido testemunha ocular delas. Não havia dúvida de que Jonas também sabia que a Assíria, a despojadora das nações, seria o instrumento nas mãos de Deus, para a vingança divina das dez tribos... A palavra do Senhor veio: "Vá depressa à grande cidade de Nínive e pregue contra ela, porque a sua maldade subiu até a minha presença" (1.2). O cálice da iniqüidade de Nínive, então, estava cheio. A sentença estava para ser pronunciada. Jonas jamais ouvira notícias mais felizes do que essas. Se Nínive perecesse, Israel então estaria salvo! Havia somente uma coisa a temer: a misericórdia de Deus, que poderia sustar o golpe da sua justiça. Jonas sabia que Deus era misericordioso e que, se Nínive clamasse a ele, a Assíria poderia salvar-se e Israel então pereceria. Mas que aconteceria se Nínive não fosse avisada? Se a cidade e seus príncipes fossem abandonados para colher a recompensa de suas atrocidades?

Foi uma escolha entre a vingança de Deus sobre ele por ser um profeta rebelde, e a vingança sobre seu povo. Ele então se sacrificaria; deixaria que Nínive perecesse, e assim salvaria Israel! Esse parece ter sido o propósito de Jonas e a razão de seu pesar pelo salvamento de Nínive. Paulo dizia que estava disposto a ser maldito — afastado da presença de Deus — se por esse meio Israel pudesse ser salvo. Essa foi a resolução de Cristo quando nos salvou; porque ele se fez maldição por nossa causa. O Senhor nos disse que Jonas foi um tipo da pessoa de Cristo. O exemplo pode ter começado aqui.

Compare, nessa seqüência, 2Rs 8.7-13, onde lemos que Eliseu chorou, quando, olhando o futuro, viu as atrocidades que um exército invasor praticaria contra seu povo.

3. O castigo de Jonas. Nenhum milagre da Bíblia evocou tanto a incredulidade dos cientistas e a zombaria dos leigos, como a história de Jonas que foi engolido por um grande peixe. A objeção principal contra a possibilidade do milagre, se considerarmos que esse peixe seja uma baleia, é o fato de ser a garganta da baleia estreita demais para permitir a passagem de um homem.

Do ponto de vista bíblico, o milagre foi um fato concreto, sendo a sua veracidade confirmada por Cristo (Mt 12.40). As seguintes citações demonstrarão a possibilidade do milagre do ponto de vista natural:

> Quem ler *The Cruise of the Cacholot* [A cruzada do cachalote], do escritor Frank Bullen, terá alguma idéia do tamanho e dos hábitos desse poderoso monstro cetáceo do mar, o cachalote. O Sr. Bullen tem muita experiência a respeito de baleias e fala somente do que realmente viu. Ele nos relata, mais de uma vez, como colheram 'baleias de proporções gigantescas, de mais de 21 metros de comprimento, com a largura do corpo proporcional ao comprimento' da qual só a cabeça, o próprio capitão calculou em quinze toneladas. E a idéia de que a garganta da baleia seja incapaz de engolir uma substância grande, o Sr. Bullen caracteriza como 'pura ignorância'. Relata que em certa ocasião, no estômago de um cachalote, foi encontrado um tubarão de 4 metros de comprimento, e acrescenta a seguinte admirável evidência: 'moribunda, a baleia espermacete *sempre expele o conteúdo de seu estômago*'. Fala-nos também de uma baleia adulta, capturada e morta, cujo alimento, expelido do estômago, representava massas de tamanhos enormes, maiores que as que já tínhamos visto em viagem; calculava-se o tamanho de algumas dessas iguais a nossas cabinas, a saber, 2 por 1,80 metros. Mas, apesar disso, certos homens exigem que não creiamos que a baleia possa engolir um homem. — Sidney COLET, em *Tudo acerca da Bíblia*.

O que se segue vem do jornal "Springfield Leader", de 7 de dezembro de 1924:

O Rev. Dr. Straton, famoso fundamentalista de Nova Iorque e inimigo da teoria evolucionista, crê que descobriu um homem que, na verdade — em tempos modernos (1891) — teve a mesma sorte de Jonas. O homem, de nome James Bartley, era marinheiro britânico e membro do baleeiro 'Estrela do Oriente'. Na tentativa de capturar uma gigantesca baleia espermacete, numa expedição baleeira perto da costa de Labrador, um desses cetáceos virou um barco. Os homens, com exceção de dois, foram salvos por outro baleeiro; aqueles, pensou-se que tivessem morrido afogados. Finalmente, conseguiram matar a baleia e a rebocaram à costa. Logo começaram a esquartejá-la; no segundo dia depois da captura, abriram o estômago da baleia e, para grande surpresa deles, encontraram um dos seus companheiros que haviam pensado se terem afogado. Estava inconsciente, mas vivo ainda. Sofreu muito depois, mas finalmente restabeleceu-se completamente, após um longo período de internação num hospital britânico. O Dr. Straton disse que o relato foi investigado cabalmente por um dos mais criteriosos jornalistas da Europa, M. de Parville, editor do 'Journal des Débats', que afirmou que as declarações dadas pelo capitão e a tripulação do baleeiro inglês coincidiam perfeitamente e eram dignas de crédito.

Nota: É importante que o aluno se familiarize bem com os fatos mencionados.

4. A oração e a libertação de Jonas (cap. 2). Em sua oração, Jonas cita, profusamente, os Salmos. Ele se identifica com os santos da antigüidade, apropriando-se de suas experiências como registradas na Palavra de Deus.

Parece haver muita probabilidade de que Jonas realmente tivesse morrido e ressuscitado. Se realmente morreu, isto somente acrescenta mais uma às ressurreições registradas na Bíblia e faz de Jonas um símbolo de Cristo ainda mais notável;

para aqueles que crêem em Deus não há dificuldade em crer na ressurreição, uma vez suficientemente atestada. — Torrey[b]

II. A segunda missão de Jonas, sua obediência e os resultados dela (cap. 3)

Para compreender o significado dos acontecimentos desse capítulo é necessário saber que o ninivitas adoravam o deus-peixe, Dagom, parte humano e parte peixe. Eles acreditavam que ele tinha saído do mar, fundado sua nação e que lhes enviava mensageiros do mar de tempos em tempos. Se Deus, pois, houvesse de enviar-lhes um pregador, nada mais razoável que trouxesse seu plano para o nível de conhecimento dos assírios, mandando-lhes um profeta que saiu do mar! Sem dúvida muitos viram Jonas ser tirado do mar e acompanharam-no a Nínive, servindo de testemunhas do fato inédito.

Há dois argumentos suplementares que confirmam a veracidade desse acontecimento. Em primeiro lugar, 'Oannes' é o nome de uma das encarnações do deus-peixe. Esse nome, com J inicial, é a forma de escrever 'Jonas' no NT. Em segundo lugar, houve, por muitos séculos, uma colina assíria chamada 'Yunnas', nome assírio, que significa 'Jonas', e foi o nome dessa colina que deu aos arqueólogos a primeira pista de que possivelmente a antiga cidade de Nínive estivesse soterrada sob essa colina. Botta associou 'Yunnas' com Jonas e, assim, começou o trabalho de escavação, e encontrou os muros da cidade. — Extraído de *Christian Worker's Commentary* por Dr. Gray

Nesse capítulo responderemos a três perguntas formuladas pelos críticos modernos do livro de Jonas. As citações são do *Novo guia bíblico*, de Urquhart.

1. É possível que uma grande cidade pagã como Nínive tivesse sido comovida de tal maneira pelas pregações de um obscuro pre-

---

[b]Fonte não mencionada no texto original [N. do E.].

gador hebreu? A resposta deve levar em conta que Jonas pregou-lhes numa época em que experimentavam uma queda alarmante de seu poder. Provavelmente havia expectativa de uma calamidade iminente, e a presença de um profeta expelido por um peixe era o suficiente para comover o povo supersticioso, que pensava que seu deus enviava mensageiros saídos do mar.

2. Mas era provável que o governo interviesse e que se publicasse um edito real ordenando um jejum prolongado? Tal ação estava de acordo com os costumes assírios?

Um jejum exatamente como esse foi ordenado — diz o professor Sayce —, por Esarhaddon II, quando o inimigo do norte se concentrou contra o império assírio. Preces foram dirigidas ao deus-sol, para tirar o pecado do rei e do povo. Desde aquele dia, diz a inscrição, desde o dia três do mês de Iyar, ao dia quinze de Av desse ano, por cem dias e cem noites os profetas proclamaram um período de súplicas. Os profetas de Nínive declararam que era preciso acalmar a ira do céu, e o rei resignado publicou a sua proclamação, ordenando o ato solene de humilhação por cem dias.

3. Era costume dos assírios fazer os animais participarem da humilhação? (Jn 3.7). Há muito que Heródoto respondeu a essa pergunta. Ele relata que, estando os persas na Grécia, travou-se uma batalha, na qual um general, muito querido por todo o exército, foi morto. "Ao chegarem ao acampamento", diz Heródoto, "a morte de Masístio espalhou uma tristeza geral em todo o exército, e muito afligiu ao próprio Mardônio. Eles cortaram os cabelos, *o pêlo dos seus cavalos e das bestas de carga* e seus clamores e lamentações ressoaram por toda a Beócia. O homem que tinham perdido era, depois de Mardônio, o mais estimado pelos persas e por seu rei. Assim, os bárbaros, *à sua maneira*, prestaram honra ao falecido Masístio."

III. A queixa de Jonas e a resposta de Deus (cap. 4)

Jonas ainda alimentava uma vaga esperança de que a cidade pudesse ser destruída (v. 5). Ainda estava influenciado por um patriotismo mal orientado que o cegara para a misericórdia. Deus tratou calmamente de seu servo e, por meio de uma lição objetiva, repreendeu o espírito petulante e vingativo do profeta. Jonas estava disposto a poupar a vida de uma aboboreira insignificante, mas irou-se porque Deus poupou uma grande cidade com população numerosa. Se Jonas estava disposto a preservar a aboboreira, não deveria Deus preservar Nínive?

32
Miquéias

Tema. Miquéias profetizou mais ou menos na mesma época de Isaías, com o qual provavelmente manteve contato, havendo semelhanças notáveis nas suas profecias (cp. Is 2.1-4 e Mq 4.1-5). Alguém disse que a profecia de Isaías é uma ampliação da de Miquéias. Como a de Isaías, a profecia de Miquéias pode ser dividida em duas seções principais: denunciadora (caps. 1—3) e consoladora (caps. 4—7). Na primeira divisão, o profeta apresenta o quadro de uma nação pecaminosa condenada ao cativeiro; na segunda, o de um povo redimido desfrutando das bênçãos milenares. Na primeira divisão ele nos mostra Israel iludido e destruído por falsos governantes; na segunda, restaurado pelo Messias, o verdadeiro regente.

Podemos resumir o tema da seguinte maneira: Israel destruído pelos falsos líderes e salvo pelo líder verdadeiro, o Messias.

Autor. Miquéias era natural de Moresete-Gate, uma aldeia cerca de 32 quilômetros ao sudoeste de Jerusalém. Era um profeta do campo. "Profeta algum nasceu em Jerusalém, embora fosse a cidade em que muitos testemunharam e onde muitos foram mortos. Jerusalém matava os profetas, mas não os enviava. Eram enviados das regiões montanhosas e das aldeias rurais." Miquéias profetizou durante os reinados de Pecaías, Peca e Oséias em Israel, e de Jotão, Acaz e Ezequias, em Judá (2Rs 15.23-30). Era portador de uma mensagem destinada tanto para Judá como para Israel, que predizia o cativeiro desses reinos. A sua maior obra foi realizada no reinado de Ezequias, que ficou profundamente impressionado por suas profecias (Jr 26.10-19). Sua profecia da destruição de Jerusalém foi um meio indireto de salvar a vida de Jeremias, quando este aguardava ser executado por fazer uma predição semelhante (Jr 26.10-19).

Conteúdo

I. Denúncia (caps. 1—3)

II. Consolação (caps. 4—7)

I. Denúncia (caps. 1—3)

1. Julgamento de Samaria devido à sua incurável disposição para a idolatria (1.1-8).

2. Judá foi afetada pela sua iniqüidade e foi envolvida na sua culpa (1.9-16).

3. Devido à impiedade dos regentes e do povo, a nação irá para o cativeiro (2.1-11), mas haverá uma restauração (v. 12,13).

4. Uma repreensão aos líderes do povo por sua indiferença à verdade e à justiça e por seus motivos mercenários (cap. 3). Uma denúncia contra:

    a) regentes civis (v. 1-4);

    b) profetas (v. 5-10);

    c) sacerdotes (v. 11).

5. A nação sofrerá pelos pecados dos seus líderes, porque evidentemente participa da sua iniqüidade (v. 12; cp. Jr 5.31).

II. Consolação (caps. 4—7)

1. Ainda que Sião seja destruída (3.12), será restaurada e exaltada nos últimos dias (4.1-8). O seguinte esboço é sugerido pelo Sr. Tucker. Naqueles dias haverá:

    a) administração universal — "O monte do templo do Senhor será estabelecido como o principal entre os montes";

    b) visitação universal — "E os povos a ele acorrerão";

    c) educação universal — "Ele nos ensinará os seus caminhos";

    d) legislação universal — "Pois a lei virá de Sião";

    e) evangelização universal — "a palavra do Senhor, de Jerusalém";

    f) pacificação universal — "Nenhuma nação erguerá a espada contra outra";

    g) adoração universal — "Mas nós andaremos em nome do Senhor, o nosso Deus";

    h) restauração universal — "Farei dos que tropeçam um remanescente, e dos dispersos, uma nação forte";

    i) coroação universal — "O Senhor reinará sobre eles".

2. Mas essa visão é para o futuro. Para o tempo atual há aflição, desamparo e cativeiro (4.9,10).

3. Finalmente, os inimigos e capturadores de Israel serão castigados (4.11-13).

4. O infortúnio de Israel durará até a segunda vinda do Messias, seu verdadeiro Rei (5.1,2). Predestinado para a eternidade para ser o Salvador de Israel, ele é o penhor do resgate de Israel de todos os seus inimigos e da sua restauração final (5.3-15).

5. Deus exige do seu povo que testemunhe, se puder, que ele jamais fez algo por eles, desde os tempos primitivos da sua história, que não fosse um ato de bondade —, e que apresente qualquer desculpa por tê-lo abandonado.

6. Eles são religiosos, mas a sua religião não passa de formalismo (6.6,7) que não produz a justiça prática que Deus exige (v. 8). A sua conduta prova que eles observavam os mandamentos de Onri e as obras de Acabe — reis ímpios de Israel (6.9-16).

7. A corrupção da nação é universal (7.1-6). Parece quase impossível encontrar um homem bom, um regente honesto ou um amigo fiel. Os inimigos do homem são os da sua própria casa.

8. Mas permanece um homem fiel, representado pelo profeta, que levanta a voz em intercessão pela nação (7.1-14). Deus responde a sua oração e faz a promessa de restauração (v. 15-17).

Vendo pela escuridão de sua época, o profeta louva o Deus fiel que restaurará Israel e o purificará dos seus pecados e, assim, cumprirá o pacto feito com seus pais (v. 18-20).

33
Naum

Tema. O livro de Naum tem um único tema relevante: a destruição de Nínive. É a seqüência da mensagem do profeta Jonas, por cujo ministério os ninivitas foram conduzidos ao arrependimento e salvos do castigo iminente. É evidente que mudaram de opinião a respeito de seu primeiro arrependimento e de tal maneira entregaram-se à idolatria, crueldade e opressão, que 120 anos mais tarde Naum pronunciou contra eles o julgamento de Deus em forma de uma destruição completa.

Foi o objetivo de Naum inspirar os seus patrícios. Os judeus, seguros de que por mais alarmante que parecesse a sua posição, expostos aos ataques de poderosos assírios, que já haviam levado as dez tribos, não somente fracassariam nos seus ataques contra Jerusalém (Is 36 e 37), mas também Nínive, sua capital, seria tomada e seu império derrotado. Isso não aconteceria pelo exercício arbitrário do poder de Deus, mas em conseqüência das iniqüidades da cidade e do povo.[a]

---

[a]Fonte não mencionada no texto original [N. do E.].

Autor. Praticamente nada se sabe a respeito de Naum. Natural de Elcós, que, segundo alguns, teria sido uma aldeia da Galiléia. A maior parte de seu ministério profético deu-se durante a primeira parte do reinado de Josias, pois menciona a queda de No Amon (hb) ou Tebas (3.8), a qual ocorreu na última parte do reinado de Manassés.

Conteúdo

I. Deus, o justo Juiz (cap. 1)
II. O julgamento justo de Deus (caps. 2 e 3)

I. Deus, o justo Juiz (cap. 1)

Antes de descrever o julgamento de Nínive, o profeta descreve o juiz, Deus, a quem nos apresenta, não como um executor injusto e caprichoso, mas alguém tardio em irar-se, que espera com paciência os frutos do arrependimento antes de castigar.

> Naum é o complemento de Jonas. Jonas revela o julgamento *suspenso* de Nínive e Naum, o julgamento *executado*. Os ninivitas voltaram atrás em seu arrependimento descrito em Jonas, razão por que Deus se arrependeu da misericórdia que tinha mostrado naquela época, e derramou a sua ira sobre eles. A esse respeito, foi dito: "O valor permanente do livro consiste em apresentar, como em nenhum outro livro do AT, o quadro da ira de Deus." Não devemos imaginar, ao pensarmos na ira de Deus, que seja algo semelhante ao furor ardente, apaixonado, cego e insensato de um homem enraivecido. Ele é tardio para se irar, mas, uma vez ultrapassado o limite, devido ao estado das coisas que exijam a nova atitude de vingança, ele é tão irresistível quanto um furacão que agita o mar, ou como um vento dos desertos que passa sobre a terra deixando-a desolada. Veja como as palavras 'zeloso, vingança, ira, furor, indignação, fúria' descrevem o fato impressionante da ira de Deus. No homem, a ira

chega a ser o seu soberano e dominador. Deus é sempre o soberano da sua ira e a usa.[b]

O conteúdo desta seção é o seguinte:

1. O tema do livro: O peso de Nínive (v. 1).
2. Deus é um Deus zeloso que toma vingança contra os seus adversários, mas é tardio em irar-se e no julgamento lembra-se daqueles que nele confiam (v. 2-8).
3. Em vão os assírios imaginam que podem resistir ao Senhor e destruir o seu povo (v. 9-11).
4. Deus certamente libertará os seus (v. 12-14).
5. O Senhor libertará o seu povo, por isso devem permanecer fiéis a ele e a seu serviço (v. 15).

II. O julgamento justo de Deus (caps. 2 e 3)

Nínive, cuja destruição foi predita pelo profeta, era naquele tempo a capital de um grande e florescente império. Era uma cidade de vasta extensão e população, e o principal centro de comércio do mundo. Sua riqueza, no entanto, não derivava totalmente do comércio. Era uma 'cidade sangüinária, repleta de fraudes e cheia de roubos' (3.1). Saqueava as nações vizinhas, e o profeta compara-a a uma família de leões, que 'enchia as suas covas de presas e as suas tocas, de vítimas' (2.12). Ao mesmo tempo estava consideravelmente fortificada. Diodoro Sículos relatou que os seus muros colossais mediam 30 metros de altura, e eram tão largos em cima que três carros de guerra podiam passar ao mesmo tempo. Dispunham de 1.500 torres que desafiavam todos os inimigos. Mas foi tão completamente destruída que, no segundo século d.C., não restava nenhum vestígio dela; e a sua localização, por muito tempo, foi incerta. — ANGUS-GREEN[c]

---

[b]Fonte não mencionada no texto original [N. do E.].
[c]Idem.

Escavações extensas, e importantes descobertas arqueológicas foram realizadas nos últimos anos nas ruínas de Nínive. Botta começou seus trabalhos em 1842; Layard, em 1845; Rassan, em 1852, e Loftus, em 1854. Os resultados das suas investigações no tocante à extensão, ao caráter e à variedade de mármores, esculturas e inscrições têm confundido os zombadores das Sagradas Escrituras, proporcionando encantos aos arqueólogos e colecionadores de antigüidades, e surpreendendo o mundo inteiro.[d]

O conteúdo desta seção é o seguinte:

1. O sítio e a captura da cidade (2.1-13).
2. Os pecados da cidade (3.1-7).
3. A sua destruição será tão certa quanto a da cidade egípcia de No Amon, antes cidade poderosa e populosa (3.8-19).

[d]Idem.

34
Habacuque

Tema. O livro de Habacuque apresenta o quadro de um homem de Deus, perplexo com a aparente tolerância de Deus diante da iniqüidade. O profeta está rodeado da injustiça triunfante e não castigada por todos os lados. A princípio, seu clamor pelo julgamento aparentemente não é ouvido por Deus. Quando, finalmente, a sua oração é respondida e pronunciado o julgamento, ele fica ainda mais surpreso, porque os agentes do julgamento de Deus, os caldeus, são mais ímpios e mais dignos de castigo do que suas vítimas. Habacuque está cheio de dúvidas. Mas, felizmente, ele leva a sua inquietação a Deus que logo a dissipa, e apresenta uma solução para os seus problemas resumida na declaração que é o coração do livro — "O justo viverá pela sua fidelidade" (2.4). Isso quer dizer que, por mais tenebroso que se apresente o futuro e por mais triunfante que pareça o mal, o justo não deve julgar pelas aparências, mas pela Palavra de Deus. Embora os ímpios vivam e prosperem nas suas impiedades e os justos sofram, estes últimos devem viver uma vida de fidelidade e confiança. O profeta aprendeu bem essa lição, porque, embora sua profecia comece com mistérios, perguntas e dúvidas, termina com certeza, afirmações e fé.

Resumiremos o tema da seguinte maneira: o conflito e triunfo final da fé.

Autor. Praticamente nada se sabe de Habacuque, a não ser o que se pode deduzir de tradições contraditórias. De 3.1,19, conclui-se que era levita e participava da música no templo. Como Naum predisse a destruição da nação assíria e Obadias a de Edom, assim Habacuque profetizou a queda do império caldeu. Partindo do fato que ele fala do poder crescente da última nação mencionada, e da iminência da invasão de Judá, conclui-se que Habacuque profetizou durante os reinados de Jeoacaz e Jeoaquim.

Conteúdo

  I. O conflito da fé (caps. 1 e 2)
  II. O triunfo da fé (cap. 3)

I. O conflito da fé (caps. 1 e 2)

1. O primeiro conflito de Habacuque (1.1-4). O profeta vê a impiedade e a violência por todos os lados; a lei violada e os justos perseguidos. Clama ao Senhor para que castigue Judá por causa dessa condição, mas aparentemente o seu clamor não é ouvido. Ele formula a sua inquietação nestas palavras: "Até quando, Senhor, clamarei por socorro sem que tu ouças? Até quando gritarei a ti: 'Violência!' sem que tragas salvação?"

2. A primeira resposta de Deus (1.5-11). Embora algumas vezes, pareça que Deus mantenha silêncio e seja indiferente, ele, no entanto, está agindo. No tempo próprio castigará a impiedade de Judá, usando os terríveis caldeus como seus agentes.

3. O segundo conflito do profeta (1.12—2.1). O primeiro problema está resolvido; Deus punirá os malfeitores de

Sião, trazendo sobre eles os ferozes caldeus. Mas essa solução sugere outro problema para Habacuque. Vendo o orgulho, a falsa confiança e o poder destrutivo dos invasores, ele não pode compreender por que Deus castiga seu povo por meio de uma nação ainda menos justa do que a sua (1.13). Embora o Senhor tenha ordenado aos caldeus que castiguem o seu povo (1.12), será que é a vontade dele, que é puro demais para contemplar a iniqüidade (v. 13), que essa nação humilhe Judá tão desapiedadamente quanto as outras nações? (v. 14-17).

4. A segunda resposta de Deus (2.2-5). Embora os caldeus tivessem sido encarregados de executar o juízo sobre Judá, no seu orgulho arrogante excederam, todavia, à sua missão (2.4a). Embora os ímpios, representados pelos caldeus, prosperem na sua iniqüidade, e os justos sofram, estes últimos têm de viver uma vida de fidelidade a Deus, inspirada pela fé nas suas promessas e na sua justiça (2.4b). Embora Deus usasse os caldeus como um flagelo sobre o seu povo, os caldeus não ficarão, contudo, impunes (v. 5-20). O profeta há de escrever a profecia da derrota final dos caldeus e colocá-la onde todos poderão lê-la (2.2). Embora seu cumprimento possa ser adiado, os justos têm de esperá-lo pacientemente, confiantes na palavra de Deus (2.3).

II. *O triunfo da fé* (cap. 3)

O conteúdo desta seção é o seguinte:

1. No princípio, o profeta perguntava por que Deus parecia adiar o juízo sobre os ímpios entre seu povo (1.2,3). Agora que ouviu a sentença do Senhor, teme e ora para que ele repita, a favor de seu povo, sua obra de libertação como

antigamente, e que se recorde da misericórdia em meio ao castigo (3.1,2).

2. Ele apresenta um quadro vivo do procedimento de Deus, nos dias passados, para salvar o seu povo, dando a entender que a sua misericórdia para com Israel no passado seja uma garantia da sua misericórdia com eles no futuro (v. 3-16).

3. Habacuque aprendeu sua lição de fé. Sejam quais forem as circunstâncias dele ou de seu povo, por mais tenebroso e sem esperanças que seja o futuro, ele regozijar-se-á no Senhor, no Deus da sua salvação (v. 17-19).

35
Sofonias

Tema. A repetição freqüente da frase "O dia do SENHOR" sugere imediatamente que Sofonias tinha uma mensagem de julgamento. Mas, como acontecia com quase todos os demais profetas, há também uma mensagem de restauração.

Já se disse que a profecia de Sofonias é peculiarmente estéril — sem vida, sem flor, sem fruto, sem nenhuma das belezas naturais; nada senão um mundo queimado por um forte vento abrasador. Se é assim, qual é o motivo? Vejam as condições descritas. Os homens vivem no luxo, negam a intervenção divina; a cidade que não obedeceu a sua voz, não aceitou a correção, não confiou no Senhor, e não se aproximou de Deus. Os homens e a cidade materializados, egoístas, luxuosos; os regentes, príncipes, juízes, profetas e sacerdotes, todos corrompidos. A situação toda pode ser expressa numa palavra — caos. Qual é, então, a história do 'dia do SENHOR'? Uma história de caos desfeito, desordem generalizada, más condições, destruição, até que a cidade pareça ante os olhos do profeta assombrado, como uma paisagem sombria sem vegetação, e varrida por um vento abrasador. Um comentarista moderno disse que é evidente que o último capítulo

(3) não foi escrito por Sofonias, porque o contraste entre o quadro do juízo terrível, devastador, irrevogável e o da restauração é muito grande. Ninguém pode imaginar, declara ele, que o mesmo homem tivesse escrito ambos. Tudo isso é o resultado da cegueira do expositor. O último quadro é o de Deus entronizado, o quadro de uma nova ordem: cânticos em vez de tristeza, serviço em vez de egoísmo, e solidariedade em vez de dispersão. Essa é a intenção do juízo... o próprio contraste mostra a unidade da autoria do livro. — CAMPBELL MORGAN[a]

Resumiremos o tema da seguinte maneira: a noite do juízo sobre Israel e sobre as nações, seguida da manhã da restauração do primeiro e da conversão das últimas.

Autor. Contrário ao uso comum, Sofonias traça a sua descendência até o trisavô, Ezequias. Alguns acreditam que esse fato indica que ele descendia do rei Ezequias ou que era de ascendência nobre. Ele profetizou durante o reinado de Josias, rei de Judá. Entre a cessação das profecias de Isaías, Miquéias e Naum e os dias de Sofonias e Jeremias, houve um período de 55 anos, durante o qual reinou o ímpio Manassés (2Cr 33.1-20). Durante esse tempo, o espírito profético esteve adormecido. Reviveu no reinado de Josias (2Cr 34 e 35), quando o monarca começou a sua grande reforma, na qual Sofonias provavelmente desempenhou um papel importante (cp. 2Cr 34.4,5 e Sf 1.4,5).

Conteúdo

I. Um aviso de juízo (cap. 1)
II. Um chamado ao arrependimento (2.1—3.7)
III. Uma promessa de restauração (3:8-20)

I. Um aviso de juízo (cap. 1)

Observe o conteúdo desse capítulo:

---

[a]Fonte não mencionada no texto original [N. do E.].

1. Um juízo impetuoso e destrutivo é anunciado (v. 1-3).

2. Uma profecia sobre a destruição da idolatria (v. 4-6), cumprida no reinado de Josias.

3. O castigo vindouro de Judá exposto sob a figura de um sacrifício, as vítimas representando o povo e os convivas representando os invasores caldeus (v. 7).

4. O juízo cairá sobre todas as classes: sobre os regentes e seus filhos (v. 8), os servos que saqueiam o povo (v. 9), os negociantes (v. 10,11), os que vivem no luxo, indiferença e ceticismo (v. 12,13).

5. Uma descrição do dia de Deus, o dia de sua vingança sobre os culpados (v. 14-18).

II. Um chamado ao arrependimento (caps. 2.1—3.7)

1. Um aviso aos ímpios, a fim de que se arrependam para poder escapar ao castigo (2.1,2).

2. Uma exortação aos justos, a que preservem a brandura e a justiça, para serem guardados nesse dia (2.3).

3. O chamado ao arrependimento é reforçado pela certeza de juízo sobre as nações vizinhas (2.4-15).

4. Jerusalém não escapará, pois não deu atenção ao aviso enviado por meio da sorte das nações que Deus havia castigado (3.1-7).

III. Uma promessa de restauração (3.8-20)

O conteúdo desta seção é o seguinte:

1. O julgamento das nações, nos últimos dias, será seguido de sua conversão e da instituição da adoração universal de Deus (v. 8,9).

2. Deus purificará Israel daqueles que descansaram no orgulho presunçoso dos privilégios de seu pacto e, purificado desses pecadores, Israel será uma nação humilde, santa e confiante em Deus (v. 12,13).

3. Deus retirará a sua mão castigadora de Israel, abençoará o remanescente, castigará os inimigos de Israel e habitará no meio de uma nação restaurada e glorificada (v. 14-20).

36
Ageu

Ageu é o primeiro dos profetas conhecidos como profetas pós-exílicos, isto é, que profetizou depois do cativeiro. Zacarias e Malaquias são os outros dois.

Leia Esdras, capítulos de 1 a 7, para conhecer o fundo histórico dessa profecia.

Tema. Sob o decreto favorável de Ciro, o restante dos judeus voltou à sua terra sob a direção de Zorobabel, o governador, e Josué, o sumo sacerdote. Depois de estabelecer-se na terra, o povo erigiu um altar de holocaustos no local do templo. Dois anos mais tarde, em meio a grandes regozijos, foram lançados os alicerces do templo. Seu regozijo logo tornou-se em tristeza, porque, por meio dos esforços dos hostis samaritanos, foi ordenado, por um decreto imperial, que a obra fosse interrompida. Durante 16 anos o templo permaneceu inacabado, até o reinado de Dario, quando esse rei publicou uma ordem permitindo a conclusão da obra. Mas, nesse tempo, o povo tinha-se tornado indiferente e egoísta e, em vez de construir o templo, estava ocupado adornando as suas próprias casas. Como resultado dessa negligência, foram castigados com seca e esterilidade. A sua pergunta concernente ao motivo dessas calamidades deu a

Ageu ocasião para a sua mensagem, na qual declarou que a indiferença egoísta do povo no tocante às necessidades do templo era a causa dos seus infortúnios.

Resumiremos o tema da seguinte maneira: o resultado do relaxamento no término do templo — desagrado divino e castigo; o resultado do término do templo — bênção divina e promessa de glória futura.

Autor. Pouco se sabe da vida de Ageu, "o profeta do segundo templo", exceto que profetizou depois do cativeiro e que sua missão era animar o povo na reconstrução do templo. A obra de Ageu foi intensamente prática e importante. Deus empregou-o para despertar a consciência e estimular o entusiasmo de seus compatriotas na reconstrução do templo. Nenhum profeta apareceu num momento mais crítico da história do povo e ninguém, pode-se acrescentar, obteve mais êxito.

Conteúdo. O livro divide-se naturalmente em quatro mensagens distintamente mencionadas:

> I. Primeira mensagem: o descuido do término do segundo templo (1.1-15)
>
> II. Segunda mensagem: a glória do segundo templo (2:1-9)
>
> III. Terceira mensagem: os sacrifícios sem obediência (para reconstruir o templo) não santificarão (2.10-19)
>
> IV. Quarta mensagem: a segurança e a perpetuidade de Israel (2.20-23)

I. Primeira mensagem: o descuido do término do segundo templo (1.1-15)

> 1. A desculpa para a negligência era (v. 1,2) "Ainda não chegou o tempo de reconstruir a casa do Senhor." O povo

provavelmente esperava alguma revelação especial de Deus antes de levar a cabo o que sabia ser seu dever.
2. A causa do descuido — o egoísmo do povo (v. 3,4). Não esperaram nenhum mandamento especial para construir e embelezar suas próprias casas.
3. O castigo pelo descuido — seca e esterilidade (v. 5-11).
4. O arrependimento pelo descuido (v. 12-15). O povo trabalha no templo.

II. Segunda mensagem: a glória do segundo templo (2.1-9)

1. O desalento do povo (v. 1-3). Recordando a magnificência do templo de Salomão, o povo evidentemente se desanimou pelo pensamento de que o templo atual não seria igual em beleza e glória. Sabiam que lhe faltaria a glória "Shekinah", que encheu o primeiro templo.
2. O encorajamento divino (v. 4-9). A glória do segundo templo será maior do que a do primeiro, declara Deus, porque o próprio Messias, o Senhor da Glória, entrará nele. Isso se cumpriu na primeira vinda de Cristo, quando entrou no templo (Jo 2.13-25; cp. Ml 3.1). O cumprimento mais completo pode ter lugar na sua segunda vinda.

III. Terceira mensagem: os sacrifícios sem obediência (para reconstruir o templo) não santificarão (cap. 2.10-19)

1. Uma parábola (v. 10-14). A lição contida nesses versículos é a seguinte: a santidade não é contagiosa, mas o pecado é. Os sacrifícios oferecidos sobre o altar não são suficientes para santificar uma terra cuja desobediência do povo tenha corrompido. Por isso a terra estava estéril.

O leve aroma de santidade que subia do altar era fraco demais para que pudesse penetrar na atmosfera materialista de suas vidas. Ageu argumenta que durante 16 anos os sacrifícios tinham sido imundos ante a vista de Deus, e não lhes tinham trazido bênção, porque o templo estava em ruínas.[a]

2. Uma advertência (v. 15-18). A desolação da terra foi causada pela desobediência.
3. Uma promessa (v. 19). Agora que o povo verdadeiramente se pôs à obra, o Senhor o abençoará.

IV. Quarta mensagem: a segurança e a perpetuidade de Israel (2.20-23)

1. As perturbações mundiais vindouras (2.20-22). Comparando Ageu 2.6,7 com Hebreus 12.26-28, vemos uma referência à revolução final do mundo, que precederá a segunda vinda de Cristo.
2. A certeza da segurança (v. 23). As perturbações nacionais no tempo de Zorobabel talvez o tenham feito temer pela segurança da sua nação. Como representante da casa de Davi e como antecessor do Messias, ele recebe uma promessa de proteção e segurança para si e para o seu povo. Todas as nações do mundo serão abaladas, mas a nação judaica, sob o reinado do Messias, de quem Zorobabel é um símbolo, será estabelecida.

---

[a]Fonte não mencionada no texto original [N. do E.].

37
Zacarias

Tema. O fundo histórico da profecia de Zacarias é o mesmo de Ageu; ambos os profetas ministraram no mesmo período e tiveram missão semelhante. A missão de Zacarias era animar, por meio da promessa do êxito atual e da glória futura, o resto do povo judeu, desanimado pelas aflições atuais que hesitava em reconstruir o seu templo. O povo tinha bons motivos para estar desanimado. Antes eles foram uma nação livre, com um rei e uma constituição. Mas, agora, tinham regressado a esse país sob um governo estrangeiro, um país sem rei e despojado de poder. A sua atual condição apresentava um quadro triste, mas Zacarias transformou essa situação calamitosa numa cena gloriosa, enquanto ele, por meio de uma série de visões e profecias, descreve uma Jerusalém restaurada, protegida e habitada pelo Messias, sendo ela a capital de uma nação elevada acima de todas as demais. Além da promessa de glória futura, o profeta fez promessas de êxitos e empreendimentos atuais, porque assegurava ao remanescente que o seu templo seria reconstruído, apesar da oposição. Mas Zacarias não podia oferecer um encorajamento permanente, a não ser pela promessa da vinda do Messias. A experiência atual de Israel não passava de precursora de sua experiência futura. Como a nação foi purificada do pecado da idolatria por meio do castigo do cativeiro babilônico, assim, por meio do fogo da grande tribulação, seria purificada do seu maior pecado — a rejeição do seu Messias e Rei (13.8,9; 12.10; 13.1).

Resumiremos o tema da seguinte maneira: um estímulo à nação para servir fielmente ao seu Deus por meio da aflição atual, com a visão das glórias futuras do tempo do Messias.

Autor. Zacarias provavelmente nasceu na Babilônia. Entrou no ministério quando ainda era jovem (2.4), e começou a profetizar pouco depois de Ageu, sendo seu companheiro. A sua missão era animar o zelo debilitado do povo e encorajá-lo, desviando o seu olhar do tenebroso presente e dirigindo-o para um futuro resplandescente.

Conteúdo. Divide-se o livro em três seções:

    I. Simbólica: visões de esperança (caps. 1—6)

    II. Prática: exortações à obediência e piedade (caps. 7 e 8)

    III. Profética: promessas de glória por meio da tribulação (caps. 9—14)

I. Simbólica: visões de esperança (cap. 1—6)

Os versículos 1-6 do capítulo 1 formam a introdução do livro. Os remanescentes servem de advertência para que lhe sirva de exemplo a sorte de seus pais, que desobedeceram à voz dos profetas e sofreram as conseqüências. O povo deve obedecer à mensagem dos profetas atuais, Ageu e Zacarias, cujas palavras seguramente cumprir-se-ão, tanto quanto as dos profetas anteriores.

A seguir, uma série de visões trazem mensagens do cuidado e da proteção de Deus com o seu povo:

    1. A visão do cavaleiro entre as murteiras (1.7-17). O cavaleiro representa, com os cavalos, um agente de Deus na

terra e informa ao anjo do Senhor que o mundo inteiro está em sossego e repouso, simbolizando que é chegado o tempo do cumprimento das promessas de Deus, com relação à restauração de Israel. Em resposta à intercessão do anjo, Deus diz que está aborrecido com os pagãos que excederam na sua missão concernente ao castigo de Israel. Ele voltará e reedificará as cidades de Judá.

2. A visão dos quatro chifres e dos quatro artesãos (1.18-21) demonstra a destruição dos opressores de Israel.

3. A visão do homem com a corda de medir (cap. 2) simboliza a reconstrução de Jerusalém. Será reconstruída sem muros por causa do aumento futuro da população e por Deus mesmo ser como um muro de fogo ao redor dela.

4. A visão de Josué, o sumo sacerdote (cap. 3). O sumo sacerdote, despojado das vestes sujas, é vestido com roupas limpas; representa a pureza do povo judeu remanescente (v. 1-7). Josué e seus companheiros sacerdotes são um símbolo do Messias, que efetuará a purificação final de Israel (v. 8-10).

5. A visão do castiçal de ouro e das oliveiras (cap. 4). Por meio do Espírito agindo em Zorobabel e Josué (as duas oliveiras) efetuar-se-á a reconstrução do templo (o castiçal de ouro) e a restauração da nação, e não por meio do poder humano (v. 6).

6. A visão do pergaminho que voava (5.1-4) ensina que, depois do término do templo, Deus castigará os que violarem as suas leis.

7. A visão da mulher dentro do cesto (5.5-11). O ensino dessa visão parece ser o seguinte: os pecados de Israel são removidos — especialmente os pecados de idolatria e rebelião — e eles (os judeus) serão levados para a Babilônia,

o centro da idolatria e também o lugar da primeira rebelião, provavelmente o centro da apostasia e da rebelião finais.

8. A visão das quatro carruagens (6.1-8) simbolizam a rapidez e as proporções dos julgamentos de Deus contra os opressores anteriores de Israel.
9. A coroação simbólica de Josué, o sumo sacerdote (6.9-15), simboliza a coroação do Messias como Rei e Sacerdote, e a construção do seu templo espiritual, no qual estará entronizado como regente e intercessor.

II. Prática: exortações à obediência e piedade (caps. 7 e 8)

As exortações mencionadas foram ocasionadas em parte pela pergunta dos representantes do povo: deveriam ou não continuar o jejum em comemoração à queda de Jerusalém? (7.1-3). As seguintes lições estão contidas nas respostas do profeta:

1. Deus deseja obediência em lugar de jejum. Foi a desobediência do povo que trouxe os castigos que deram lugar ao jejum (cap. 7).
2. Quando for removida a causa do jejum e do luto — o pecado — então os jejuns de Israel tornar-se-ão em festas (8.19). Esse dia está próximo, porque Israel finalmente será reunido, e Jerusalém tornar-se-á o centro religioso da terra (cap. 8).

III. Profética: promessas de glória por meio da tribulação (caps. 9—14)

Seguindo a sugestão do Dr. Gray, dividiremos esta seção de acordo com os períodos da história de Israel:

1. Israel sob o governo da Grécia (caps. 9 e 10).

2. Israel sob o governo romano (cap. 11).
3. Israel sob o governo do Messias (caps. 12—14).

1. Israel sob o governo grego (caps. 9 e 10)
   a) Uma profecia concernente às conquistas de Alexandre Magno, imperador da Grécia, rei que viveu cerca de trezentos anos a.C. (9.1-8). Os versículos 1 a 7 registram as suas conquistas ao longo da costa ocidental da Palestina; e o versículo 8, a libertação de Jerusalém da sua mão. Josefo, historiador judeu, relata o último acontecimento mencionado. Informa que, depois da conquista de Tiro e Gaza (mencionadas em 9.1-7), Alexandre dirigiu-se contra Jerusalém, para castigar Jado, o sumo sacerdote, que se tinha recusado a submeter-se a ele. O Senhor, em sonho, ordenou a Jado que abrisse as portas ao conquistador, que vestisse as suas vestimentas de sumo sacerdote e, assistido por seus sacerdotes, recebesse Alexandre em triunfo. Jado obedeceu; Alexandre, vendo essa procissão imponente, saudou-o e adorou a Deus cujo nome lia-se na placa de ouro da mitra sacerdotal. Alexandre então explicou que, ao entrar na Macedônia, teve uma visão dessa procissão. A visão voltou à sua memória, ao vê-la na realidade. Depois disso tratou os judeus com grande bondade.
   b) A vinda do Messias, o qual, em contraste com Alexandre, é o verdadeiro Rei e conquistador do mundo (9.9-12).
   c) Uma profecia da derrota de Antíoco Epifânio, rei da Síria (cerca de 165 anos a.C.), uma das divisões do império de Alexandre (9.13-17). Antíoco, vendo que a religião judaica era o obstáculo para uma submissão perfeita daquela nação, concebeu o plano de aboli-la e substituí-la pelos cultos gregos. Conquistou Jerusalém, contaminou o templo e proibiu o culto a Deus. A perseguição prosseguiu até que Judas Macabeu e seus irmãos, filhos do sumo

sacerdote, puseram-se à frente de um exército judeu que expulsou os sírios do país. Podemos considerar essa libertação como um símbolo do resgate final de Israel (cap. 10).

2. Israel sob o governo romano (cap. 11). Esse capítulo trata principalmente da rejeição do Messias e dos julgamentos que se seguiram. Muitas das profecias são simbolizadas por atos, como: quebrar as varas etc. (v. 10-14). Tomando o capítulo inteiro como messiânico, anotaremos o seu conteúdo da seguinte maneira:

    a) Um quadro do juízo, provavelmente aquele que seguirá a rejeição de Cristo (v. 1-6).

    b) O ministério do Messias — o de um Pastor de Israel (v. 7,8).

    c) A rejeição do Messias pelo rebanho (v. 9-11).

    d) A avaliação do Messias pelo seu povo — trinta moedas de prata, o preço de um escravo (v. 12,13; cp. Mt 26.14-16 e 27.3-10).

    e) A rejeição do verdadeiro Pastor, seguido pelo surgimento de um falso pastor — um símbolo do anticristo (v. 15-17).

3. Israel sob o governo do Messias (caps. 12—14):

    a) O sítio de Jerusalém e a sua libertação pela aparição de Cristo (cap. 12).

    b) A purificação de Israel (cap. 13).

    c) A exaltação de Israel (cap. 14).

38
Malaquias

Tema. Em Neemias lemos a última página da história do AT; no livro do profeta Malaquias, contemporâneo de Neemias, lemos a última página da profecia do AT. Malaquias, o último dos profetas, testemunha, como fazem seus antecessores, o triste fato do fracasso de Israel. Ele apresenta o quadro de um povo religioso externamente, mas interiormente indiferente e falso, um povo para o qual o culto a Deus transformou-se em formalidade vazia, desempenhado por um sacerdócio corrupto que eles não respeitavam. Sob o ministério de Ageu e Zacarias, o povo estava disposto a reconhecer suas faltas e a corrigi-las, mas, agora, endureceram-se tanto que negam insolentemente as acusações de Deus (1.1,2; 2.17; 3.7). Pior ainda, muitos professam ceticismo quanto à existência de um Deus de juízo e outros perguntam se valerá a pena servir ao Senhor (2.17; 3.14,15). Como um raio de luz nessa cena escura, brilha a promessa da vinda do Messias, que chegará para libertar o remanescente fiel e julgar a nação. O livro termina com uma profecia da vinda de Elias, o precursor do Messias, e então fecha-se a cortina sobre a revelação do AT, para não se levantar mais até quatrocentos anos mais tarde, quando o anjo do Senhor anuncia a vinda daquele que irá adiante dele e que virá com o espírito e a virtude de Elias (Lc 1.17).

Resumiremos o tema de Malaquias da seguinte maneira: a última profecia do AT, a revelação de um povo rebelde e falso, de um remanescente fiel e do Messias vindouro que julgará e purificará a nação.

Note a repetição da expressão "de que maneira" (1.2,6,7), que exprime a atitude provocante do povo concernente às acusações de Deus.

Autor. Nada se sabe da história pessoal de Malaquias. Acredita-se que tenha profetizado no tempo de Neemias e o apoiou, como Ageu e Zacarias apoiaram Zorobabel. O livro de Malaquias adapta-se à situação em que Neemias agiu, como o anel amolda-se ao dedo. O profeta denunciou os mesmos males que existiam no tempo de Neemias (cp. Ne 13.10-12 e Ml 3.8-10; Ne 13.29 e Ml 2.4-8; Ne 13.23-27 e Ml 2.10-16). Escreveu tanto acerca de Cristo, que alguém disse: "A profecia do Antigo Testamento chegou ao fim com a chegada do Evangelho!"

Conteúdo

I. Aviso e repreensão: mensagens aos rebeldes (1.1—3.15)

II. Predições de promessas: mensagens aos fiéis (3.16—4.6)

I. Aviso e repreensão: mensagens aos rebeldes (1.1—3.15)

1. Uma mensagem à nação inteira (1.1-5). O amor de Deus por eles e a ingratidão deles. O povo pergunta de uma maneira insolente acerca do amor de Deus por eles, evidentemente pensando nas suas aflições anteriores, mas esquecendo-se de que os castigos do Todo-Poderoso visavam purificá-los. Como prova do seu amor pela a nação, o Senhor refere-se à eleição gratuita de seu pai, Jacó, e à rejeição de seu irmão. Edom foi rejeitado por Deus e será desolado para sempre. Mas Israel, escolhido perpétuo de Deus, viverá para ver a desolação de Edom e glorificará a graça e o amor de Deus (v. 4,5).

2. Mensagens aos sacerdotes (1.6—2.9). São os seguintes os pecados censurados:

a) Falta de reverência com o Senhor (1.6). Observe o espírito de presumida insensibilidade diante do pecado, revelado na resposta dos sacerdotes: "De que maneira temos desprezado o teu nome?" A atitude manifesta-se em todas as respostas do povo e dos sacerdotes às repreensões de Deus.

b) O oferecimento de sacrifícios com defeitos (1.7-12). Dario e os seus sucessores provavelmente forneciam vítimas em abundância aos sacerdotes para os sacrifícios (Ed 6.8-10), mas ofereciam somente as piores. Ofereciam ao Senhor aquilo que não se atreviam a oferecer ao seu príncipe (v. 8). Embora sejam oferecidos sacrifícios imundos na Palestina, entre os pagãos há e haverá aqueles que irão à presença do Senhor com uma oferta pura (v. 11).

c) O desempenho do culto a Deus com o espírito de indiferença e descontentamento (1.11,12). Consideravam o culto a Deus enfadonho e o desonravam apresentando ofertas de menor valor.

d) A violação do pacto levítico (2.1-9). O Senhor menciona as qualidades que o pacto requeria do sacerdote, a saber: andar muito perto de Deus, zelo para deixar a iniqüidade, e habilidade para ensinar (v. 5-7). De todas essas qualidades o sacerdócio no tempo de Malaquias carecia muito (v. 8).

3. Mensagens ao povo (2.11—3.15). São censurados os seguintes pecados:

a) Pecados da família (2.10-16). Muitos se tinham divorciado de suas esposas israelitas para casar-se com mulheres estrangeiras (cp. Ne 13.23-28).

b) Ceticismo (2.17). Esse versículo forma a transição para 3.1. Os céticos do dia insinuavam que os malfeitores agradavam a Deus, visto que estes últimos pareciam prosperar. Então, se era assim, por que se deveria servir a Deus? (3.14,15). Onde está o Deus do juízo? perguntam. A resposta está para chegar (3.1-6). O Senhor que buscam (3.1) — ao qual desafiam que apareça — virá repentinamente — quando menos o esperam — ao seu templo e julgará os sacerdotes e o povo. O juízo não adiado por Deus haver mudado, mas porque ele não tinha mudado quanto às promessas de seu pacto e por causa de sua imutável misericórdia (v. 6).

c) A retenção dos dízimos (3.7-12; cp. Ne 13.10-14).

II. *Predições de promessas: mensagens aos fiéis* (caps. 3.16—4.6)

1. Uma mensagem aos justos (3.16-4.3). Nos dias mais tenebrosos da apostasia de Israel sempre havia um remanescente fiel a Deus. Nos dias de Malaquias, quando a chama religiosa estava quase apagada, os fiéis congregavam-se para conservar vivo o fogo santo. Assim como os reis da Pérsia conservavam um registro daqueles que lhes tinham rendido serviços, para poderem recompensá-los (Et 2.23; 6.1,2; Ed 4.5), assim também Deus guarda o seu registro (v. 16). Esses fiéis são suas jóias, o seu tesouro particular, que ele poupará no dia da tribulação. Nesse dia, tanto os justos como os ímpios serão recompensados, e então a zombaria dos céticos se calará (v. 18; cp. 2.17; 3.14,15). O sol da justiça surgirá para queimar os ímpios e para expor raios salutares sobre os justos (4.1-3).

2. A última exortação do AT (4.4): "Lembrem-se da Lei do meu servo Moisés". Até que viesse o Messias, a revelação cessaria temporariamente. O povo deveria lembrar-se da

Lei, porque, com a ausência dos profetas vivos, estariam propensos a esquecer-se dela. A Lei deve ser a sua regra de vida e conduta durante 400 anos de silêncio que intervêm entre o último profeta do AT e a vinda do Profeta dos profetas.

3. A última profecia do AT (4.5,6). Antes da vinda do grande dia da ira, Deus enviará o precursor do Messias, Elias, que preparará o povo para a sua vinda. Essa profecia cumpriu-se em João Batista (Lc 1.17; Mt 11.14; 17.11,12). É provável que tenha um cumprimento futuro, porque como o Messias teve um precursor em sua primeira vinda, também poderá ter outro em sua segunda vinda.

Parte II
Novo Testamento

Preste atenção na seguinte classificação:

A — Os evangelhos que tratam da *manifestação* da salvação:
   1. Mateus
   2. Marcos
   3. Lucas
   4. João

B — O livro histórico, que trata da *propagação* da salvação:
   1. Atos dos Apóstolos

C — Livros doutrinários que tratam da *explicação* da salvação (I). As cartas paulinas:
   1. Romanos
   2. 1Coríntios
   3. 2Coríntios
   4. Gálatas
   5. Efésios
   6. Filipenses
   7. Colossenses
   8. 1Tessalonicenses
   9. 2Tessalonicenses
   10. 1Timóteo
   11. 2Timóteo
   12. Tito
   13. Filemom
   14. Hebreus

D — Livros doutrinários que tratam da *explicação* da salvação (II). As cartas gerais:
   1. Tiago
   2. 1Pedro
   3. 2Pedro

4. 1João
5. 2João
6. 3João
7. Judas

E — O livro profético que trata da *consumação* da salvação:
1. Apocalipse

Seção A
Os Evangelhos

1
Os quatro evangelhos

A primeira pergunta que surge ao começarmos o estudo dos Evangelhos é esta: por que são quatro? Por que não são dois, três ou apenas um? A resposta é simples: pelo fato de ter havido, nos tempos apostólicos, quatro grupos representativos do povo — os judeus, os romanos, os gregos e a Igreja, que é um corpo formado dos três grupos. Cada evangelista escreveu para um desses grupos, adaptando-se ao caráter, às necessidades e aos ideais deles.

Mateus apresenta Jesus como o Messias, sabendo que os judeus aguardavam ansiosos pela vinda dele, prometida no AT. Lucas escreveu para os gregos, um povo culto cujo ideal era o homem perfeito; por isso fez que o seu livro focalizasse a pessoa de Cristo como a expressão desse ideal. Marcos descreveu Cristo como o conquistador poderoso porque se dirigia aos romanos, cujo ideal era o poder e o serviço. João tinha em mente as necessidades dos cristãos de todas as nações e, então, apresenta as verdades mais profundas do Evangelho, entre as quais, os ensinamentos acerca da divindade de Cristo e do Espírito Santo. O princípio de adaptação foi mencionado por Paulo em 1Coríntios 9.19-21 e ilustrado em seu ministério entre os judeus e os gentios (compare a sua mensagem aos judeus em At 13.14-41, e a dirigida aos gregos em 17.22-31). Essa adaptação é uma nítida indicação de um desígnio divino nos quatro evangelhos.

A esse respeito, devemos lembrar-nos de que a mensagem dos Evangelhos dirige-se à humanidade em geral, visto que os homens são os mesmos em todas as épocas.

Os antecedentes revelam mais uma razão para a existência de quatro evangelhos, a saber: um evangelho só não teria sido suficiente para apresentar os vários aspectos da personalidade de Cristo. Cada um dos evangelistas focaliza-o de um ângulo diferente. Mateus apresenta-o como rei; Marcos, como conquistador e servo; Lucas, como o Filho do Homem e João, como o Filho de Deus. Essa visão de Cristo é como a de um grande edifício — só um lado pode ser exibido de cada vez.

O fato de os evangelistas terem escrito os seus relatos de diferentes pontos de vista explicará as diferenças entre eles, suas omissões e adições, a aparente contradição ocasional e a falta de ordem cronológica. Os autores não procuraram produzir uma *biografia completa* de Cristo. Levando em consideração as necessidades e o caráter do povo para o qual escreviam, escolheram os acontecimentos e discursos que destacassem exatamente sua mensagem especial. Mateus, por exemplo, escrevendo para o povo judeu, fez que tudo no seu evangelho — a seleção de discursos e acontecimentos, as omissões e adições, o agrupamento dos fatos — servisse para realçar a missão messiânica de Jesus.

Vamos ilustrar a maneira com que cada evangelista ressalta um aspecto particular da personalidade de Cristo. Suponhamos que quatro escritores se propõem a escrever a biografia de uma pessoa famosa como estadista, soldado e autor. Um desejaria salientar sua carreira política, colhendo relatos de campanhas e discursos. Outro, os êxitos literários. O terceiro, com a intenção de sublinhar suas proezas no campo militar, descreveria as promoções, condecorações e batalhas nas quais se distinguiu. O quarto, querendo exaltar as virtudes manifestas na vida doméstica, descreveria fatos que o mostrassem como pai, esposo ou amigo ideal.

Os primeiros três evangelhos são chamados sinóticos, porque fornecem uma "sinopse" (vista geral) dos mesmos acontecimentos e têm um plano comum. O evangelho de João foi escrito em base inteiramente diferente dos outros três.

Os pontos de diferença entre os Sinóticos e o evangelho de João são os seguintes:

1. Os Sinóticos contêm uma mensagem evangélica para os homens não espirituais; o de João contém uma mensagem espiritual para os cristãos.
2. Nos três vemos seu ministério na Galiléia; no quarto, de modo especial, o ministério na Judéia.
3. Nos três sobressai a vida pública; no quarto, é revelada sua vida particular.
4. Nos três impressiona sua humanidade real e perfeita; no quarto, sua divindade admirável e verdadeira.

2
Mateus

Tema. O tema central deste evangelho é Jesus, o Messias rei. Escrevendo aos judeus e conhecendo suas grandes esperanças, Mateus apresenta Jesus como o único que cumpre as Escrituras do AT com relação ao Messias. Ele mostra quem o Messias deve ser por meio de numerosas citações do AT. E prova que Jesus era esse Messias pelo registro de suas palavras e atos. A repetição freqüente das expressões "reino" e "reino dos céus" revela outro tema importante do evangelho de Mateus. Expõe o reino dos céus como prometido no AT (11.13), proclamado por João Batista e por Jesus (3.2; 4.17), representado agora pela Igreja (16.18,19) e triunfante na segunda vinda de Jesus (25.31,34).

Autor. Uma tradição digna de confiança atribui a Mateus a autoria deste livro. Muito pouco se diz acerca dele no NT. Sabemos, entretanto, que era coletor de impostos do governo romano e que foi chamado pelo Senhor para ser seu discípulo e apóstolo.

Para quem foi escrito. Para toda a humanidade em geral, mas para os judeus em particular. A intenção de dirigir-se primeiramente aos judeus encontra-se nos seguintes fatos:

1. O grande número de citações do AT — há cerca de 60. Alguém que prega aos judeus deve provar sua doutrina pelas Escrituras. Mateus faz das citações do AT a verdadeira base de seu evangelho.

2. As primeiras palavras do livro, "Registro da genealogia de Jesus Cristo, filho de Davi, filho de Abraão", sugerem imediatamente aos judeus as duas alianças que contêm promessas do Messias — a davídica e a abraâmica (2Sm 7.8-16; Gn 12.1-3).

3. A ausência completa de explicações dos costumes judaicos demonstra que o evangelista escreveu a um povo familiarizado com esses costumes.

Conteúdo

I. A vinda do Messias (1.1—4.11)
II. O ministério do Messias (4.12—16.12)
III. A reivindicação do Messias (16.13—23.39)
IV. O sacrifício do Messias (caps. 24—27)
V. O triunfo do Messias (cap. 28)

I. A vinda do Messias (1.1—4.11)

1. Genealogia (1.1-17)
2. Nascimento (1.18-25)
3. Os magos (2.1-12)
4. A fuga para a Egito e o regresso (2.13-32)
5. O batismo de Jesus (cap. 3)
6. A tentação de Jesus (4.1-11)

Os judeus davam muita importância às genealogias. De todos aqueles que iam ser ordenados para a sacerdócio era exigido que provasse descender de Arão. No tempo de Esdras, alguns foram rejeitados por não poderem provar seu direito ao sacerdócio. Expondo Jesus como o Messias, Mateus vê-se obrigado a provar pelo AT que Jesus é filho de Davi — aquele que tem o direito de ser rei de Israel (Sl 132.11). É o que fez na genealogia de José nos versículos 1 a 17 do capítulo 1.

O AT ensina que o Messias nasceria de uma virgem e que devia ser não somente filho de Davi, mas também Filho de Deus (Is 9.6). Mateus, portanto, narra o nascimento virginal de Cristo para demonstrar que se cumpriram nele essas Escrituras.

Os magos provavelmente provinham de uma tribo sacerdotal dos medos, cuja ocupação principal era o estudo da astrologia e a interpretação de sonhos. São representantes do grupo de gentios que adoram o verdadeiro Deus de acordo com a luz que possuem. Possivelmente chegaram a esperar a vinda do Messias pelo testemunho dos judeus que viviam em seu país.

Herodes, não obstante ter sido um rei eficiente, era um monstro de crueldade. Conhecendo sua falta de popularidade e temendo constantemente perder o trono, destruía sem piedade todo aquele que ele suspeitasse aspirar a ser rei. Isso explica sua perturbação pelas novas do nascimento de um rei dos judeus e a ordem de matar as crianças de Belém. Seu plano sanguinário foi frustrado por uma advertência divina.

O capítulo 3 registra o ministério de João Batista. Esse ministério visava preparar a nação para a vinda do Messias pelo rito do batismo, símbolo da purificação do pecado que seria efetuada pela morte do Messias. Surge aqui a pergunta: por que Jesus foi batizado, se ele não necessitava arrepender-se? O versículo 15 dá a resposta: "Convém que assim façamos para cumprir toda a justiça". Isso significa que Jesus desejava identificar-se com a nação judaica e obrigar-se a guardar toda a Lei. Veja Gálatas 4.4. O evangelho de João apresenta outro motivo para o batismo de Jesus: para que João Batista recebesse a revelação da sua divindade (Jo 1.31,33).

Cristo veio como representante da humanidade e, sendo sua missão destruir as obras do diabo, era conveniente que começasse seu ministério com uma vitória sobre o grande adversário da espécie humana. O capítulo 4 registra seu grande triunfo sobre Satanás.

II. O ministério do Messias (4.12—16.12)

1. Ponto de partida do ministério; primeiros discípulos; primeiras obras (4.12-25)
2. As leis do Reino do Messias — o Sermão do Monte (caps. 5—7)
3. O poder do Messias manifestado sobre a enfermidade, a natureza, os demônios e a morte (8.1—9.35)
4. A missão dos doze apóstolos (9.36—11.1)
5. A pergunta de João Batista (11.2-30)
6. Oposição dos fariseus (12.1-45)
7. Ensino por parábolas (cap. 13)
8. A oposição de Herodes; a primeira multiplicação de pães (cap. 14)
9. A oposição dos líderes da Judéia e Galiléia (15.1—16.12)

Mateus apresenta a Galiléia como o ponto de partida do ministério de Jesus em cumprimento da profecia. É digno de nota quantas vezes se repete neste evangelho a expressão "para que se cumprisse". Jesus adota a mensagem de João Batista, a saber, a vinda do reino dos céus. A expressão "o reino dos céus" significa o governo de Deus em Cristo e por meio dele. Prometido no AT, agora é representado na Igreja e será triunfante na segunda vinda de Cristo.

Após proclamar a iminência de seu Reino, Jesus explica suas leis no discurso conhecido como Sermão do Monte. Por meio de sua leitura, aprendemos acerca do caráter dos membros desse Reino (5.17-7.6) e os requisitos para entrar nele (7.7-29).

Mateus mostra Jesus apresentando suas credenciais à nação, manifestando seus poderes como prova da missão messiânica.

Mas, apesar de os milagres terem sido sinais de sua divindade e provas de sua missão, nunca foram feitos por mera ostentação ou para satisfazer a curiosidade, mas para o alívio do sofrimento humano. Podemos considerar os milagres como símbolos de seu poder salvador:

1. O poder sobre as enfermidades simbolizava seu poder sobre o pecado.
2. O poder sobre os demônios era símbolo da queda completa do reino de Satanás.
3. O poder sobre a morte revela-o como aquele que vivificará todos os mortos.
4. O poder sobre a natureza demonstra como ele libertará o mundo da maldição.

Jesus já escolheu alguns discípulos (4.18-22). Sem dúvida, muitos se congregaram em volta dele; entretanto, destes, escolheu apenas 12 para ajudá-lo a pregar o evangelho e serem preparados como futuros líderes da Igreja. Ele lhes concede o poder de fazer milagres com o propósito de confirmar sua mensagem. Como o tempo da evangelização dos gentios não era ainda chegado, ele limitou o seu ministério a Israel (10.6).

A concepção dos judeus sobre o Messias era a de um príncipe poderoso que estabeleceria um grande reino temporal. Jesus não correspondeu a esse ideal, porque proclamou a vinda de um reino espiritual. Embora a concepção de João Batista fosse espiritual, talvez ele esperasse que o Reino do Messias fosse estabelecido imediatamente com poder. Decepcionado, não vendo sinais de que o Messias o libertaria da prisão, ele cede à dúvida e ao desânimo. Mas, felizmente, leva suas dúvidas a Jesus, que imediatamente lhe confirma a fé.

O capítulo 12 registra a oposição dos fariseus a Jesus. Os motivos para opor-se a ele eram a origem humilde, a associação com pecadores e a inobservância das tradições. O capítulo 12 descreve a oposição pela última razão mencionada. Os fariseus, embora aceitassem todo o AT, assumiam também como impositivas muitas tradições que obscureciam o sentido verdadeiro das Escrituras.

Os versículos 1-13 tratam do sábado. Por suas interpretações tradicionalistas, os mestres judeus tinham transformado o dia de descanso em pesado fardo, enquanto deveria ser uma bênção, de acordo com a vontade de Deus. Jesus foi acusado de transgredir a Lei porque seus discípulos colheram trigo no sábado e porque ele mesmo tinha curado um homem nesse dia. Em sua resposta, Jesus ensina que o sábado cede às necessidades humanas (v. 3,4,12); que Deus deseja a prática da bondade em vez de observâncias formais (v. 7) e que ele, como Senhor do sábado, tinha o direito de decidir como ele deveria ser guardado (v. 8). Em sua má vontade com Jesus, os fariseus chegaram a acusá-lo de realizar suas obras pelo poder de Satanás; por essa razão, ele proferiu uma advertência sobre a blasfêmia contra o Espírito Santo.

Até aqui, Jesus ensinava em linguagem clara, mas, ao deparar com a oposição à sua mensagem, começou a ensinar por parábolas quando falava de seu Reino. Com isso ele pretendia impedir que os opositores desvirtuassem suas palavras e as usassem contra ele (v. Lc 23.2). (Parábola é o discurso que ensina uma verdade espiritual por meio de uma ilustração material.) O seu objetivo foi ocultar a verdade aos zombadores e opositores (13.13-15) e revelá-la a quem a buscasse sinceramente (v. 11,16). As verdades gerais ensinadas nas parábolas são estas: na ausência de Cristo, o mundo inteiro não será convertido; nem toda semente do Evangelho dará fruto; e o bem e o mal continuarão lado a lado até a segunda vinda de Cristo. As parábolas destinam-se a mostrar o crescimento e o progresso da Igreja durante esta dispensação e sua relação com os pecadores, não só com aqueles que professam a fé, como também com o mundo em geral.

Os versículos 1 a 20 do capítulo 15 descrevem a oposição posterior dos líderes contra Jesus, acusando-o de transgredir suas tradições; mas ele, em linguagem dura, repreende-os, por ocultarem a verdadeira interpretação das Escrituras sob as tradições dos homens. Em resposta ao pedido deles de mostrar um sinal (16.1), ele os remete aos sinais dos tempos, a saber, a maturidade da nação para o juízo, a presença dos pregadores no meio dela proclamando o Reino de Deus e a operação de milagres. Jesus já tinha dado sinais (Mt 11.5), mas eles desejavam algo espetacular. Jesus recusa o pedido, pois sempre operou milagres para aliviar o sofrimento humano.

III. A reivindicação do Messias (16.13—23.39)

1. Sua declaração aos discípulos (16.13—20.28)
2. Sua declaração à nação (20.29—23.39)

Até esse momento, Jesus não tem correspondido ao ideal do povo acerca do Messias, pois, em vez de proclamar um reino temporal, proclamou um reino espiritual. E, embora o povo não o tenha aceitado como Messias, considerou-o como um grande profeta (16.13). Devido à atitude do povo, Jesus não faz uma proclamação pública de sua missão como Messias; se a fizesse, induziria os judeus a esperarem o estabelecimento de um reino terrestre e a libertação do jugo romano. Por essa razão, fez a declaração somente a seus discípulos, em particular (16.15-19), proibindo-os de revelar ser ele o Messias (v. 20). Em seguida, dá a conhecer os meios pelos quais seu Reino será inaugurado, a saber, por meio de sua morte e ressurreição (16.21). Pedro, partilhando as idéias comuns do povo, não é capaz de imaginar um Messias que sofre e morre, e procura dissuadir Jesus de submeter-se à morte. Jesus o censura, e ensina aos discípulos que, antes da coroa, vem a cruz (16.24-27). O versículo 28 do mesmo capítulo refere-se à transfiguração, um vislumbre luminoso da entrada de Cristo em sua glória.

As notícias da futura humilhação e morte de Jesus desanimaram tanto os discípulos que, para encorajá-los, ele lhes permite vê-lo por um curto espaço de tempo em seu estado de glória e ouvir a voz do Pai aprovando seu propósito. Isto se realiza na transfiguração (cap. 17). Ressalte-se que ele obriga os seus discípulos a guardarem silêncio acerca do acontecimento para que não surjam falsas esperanças no povo (v. 9). Mais tarde, repete a profecia da sua morte (17.23), para gravar esse fato na mente dos seus discípulos.

Embora Jesus não tivesse proclamado publicamente sua missão messiânica, é necessário que ele o faça, para que se cumpram as Escrituras e para que a nação tenha a oportunidade de aceitá-lo ou rejeitá-lo. Isso ocorreu em sua entrada triunfal em Jerusalém (21.1-16). Não foi, porém, uma demonstração bélica, mas a entrada pacífica de um rei, "*humilde*, montado num jumento, num jumentinho, cria de jumenta" (21.5).

Dessa maneira, calculava-se não alarmar os romanos, que sempre temiam um levante, tampouco levar a nação, em sua maioria, a acreditar que Jesus era o grande Messias conquistador que eles esperavam. Aqueles que aclamaram Jesus nessa ocasião foram principalmente seus discípulos e os que tinham sido beneficiados por seu ministério.

As reivindicações de Jesus foram rejeitadas pela nação representada pelos chefes (21.15,23,32,45,46; 22.15-40). Depois disso ele predisse, em parábolas, a rejeição da nação judaica por Deus e a aceitação dos gentios por ele (as parábolas dos lavradores maus e das bodas). O capítulo 23 marca a ruptura final de Jesus com os chefes religiosos e sua lamentação sobre Jerusalém.

IV. *O sacrifício do Messias* (caps. 24—27)

1. Discurso referente à segunda vinda de Cristo (24.1-41)
2. Os juízos que se realizarão na segunda vinda (21.42—25.46)

3. A traição, a prisão e o julgamento de Jesus (cap. 26)
4. A crucificação (cap. 27)

Acerca do discurso de Cristo em 24.1-41, citamos Moorehead[a]:

> Dois objetivos supremos ocupam essa admirável profecia, um dos quais estava próximo de cumprir-se, e o outro, distante. Ambos eram perfeitamente claros à sua vista onisciente. O que está próximo é a queda de Jerusalém; o que está distante é sua segunda vinda. O primeiro realizou-se quarenta anos após a predição, a saber, em 70 d.C.; o segundo pertence ao futuro. O primeiro era restrito a uma área muito limitada, apesar de afetar o mundo inteiro pelas suas conseqüências; o outro abrange o planeta.
>
> Algumas das predições referem-se a ambos os acontecimentos, mas em graus diferentes. A queda de Jerusalém é insignificante, comparada com a vinda de Jesus Cristo. Há, porém, uma semelhança notável entre os dois acontecimentos; a destruição da Cidade Sagrada prefigura as cenas mais tremendas que acompanharão a vinda do Senhor. Um corresponde ao outro, como o tipo ao antítipo.
>
> Para ilustrar, em 24.14, Jesus disse: 'E este evangelho do Reino será pregado em todo o mundo como testemunho a todas as nações, e então virá o fim'. Paulo confirma que essa predição se cumpriu antes da destruição de Jerusalém (Cl 1.6, 23). A semelhante proclamação mundial precederá imediatamente à final (Ap 14.6,7). Assim, a tribulação sem igual mencionada em 24.21 parece pertencer a ambos os acontecimentos referidos. Sabe-se bem que cenas de sofrimento, horror e crime quase indescritíveis se passaram durante o sítio de Jerusalém, pelo exército romano, mas é certo que outro tempo de angústia, uma tribulação sem igual, precederá imediatamente o advento de Cristo (cp. Mt 24.21,29; Dn 12.1,2; Jr 30.7). Tanto Israel como os gentios estarão na tribulação.

---

[a]Fonte não mencionada no texto original [N. do E.].

Observe os juízos mencionados em 24.42 a 25.46. Juízos sobre os servos não vigilantes (24.42-51); sobre os que não estão preparados (25.1-13); sobre os negligentes (25.14-30); e sobre as nações (25.31-46).

A profecia de Isaías referente ao Messias sofredor (Is 53) encontra seu cumprimento nos capítulos 26 e 27.

V. O triunfo do Messias (cap. 28)

O evangelho de Mateus chega a uma feliz consumação na ressurreição do Messias. Todo o poder lhe é dado no céu e na terra; por esse motivo, ele tem o poder de enviar os seus seguidores por todo o mundo com a mensagem da salvação. Assim se cumprem as palavras de Isaías: "Eis o meu Servo, a quem sustento, o meu escolhido, em quem tenho prazer. Porei nele o meu Espírito, e ele *trará justiça às nações*. Não mostrará fraqueza nem se deixará ferir, até que estabeleça a justiça na terra. Em sua lei as ilhas porão sua esperança" (Is 42.1,4). "Para você é coisa pequena demais ser meu servo para restaurar as tribos de Jacó e trazer de volta aqueles de Israel que eu guardei. Também farei de você uma luz para os gentios, *para que você leve a minha salvação até os confins da terra*" (Is 49.6).

Com o propósito de gravar na mente do aluno o conteúdo de Mateus, é aconselhável observar o seguinte esboço dos capítulos:

1. Genealogia e nascimento (cap. 1)

2. A fuga (cap. 2)

3. O batismo (cap. 3)

4. A tentação (cap. 4)

5. O Sermão do Monte (caps. 5—7)

6. Os milagres (caps. 8 e 9)

7. Os Doze enviados (cap. 10)

8. Discursos (caps. 11 e 12)

9. Parábolas (cap. 13)
10. A multiplicação dos pães (caps. 14 e 15)
11. A confissão de Pedro (cap. 16)
12. A transfiguração (cap. 17)
13. Discursos (caps. 18—20)
14. A entrada triunfal (cap. 21)
15. As conspirações dos inimigos (cap. 22)
16. Os ais (cap. 23)
17. A segunda vinda (caps. 24 e 25)
18. A traição (cap. 26)
19. A crucificação (cap. 27)
20. A ressurreição (cap. 28)

3
Marcos

Tema. Escrito para os romanos, povo guerreiro, o evangelho de Marcos fornece uma breve narrativa de três anos da campanha conduzida pelo "comandante" da salvação da humanidade, visando à libertação das almas e à derrota de Satanás, e completada pelas obras, os sofrimentos, a morte, a ressurreição e o triunfo final de Cristo. Nesta narrativa Jesus é apresentado como o poderoso conquistador.

Autor. Marcos era filho de Maria, mulher de Jerusalém, cuja casa estava aberta para os primeiros cristãos (At 12.12). Ele acompanhou Paulo e Barnabé em sua primeira viagem missionária. A contemplação dos perigos que ameaçavam esse pequeno grupo ao viajar pelas regiões desconhecidas parece tê-lo desalentado de tal maneira que voltou a Jerusalém (At 13.13). Mais tarde, a proposta de Barnabé de levá-lo consigo na segunda viagem provocou uma contenda entre ele e Paulo. O apóstolo, apelando para o bom-senso, julgou melhor não levar com eles um "desertor". Barnabé, compadecido, achava que Marcos deveria ter uma oportunidade de se redimir e, assim, separou-se de Paulo e levou-o consigo para Chipre (At 15.36-41). João Marcos justificou a confiança de Barnabé, pois relatos posteriores demonstram que foi bem-sucedido no ministério. Pedro mencionou-o favoravelmente (1Pe 5.13), e Paulo mudou de opinião a respeito dele a ponto de escrever: "Traga Marcos com você, porque ele me é útil para o ministério" (2Tm 4.11).

O testemunho abundante dos pais da Igreja torna bastante claro que Marcos acompanhou Pedro a Roma como seu intérprete e que compilou esse evangelho aproveitando as pregações de Pedro. Seu nome latino — Marcos — parece indicar que foi educado nos círculos romanos. Esses dados tornam-no particularmente adequado para escrever um evangelho aos romanos.

Para quem foi escrito. Os seguintes dados indicam que este evangelho é adaptado aos romanos de modo especial:

1. O estilo resumido, a descrição viva de cenas animadas e movimentadas revelam que o evangelho é especificamente destinado a um povo ativo e vigoroso como os romanos. A característica principal deste livro é a repetição constante de palavras como "logo", "imediatamente" e "no mesmo instante", transmitindo a idéia de atividade e prontidão militar. Um autor disse que o estilo de Marcos se parece com o de Júlio Cesar nas narrativas de algumas campanhas.
2. O dinheiro é mencionado em moeda romana.
3. Emprega-se a divisão do tempo dos romanos.
4. Explicam-se as costumes hebraicos (7.3, 4). Isso demonstra, pelo menos, que o livro foi escrito para gentios.
5. Praticamente não há referências a profecias do AT depois do capítulo 1. Os romanos não familiarizados com as Escrituras provavelmente não as teriam compreendido.

Conteúdo. O evangelho de Marcos contém a mesma matéria de Mateus (embora agrupada de outro modo). Assim, não daremos um esboço extenso. Sugerimos que o aluno leia o livro inteiro e, então, observe a seguinte análise:

Tendo em mente que Marcos descreve Cristo como o conquistador poderoso, percorramos todo o evangelho para ver como essa idéia se concretiza.

Antes de tudo, Marcos descreve a vinda do grande conquistador registrando:

>   a) seu nome e sua proclamação (1.1-8);
>
>   b) sua vitória inicial sobre Satanás (1.9-13);
>
>   c) a primeira proclamação de seu Reino (1.14-20);
>
>   d) suas primeiras obras de poder (1.21—2.12).

Ele descreve o combate do rei poderoso:

>   a) alistando súditos para o seu Reino — apóstolos, publicanos e pecadores, enfermos e necessitados (2.13—3.35);
>
>   b) explicando o desenvolvimento de seu Reino (4.1-34);
>
>   c) subjugando a natureza, os demônios, a enfermidade e a morte (4.35—5.43);
>
>   d) sofrendo a oposição do povo (6.1-6), de Herodes (6.14-29) e dos escribas e fariseus (7.1-23; 8.10-21).

Ele exibe o conquistador reivindicando seu direito ao Reino de poder e apresenta-o:

>   a) ensinando a seus seguidores como se conquista a vitória em seu Reino — por meio do sofrimento e da morte (8.31-38; 10.28-45);
>
>   b) reivindicando o direito ao Reino, em Jerusalém, com sua entrada triunfal (11.1-11); pela purificação do templo (11.15-19); pela derrota dos chefes que duvidavam de sua autoridade (11.27—12.44) e pela profecia da segunda vinda em glória (13.1-37).

Marcos demonstra como Cristo prepara o estabelecimento de seu Reino:

    a. preparando-se para a morte (14.1-72);

    b. entregando-se à morte (15.1-47).

Finalmente, ele mostra Jesus assumindo o Reino (espiritual):

    a. vencendo a morte (16.1-14);

    b. enviando os seguidores a proclamar o seu triunfo (16.15-20).

4
Lucas

Tema. O evangelho de Lucas apresenta-nos uma narrativa histórica que expõe Jesus Cristo como o homem perfeito e divino. Lucas escreveu especialmente para o povo grego, cuja missão era melhorar o homem moral, intelectual e fisicamente, e cujo ideal era o homem perfeito. Assim como os judeus fracassaram em obter a salvação por meio da Lei e das cerimônias, da mesma maneira os gregos falharam em obtê-la mediante a cultura e a filosofia. A educação era para os gregos o que a Lei era para os judeus — o mestre que os levaria a Cristo. Percebendo sua incapacidade de salvar a humanidade pela educação, muitos filósofos gregos consideraram a vinda de um homem divino como a única esperança de salvação. Para satisfazer a necessidade dos gregos, Lucas apresenta Jesus como o perfeito homem divino, o representante e salvador da humanidade.

Autor. Lucas, companheiro do apóstolo Paulo (Cl 4.14; Fm 24; 2Tm 4.11). Os autores cristãos dos primeiros séculos dizem-nos que Lucas escreveu o evangelho que leva seu nome; que era o mesmo, substancialmente, que ele e Paulo pregaram aos gregos e que foi produzido e divulgado entre o povo grego.

Para quem foi escrito. O evangelho de Lucas é dirigido aos gregos em particular. Gregory afirma ser ele adequado aos gregos por vários motivos:

1. Pelas qualificações do autor. Acredita-se que Lucas era grego e tinha grande instrução, como indica seu estilo e o fato de ter sido médico.
2. Pelo arranjo da obra. Este evangelho é considerado como a história mais metódica das palavras e das obras de Jesus. Sua leitura cuidadosa revela passagens escritas por um pensador a um povo habituado à meditação e à filosofia.
3. Pelo estilo. O evangelho de Lucas exerce atração especial pela eloqüência política. Note os cânticos reproduzidos no primeiro capítulo. Por todo o livro encontramos os *discursos* de Jesus em contraste direto com o evangelho de Marcos, que destacou as *obras* em vez da doutrina.
4. Pelas omissões. Partes especificamente judaicas foram omitidas. Pouco ou nada se diz acerca das profecias do AT.

Conteúdo

I. Introdução (1.1-4)
II. Advento do homem divino (1.5—4.13)
III. O ministério de Jesus na Galiléia (4.14—9.50)
IV. O ministério de Jesus na Peréia (9.51—19.28)
V. A crucificação e a ressurreição de Jesus (19.29—24.53)

Lucas contém muitos fatos e discursos que se encontram em Mateus e Marcos. Trataremos aqui, portanto, somente dos detalhes que não se encontram nos outros evangelhos.

I. Introdução (1.1-4)

Como era costume entre os historiadores romanos, Lucas começa o seu evangelho com um prefácio. Ele diz que muitos homens da sua época tinham tentado escrever a narrativa do ministério de Cristo (v. 1). Evidentemente não satisfeito com essas tentativas, empreende a obra de escrever um relato ordenado da vida de Jesus. Declara suas qualificações para a obra, a saber, o fato de ter recebido as informações de testemunhas oculares (v. 2) e por ter perfeito conhecimento dos dados da vida e do ministério de Jesus desde o princípio (v. 3). Dedica em seguida o evangelho a Teófilo, com a finalidade de confirmar sua fé (v. 4).

II. Advento do homem divino (1.5—4.13)

1. A anunciação do nascimento de João Batista (1.5-25)
2. A anunciação do nascimento de Jesus a Maria (1.26-38)
3. A visita de Maria a Isabel (1.39-55)
4. O nascimento e a infância de João Batista (1.56-80)
5. A viagem a Belém (2.1-7)
6. A mensagem dos anjos (2.8-20)
7. A circuncisão de Jesus e sua apresentação no templo (2.21-39)
8. A infância de Jesus (2.40-52)
9. A genealogia de Jesus (3.23-38)

Lucas começa seu relato narrando um acontecimento que não se encontra nos outros evangelhos — o anúncio do nascimento de João Batista. O pai de João, sacerdote, desempenhava seu ministério no templo e, naquele momento, oferecia incenso. O ofício de oferecer incenso era tão sublime que ninguém tinha a permissão de fazê-lo duas vezes, porque esse ato, mais do que qualquer outro, levava o sacerdote ministrante à presença divina, aproximando-o do Santo dos Santos. A nuvem de incenso que subia era símbolo das orações de Israel que se elevavam a Deus. Estando ocupado nesse mister, apareceu-lhe um anjo e anunciou-lhe o nascimento de um filho. Deve-se notar que esse anúncio foi a primeira mensagem divina registrada desde o tempo do profeta Malaquias (cerca de 400 a.C.). Quem foi mencionado na última mensagem de Malaquias? (Ml 4.5). Quem foi mencionado na mensagem do anjo? (Lc 1.17).

Segue-se, depois, o aviso a Maria. Note que Mateus registra o anúncio feito a José. Mateus narra a história do ponto de vista de José; Lucas, de Maria. O fato de Lucas relatar a história da perspectiva de Maria fornece boas razões para se crer que a genealogia dada por Lucas é a de Maria.

Maria, provavelmente seguindo a sugestão do anjo (1.36), visita sua prima Isabel. Em resposta à saudação de Maria, Isabel pronuncia o belíssimo cântico, geralmente conhecido como "Magnificat" (1.46-55). Esse cântico baseia-se nas Escrituras do AT (v. Gn 30.13 e 1Sm 2.1-10).

Nasce João Batista. Contrariando o costume geral dos judeus, não lhe é dado o nome de algum parente morto. Significa "O Senhor é benigno" — nome adequado para o precursor do Senhor da graça. A língua de Zacarias solta-se e ele, cheio do Espírito de Deus, louva-o no cântico conhecido em geral como "Benedictus" (1.68-79).

Mateus registra apenas o fato de Cristo ter nascido em Belém. Lucas dá detalhes e apresenta as circunstâncias que induziram José e Maria a fazerem a viagem a essa aldeia, isto é, o recenseamento romano que exigia a presença de cada pessoa em sua aldeia natal, para fins de imposto. Quem pregou a primeira mensagem do Evangelho? (2.10-12). Quem foram os primeiros evangelistas? (2.15-17).

Paulo registra em Gálatas 4.4 que o Filho de Deus nasceu sob a Lei, a saber, cumpriu suas exigências. Assim, vemos seus pais, em Lucas 2.21-24, cumprindo a Lei no que diz respeito a ele em duas cerimônias — a da circuncisão e a da apresentação ao Senhor. Por meio da primeira, tornou-se membro da nação judaica e, pela segunda, foi reconhecida a reivindicação de Deus sobre ele como o primogênito da família (v. Êx 13.2-15; 34.19).

Lucas é o único evangelista que registra alguns acontecimentos da infância de Jesus. Ele o faz para acentuar sua natureza humana — a fim de apresentá-lo como o "descendente dela (mulher)" (Gn 3.15). O autor deseja mostrar que Jesus, embora Filho de Deus, cresceu de maneira natural (2.40,52). Ele registra a visita de Jesus a Jerusalém para demonstrar que Jesus, desde pequeno, tinha conhecimento de sua missão divina (2.49).

Lucas, como Mateus, apresenta uma genealogia de Jesus. Mas, examinando-se as duas, pode-se ver que divergem. Mateus traça a descendência de Jesus por *Salomão*, filho de Davi (Mt 1.6); Lucas, por *Natã*, também filho de Davi (Lc 3.31). A simples explicação é que a genealogia de Mateus é a de José; a que se encontra em Lucas é a de Maria. Mateus demonstra que Jesus tinha o *direito legal* ao trono de Davi; isso o torna herdeiro de Davi. Mas, como o Messias deve ser semente de Davi *segundo a carne*, e como Jesus não era de fato filho de José, resulta que o seu direito *natural* ao trono deve ser provado. Como o propósito de Lucas é salientar a natureza humana de Cristo — definindo-o como a descendência da mulher e descrevendo seu nascimento sob o ponto de vista de Maria, concluímos que a genealogia de Lucas é a de Maria, dada para provar que Jesus tinha o *direito natural* ao trono de Davi, por ter nascido de uma virgem da casa de Davi. Pode-se objetar que Lucas 3.23 mostra que José é filho de Eli e que Maria não é mencionada. Isso pode ser explicado pelo fato de que, entre os judeus, a descendência não era traçada pelo lado da esposa, de maneira que José, embora na realidade fosse genro de Eli, é considerado seu filho.

III. *O ministério de Jesus na Galiléia* (4.14—9.50)

1. A primeira rejeição em Nazaré (4.14-30)
2. A pesca milagrosa (5.1-11)
3. A ressurreição do filho da viúva (7.11-18)

4. Jesus é ungido por uma pecadora (7.36-50)
5. As mulheres que ministraram ao Senhor (8.1-3)
6. Zelo sem conhecimento é repreendido (9.49,50)

Os versículos 14 a 32 do capítulo 4 registram a primeira rejeição de Jesus em Nazaré. Depois de ter iniciado com sucesso seu ministério (Mt 4.23-25), ele volta à cidade natal. No sábado, encontra-se na sinagoga. Depois de ler as Escrituras, era costume convidar algum mestre ou pregador presente para proferir uma mensagem (cp. At 13.15). Tendo ouvido falar do ministério de Jesus, o ministro chama-o ao púlpito. Tendo escolhido o texto de Isaías 61.1, Jesus senta-se (segundo o costume dos mestres orientais) e prega sobre esse texto como se tendo cumprido nele. No início, o povo comove-se por suas palavras de graça, mas depois se escandaliza pelo fato de ser ele apenas o filho de José. Como podia ele, filho de um carpinteiro, ser o cumprimento das Escrituras? Jesus lembra-lhes que geralmente o profeta não é aceito em sua terra e ilustra isso citando dois incidentes do AT, nos quais os profetas de Deus, não apreciados por Israel, foram recebidos pelos gentios. A reação do povo mostra que eles entenderam estar Jesus se referindo implicitamente à sua rejeição pelos judeus e à aceitação pelos gentios.

Lucas complementa o relato de Mateus referente à chamada dos primeiros discípulos (Mt 4.18-22), registrando um milagre relacionado a esse fato — a pesca milagrosa. Tal revelação do poder de Cristo faz que Pedro se ajoelhe, profundamente convencido do seu estado pecaminoso. Podemos considerar esse milagre como símbolo da grande "pesca" do dia de Pentecoste (cp. Lc 5.10 e At 2.41).

Um enterro em Naim dá a Jesus a oportunidade de revelar-se como aquele que enxugará toda lágrima (Ap 21.4).

Enquanto Jesus está sentado na casa de um fariseu, uma mulher, grande pecadora, unge-o. O fariseu, que considera o contato da mulher contaminado, fica admirado. Jesus, na parábola dos dois devedores, ensina a Simão que os cuidados da mulher foram aplicados nele em gratidão pelos pecados perdoados. Simão, diz ele, não lhe tinha prestado esses cuidados. Essa declaração é um golpe contra o fariseu presunçoso, porque implica que ele não tinha sentido o fardo do pecado como a mulher, e por isso ele não manifestava gratidão.

Em 8.1-3, Lucas proporciona um *insight* do ministério das mulheres com relação a Jesus, citando algumas que ajudaram a sustentá-lo.

Jesus Cristo dá a seus discípulos uma lição de tolerância (9.49,50). Aqui vemos o outro lado do caráter do "discípulo amado". Embora amável e benigno, era zeloso, e sentia aversão a tudo quanto considerava errado.

IV. O ministério de Jesus na Peréia (9.51—19.28)

1. A rejeição de Jesus pelos samaritanos (9.51-56)
2. A missão dos setenta (10.1-24)
3. O bom samaritano (10.25-37)
4. Marta e Maria (10.38-42)
5. A parábola do rico insensato (12.13-21)
6. Uma lição sobre o arrependimento (13.1-10)
7. A cura da mulher enferma (13.11-17)
8. Discurso sobre a porta estreita (13.23-30)
9. A advertência a Herodes (13.31-35)
10. A cura do homem com o corpo inchado (14.1-6)
11. A verdadeira hospitalidade e a parábola da grande ceia (14.12-24)
12. Discurso sobre o preço do discipulado (14.25-35)
13. Parábolas de graça e advertência (caps. 15—16)

14. Uma lição sobre a fé (17.1-10)
15. Os dez leprosos (17.11-19)
16. Parábolas do juiz injusto e do fariseu e o publicano (18.1-14)
17. A conversão de Zaqueu (19.1-10)
18. Parábola das dez minas (19.11-28)

Podemos notar o preconceito dos samaritanos contra os judeus na recusa em receber Jesus, porque ele se dirigia para Jerusalém. João e Tiago, os "filhos do Trovão" (Mc 3.17), com espírito excessivamente zeloso, querem imitar o exemplo de Elias, fazendo cair fogo do céu. Tal zelo insensato é severamente censurado pelo Mestre.

Além dos 12 apóstolos, Jesus envia um grupo de 70 discípulos. Esse grande número era necessário porque o tempo de sua partida estava próximo, e o grande território da Peréia ainda não tinha sido evangelizado. As instruções aos 70 são semelhantes às dos doze.

Jesus aproveita a oportunidade oferecida pela pergunta de um doutor da Lei para aplicar um golpe no preconceito judaico. Em resposta à pergunta: "E quem é o meu próximo?", Jesus conta a parábola do bom samaritano, escolhendo como exemplo perfeito de "próximo" alguém de um povo odiado pelos judeus. A lição contida na parábola é que qualquer pessoa necessitada, judeu ou gentio, é o nosso próximo (10.25-37).

Os versículos 38 a 42 do capítulo 10 dão algumas informações sobre a vida social de Jesus, descrevendo duas pessoas das mais íntimas: Marta e Maria. É interessante mencionar que Lucas, em seu evangelho, salienta o ministério das mulheres (v. tb. Lc 1.26-55; 2.36; 8.1-3).

Na parábola do rico insensato, Jesus censura a cobiça.

Contaram a Jesus algumas calamidades sofridas pelos galileus, como se elas fossem resultado de pecados do povo (13.1-10). Cristo ensina a seus informantes que o sofrimento excepcional não era necessariamente resultado de pecados excepcionais, e que eles também, se não se arrependessem, pereceriam. Jesus conta, então, a parábola da figueira estéril, a fim de mostrar a paciência de Deus com Israel e os pecadores em geral.

O método de Jesus, ao tratar de perguntas puramente especulativas, pode ser visto em 13.23-30. Os discípulos levantaram a questão de quantos seriam salvos. Jesus, em vez de lhes dar uma resposta direta, aconselha-os a se esforçarem para passar pelo caminho estreito que conduz à vida eterna.

Temendo que as grandes massas atraídas por Jesus pudessem causar perturbação no seu território, Herodes, governador da Galiléia e Peréia, mandou alguns fariseus dizerem a Jesus que saísse dos seus domínios. Percebendo a intriga da "raposa", Jesus assegura-lhe que não há nada a temer dele, pois está trabalhando para a salvação da humanidade. Herodes não precisa tentar matá-lo. Jerusalém, "o matadouro dos profetas", se encarregará disso. Recordando-se de Jerusalém, Cristo derrama lágrimas e profetiza sua destruição (13.31-35).

Dando uma lição da verdadeira hospitalidade, Jesus aconselha seus ouvintes a convidarem para as suas festas os pobres e necessitados. Seriam recompensados na ressurreição dos justos pelos seus atos de bondade (14.12-14). Ao ouvir falar da ressurreição, um dos que estavam à mesa irrompe em exclamação de alegria diante da feliz perspectiva da vinda do Reino de Deus (v. 15). Jesus aproveita a oportunidade para ensinar que, por mais abençoado que seja esse acontecimento, muitos recusarão o convite para o grande banquete (v. 16-24).

Os versículos 25 a 35 do capítulo 14 mostram como Jesus tratava aqueles que pretendiam tornar-se seus discípulos. Não lhes prometia uma vida de comodidade, mas exigia a mais completa abnegação. Sua medida para um discípulo era a cruz.

Em resposta ao insulto dos fariseus que o acusaram de associar-se aos pecadores, Jesus pronuncia as parábolas da ovelha perdida e do filho pródigo, para ensinar o amor de Deus pelos pecadores (cap. 15). Note que todas essas parábolas têm a mesma linha de pensamento: a perda, a restauração e a alegria. O capítulo 16 contém as parábolas do mordomo infiel e do rico e Lázaro. A primeira é destinada a ensinar aos cristãos a previdência no que diz respeito a questões monetárias. Um mordomo infiel vai ser despedido de seu emprego. Não querendo trabalhar e tendo vergonha de mendigar, resolve usar o dinheiro do patrão para assegurar um futuro feliz para si. A aplicação é a seguinte: os cristãos são mordomos, quer dizer, foi-lhes confiada a propriedade de seu dono. Chegará o tempo em que terminará a mordomia (pela morte). Por essa razão, devem usar o dinheiro na terra de tal maneira (auxiliando missões etc.) que, quando chegarem ao céu, poderão desfrutar dos juros eternos dos capitais investidos (cp. Lc 16.9 e 1Tm 6.17, 18). O incidente com o rico e Lázaro mostra a sorte daqueles que, não levando em consideração os sofrimentos de seu próximo, vivem inteiramente para si.

O mandamento de Cristo para perdoar (17.1-4) induz os discípulos a desejarem uma experiência espiritual mais profunda, ou seja, um aumento da fé (v. 5). Eles têm em mente a *quantidade* de fé; Jesus salienta a *qualidade*, demonstrando a eficácia de uma fé tão pequena como um grão de mostarda. Em seguida lhes ensina que, mesmo tendo a fé que arranca amoreiras, não deviam vangloriar-se disso, e sim considerar-se servos inúteis (v. 10). Crer em Deus é apenas seu dever.

Lucas é o evangelho da humanidade: na escolha das parábolas, salienta o amor de Deus por todos os homens. É interessante observar como o autor ressalta o amor de Jesus pelos samaritanos — povo odiado e desprezado pelos judeus (cf. 9.52-56; 10.25-37). No caso da cura dos leprosos (17.11-19), ele destaca a ingratidão dos nove judeus leprosos em contraste com a fé e a gratidão de um samaritano (v. 17,18).

Para ensinar a importância da oração, Jesus narra a parábola do juiz injusto. A lição é esta: se um juiz *injusto* se comove com a importunação de uma mulher pela qual não sente nenhum interesse, mais se comoverá Deus, o justo juiz, que responderá às orações daqueles a quem ama. A parábola do fariseu e publicano é uma bela ilustração de Romanos 3.19-21.

Os versículos 1 a 10 do capítulo 19 registram a conversão de um membro dessa classe desprezada — os publicanos. Eram coletores de impostos, judeus a serviço do governo romano. Por servirem aos opressores dos judeus e pelo fato de serem geralmente desonestos, eles eram odiados pelo povo. Zaqueu manifestou a sinceridade de sua conversão com a oferta de restituir tudo o que tinha adquirido por meios desonestos.

A parábola das dez minas (19.11-28) é a mesma que encontramos em Mateus 25.14-30? Compare-as.

V. *A crucificação e a ressurreição de Jesus* (19.29—24.53)

1. Cristo lamenta Jerusalém (19.41-44)
2. Os discípulos disputam posições mais elevadas (22.24-30)
3. Advertência a Pedro (22.31-34)
4. Instruções aos discípulos (22.35-38)
5. Jesus perante Herodes (23.8-12)
6. A lamentação das mulheres de Jerusalém (23.27-31)
7. O ladrão arrependido (23.39-43)
8. No caminho de Emaús (24.13-35)
9. A ordem de permanecer em Jerusalém (24.49)

Com que sentimentos a divindade pronuncia julgamento? O choro de Jesus sobre Jerusalém responderá a essa pergunta. Ele profetiza a destruição da cidade pelos romanos e atribui as futuras calamidades à ignorância espiritual — "Porque você não reconheceu a oportunidade que Deus lhe concedeu".

Apesar de terem sido instruídos por Jesus, os discípulos eram ainda tardios, lentos no entendimento. O fato de haver discussões entre eles pelas posições mais elevadas no Reino demonstra que não tinham compreendido claramente sua verdadeira natureza. Ainda ocupava a mente deles a imagem de um reino temporal. Jesus aproveita a oportunidade para lhes dar uma lição de humildade.

Em 22.31,32 temos uma vista dos bastidores e a causa da grande queda de Pedro. Sua confiança exagerada fez que Deus permitisse a Satanás peneirá-lo (compare com a tentação de Satanás a Jó). Também aprendemos por que se levantou Pedro após a queda — Cristo orou por ele.

Oferecemos uma paráfrase das palavras de 22.35-38. É quase como se Jesus dissesse aos seus discípulos: "Quando vocês saíram a primeira vez, eu era popular entre o povo e, conseqüentemente, a vocês, os meus representantes, não faltava nada. Mas as condições modificaram-se. A nação está contra mim; estou para ser crucificado — por ser contado entre os transgressores. Assim, vocês não devem esperar uma boa acolhida por parte do povo. Por esse motivo, levem bolsa e alforge. Como símbolo da luta espiritual que vocês travarão, arranjem espadas".

Pôncio Pilatos, tendo examinado Jesus e informado que ele era natural da Galiléia, enviou-o a Herodes, governador dessa província. Herodes ouvira falar dos milagres de Jesus e está ansioso para ver seu poder. Trata-o como teria tratado um mágico de cujos poderes deseja ser testemunha. Jesus não tem nada a dizer a esse governante cruel, e mantém-se muito digno em silêncio. Herodes e seus soldados escarnecem dele e mandam-no de volta a Pilatos.

No caminho para a cruz, Jesus encontra as mulheres de Jerusalém, que o lamentam. Ele lhes diz que não queria a compaixão delas; são elas dignas de dó, porque — pergunta a elas —, se os inocentes sofrem como ele vai sofrer, o que sucederá aos culpados? (23.31).

Mateus informa-nos que os dois ladrões crucificados com Cristo o injuriaram. Lucas acrescenta mais um detalhe: um deles se arrependeu. Eles representam, com relação a Cristo, dois tipos de homens. Ambos são pecadores, condenados pela lei e sofrem a punição legal, ambos sem esperança, mas um é salvo e o outro se perde. A atitude desses homens com o inocente que pendia da cruz decidiu o destino deles.

Em 24.13-35 tomamos conhecimento dos sentimentos dos discípulos antes da ressurreição de Cristo. A morte do Mestre foi um golpe duro para eles. Embora Jesus tivesse profetizado sua ressurreição, eles não tinham compreendido completamente a verdade de que o Messias sofreria e logo ressuscitaria, tão influenciados estavam pela idéia judaica de que a vinda do Messias seria gloriosa. Na exposição das Escrituras que fez com que os corações dos dois discípulos "queimassem", Jesus, a princípio, ocultou sua identidade, mostrando-lhes que era necessário que o Messias sofresse, antes de entrar na sua glória.

Lucas termina seu evangelho com a ordem de Jesus aos discípulos de permanecerem em Jerusalém, e sua ascensão. O registro dos acontecimentos repetidos no primeiro capítulo do livro de Atos foi escrito pelo mesmo autor.

5
João

Tema. O evangelho de João é um acervo de testemunhos que provam que Jesus é o Cristo, o Filho do Deus vivo. Foi escrito por João em resposta a um apelo da Igreja — que já possuía os outros evangelhos — pelas verdades mais profundas do Evangelho, visando promover a vida espiritual da Igreja. Contém a substância da pregação de João, as verdades espirituais que ele recebera do Senhor. O propósito do autor é apresentar Cristo a todos os cristãos como o Verbo encarnado de Deus.

Autor. O apóstolo João. Autores confiáveis dos primeiros séculos informam-nos que João escreveu o evangelho no fim do primeiro século, e que substancialmente incorporava a pregação das verdades mais profundas que ele apreendera da comunhão íntima com Cristo.

De todos os apóstolos, foi João quem desfrutou de maior comunhão com o Mestre. Pertenceu ao círculo íntimo constituído, além dele, por Pedro e Tiago, que tiveram o direito exclusivo de estar presentes nas grandes crises do ministério de Jesus, tais como a transfiguração e a agonia no Getsêmani. Foi João quem se inclinou sobre o peito de seu Mestre durante a ceia pascal; foi ele quem acompanhou Jesus ao julgamento, quando os outros discípulos tinham fugido (Jo 18.15). De todos os apóstolos, foi ele o único que esteve ao pé da cruz para receber a mensagem de Cristo antes de este morrer (Jo 19.25-27). Essa intimidade e comunhão com o Senhor, aliada a meio século de experiência como pastor e evangelista, qualificaram-no para escrever este evangelho, que contém as doutrinas mais espirituais e sublimes de Cristo.

Para quem foi escrito. Para a Igreja em geral. O evangelho de João foi escrito muitos anos depois dos outros três. Estes, em termos gerais, contêm uma mensagem evangélica para os homens não espirituais; são evangelhos missionários. Cristãos de todas as partes, de igrejas estabelecidas pelo trabalho dos apóstolos, passaram a solicitar uma declaração das verdades mais profundas dos ensinos de Jesus. João escreveu seu evangelho para satisfazer a esse apelo.

É evidente, pelos seguintes fatos, que este evangelho foi, primeiramente, escrito para cristãos:

1. As doutrinas sobre alguns dos temas mais profundos do Evangelho — a preexistência de Cristo, a encarnação, a relação com o Pai, a pessoa e a obra do Espírito Santo — indicam que foi escrito para um povo espiritual.

2. O autor presume que as pessoas a quem se dirige estão familiarizadas com os outros três evangelhos, porque omite a maioria dos acontecimentos bastante conhecidos da vida de Jesus, exceto, naturalmente, os que se relacionam com a paixão e a ressurreição, sem os quais nenhum evangelho poderia estar completo.

Conteúdo

I. Prefácio (1.1-18)

II. A manifestação de Cristo ao mundo (1.19—6.71)

III. Rejeição às reivindicações de Cristo (7.1—12.50)

IV. A manifestação de Cristo a seus discípulos (caps. 13—17)

V. A humilhação e glorificação de Cristo (caps. 18—21)

I. Prefácio (1.1-18)

1. A manifestação de Cristo na eternidade (1.1-5)
2. A manifestação de Cristo no tempo (1.6-18)

Os sinóticos começam sua história registrando a origem terrestre de Cristo. Mateus e Lucas registram o nascimento virginal. João leva em consideração que os cristãos em geral estão familiarizados com esses fatos e, omitindo o registro da origem terrestre de Cristo, descreve sua origem celeste. Embora João não dê um relato direto do nascimento virginal de Cristo, refere-se indiretamente a ele no versículo 14.

É digno de nota o nome pelo qual João se refere a Cristo — a Palavra. Cristo é chamado a Palavra porque, assim como as palavras são a expressão de nossos pensamentos e de nosso caráter, Cristo foi a expressão do pensamento de Deus sobre nós e de seu caráter, ou seja, de sua essência.

Como o mundo recebeu o Criador? (v. 10). Que versículo pode ser considerado o mais triste da Bíblia? (v. 11). O que foi dado àqueles que o receberam? A que acontecimento se refere o versículo 14? (cp. Fp 2.6-8). O que os discípulos receberam, segundo João? (v. 16; cp. Cl 1.19; 2.9). Qual o contraste expresso no versículo 17?

II. A manifestação de Cristo ao mundo (1.19—6.71)

1. O testemunho de João Batista (1.19-34)
2. O testemunho dos primeiros discípulos (1.35-51)

3. O primeiro milagre e a primeira purificação do templo (cap. 2)
4. Entrevista com Nicodemos (3.1-21)
5. O testemunho de João a seus discípulos (3.22-36)
6. O ministério de Jesus em Samaria (4.1-43)
7. A cura do filho do oficial do rei (4.43-54)
8. A cura do paralítico, seguida por um discurso (cap. 5)
9. Multiplicação dos pães; discurso sobre o pão da vida (cap. 6)

João, como os demais evangelistas, menciona o ministério de João Batista. Este atraía grandes multidões e ministrava o batismo, um rito novo para a religião judaica. As autoridades judaicas, então, sentiram-se obrigadas a investigar as declarações desse novo pregador. Enviaram uma comissão para interrogá-lo acerca de sua identidade e autoridade. Humildemente, ele confessa não ser mais que "a voz do que clama no deserto" (1.23); que sua missão é igual à dos engenheiros daquele tempo antes da visita de um rei oriental, a saber, a preparação dos caminhos para ele passar (1.23); que seu batismo era apenas um símbolo daquele que seria administrado pelo Messias (1.26,27,33). No dia seguinte, João Batista, como verdadeiro ministro do Evangelho, dirigiu a atenção dos seus ouvintes para Jesus, dizendo: "Vejam! É o Cordeiro de Deus, que tira o pecado do mundo!". Em seguida, revela um dos motivos de batizar Jesus, a saber, para ter uma revelação da divindade dele (v. 33).

Não há inveja em João Batista. No dia seguinte, repete a mensagem e anima os seus discípulos a seguirem Jesus. Um daqueles que ouviu a mensagem foi André, irmão de Pedro. Outro, cujo nome não é citado, pode ter sido João, o autor deste evangelho. André demonstra a veracidade de sua experiência espiritual conduzindo seu irmão Pedro ao Messias. Jesus, reconhecendo nele a pessoa destinada a tornar-se a primeira pedra viva de sua Igreja, dá-lhe o nome profético de Cefas (1.42). Jesus, em seguida, chama Filipe, que, com entusiasmo, assegura a Natanael que encontrou o Messias, Jesus de Nazaré. Natanael quase não consegue acreditar que o Messias tenha vindo de Nazaré, povoado desprezado da Galiléia, mas logo é convencido, pelo conhecimento sobrenatural de Jesus, que ele realmente é o Rei de Israel.

Um casamento em Caná oferece a Jesus a oportunidade de manifestar seu poder. Seu comparecimento a uma cerimônia desse tipo prova sua disposição de manter relações com o povo e de santificar tais reuniões com sua presença. Nesse caso, tendo acabado o vinho, a alegria do casamento estava em perigo, e o dono da festa, ameaçado de vexame. Conhecendo os poderes milagrosos do filho e desejando com seu orgulho natural de mãe que ele os manifestasse, Maria informa-o de que não tinham mais vinho, sugerindo, indiretamente, que ele providenciasse algum. Jesus lembra-lhe que, embora estivesse submetido a ela até o princípio de seu ministério, as relações a partir de então são outras (2.4). Agora ele é guiado pelo pai celestial, que determina todos os acontecimentos de sua vida.

Os judeus tinham permitido que o espírito comercial violasse a santidade dos recintos do templo, porque havia vendedores de animais para o sacrifício e cambistas espalhados pelo átrio dos gentios. Tal profanação da casa de seu pai fez Jesus expulsar do templo esses comerciantes. Argumentando que somente um profeta ou o próprio Messias poderia purificar o templo, os chefes pediram a Jesus que provasse sua autoridade por um sinal. Ele lhes dá o sinal de sua morte e ressurreição. Mais tarde, as palavras referentes a esse sinal foram a base de uma acusação falsa (Mt 26.61).

Os milagres de Jesus tinham atraído muitos seguidores (2.23), mas Jesus não confiava numa fé que se baseasse apenas em sinais. Uma das pessoas impressionadas por seus milagres foi um fariseu chamado Nicodemos, uma autoridade entre os judeus. Começou a sua conversa com Jesus reconhecendo ser ele um mestre enviado de Deus. Jesus ignora os elogios e, inesperadamente, diz a Nicodemos que é necessário nascer de novo. Nicodemos parecia estar convencido de que o Reino de Deus proclamado por Jesus estava prestes a ser inaugurado e, portanto, quis unir-se a esse Reino. Jesus, então, explica-lhe que a única maneira de entrar nesse Reino é nascer nele. Nicodemos, de acordo com a visão judaica comum, pensava que o Reino viria com grande demonstração exterior. Jesus mostra-lhe que ele vem pela ação misteriosa do Espírito no coração (3.8). Nicodemos, como os judeus em geral, achava que o Reino seria inaugurado pela aparição gloriosa do Messias. Jesus explica-lhe que deveria ser inaugurado pela morte do Messias (3.14).

Os discípulos de João Batista, vendo que as multidões o abandonavam para unir-se a Jesus, queixam-se ao mestre (3.25,26). João diz que esse fato corresponde exatamente ao plano de Deus. Ele é apenas o amigo do noivo, isto é, aquele que, segundo o costume judaico, pede a mão da moça e prepara as bodas. Sua missão é conduzir o noivo — o Messias — à noiva — a nação judaica — (3.29); feito isso, sua missão está terminada (3.30).

O capítulo 4 registra a entrevista de Jesus com uma mulher de Samaria. Torrey apresenta um contraste interessante entre ela e Nicodemos:

Uma mulher	Um homem
Uma samaritana	Um judeu
Uma prostituta	Um mestre de Israel
Veio ao meio dia	Veio à noite
Confessou imediatamente a Jesus	Um discípulo secreto
Trouxe uma cidade inteira a Cristo	Trouxe (?) a Cristo

Uma necessidade comum: o Espírito Santo. João 3.5 e 4.14: "Não há diferença".

O capítulo 5 registra o princípio dos conflitos de Jesus com os judeus a respeito de seus direitos divinos. Censuram-no por curar um homem no sábado. Ele defende-se afirmando que Deus, seu

Pai, está associado a ele na obra de curar no sábado (5.17). Por essa razão, e porque ele não faz nada independente do Pai (v. 19), está perfeitamente justificado por curar a humanidade doente no sábado. Em seguida Jesus reclama alguns direitos surpreendentes. Afirma ser ele quem ressuscita os mortos (v. 21-29); que tem honra igual à do Pai (v. 23); que é juiz de todos os homens (v. 22,27). Como testemunhas de seus direitos, ele aponta João Batista (v. 33), suas obras (v. 36), o Pai (v. 37), as Escrituras (v. 39) e Moisés (v. 46).

A multiplicação dos pães registrada no capítulo 6 marca o ponto máximo da popularidade de Cristo. O povo está tão convencido de ser ele o profeta por quem esperavam havia tanto tempo, que procuram fazê-lo rei. Mas Jesus recusa essa honra porque não veio para reinar, mas para morrer (v. 26-65). Jesus dá o golpe mortal em sua popularidade, porque, enquanto eles crêem que a salvação se efetuará por um Messias glorioso, ele ensina que o será pela morte do Messias. Antes de tudo, ele os censura por buscarem o alimento natural em vez do espiritual (v. 26,27). Ao lhe perguntarem o que deviam fazer para obter esse alimento verdadeiro, ele responde que deviam crer nele (v. 28,29). O povo logo lhe pede um sinal para poder acreditar nele (v. 30), e mencionam o fato de Moisés ter-lhes dado o maná do céu (v. 31). Jesus responde que o maná era simplesmente um símbolo dele mesmo, o verdadeiro Maná (v. 32,33,35) e que, como Israel rejeitou o maná terrestre, da mesma forma rejeitou também o celestial (v. 36). Embora a nação, em geral, tenha-o rejeitado, há um remanescente fiel que virá a ele (v. 37), e esse remanescente ele não lançará fora, porque a vontade do Pai é dar-lhe vida eterna (v. 38-40). Os judeus murmuram ao ver que o filho de um carpinteiro declara ter vindo do céu (v. 42). Jesus diz-lhes que uma revelação divina é necessária para convencê-los da sua divindade (v. 44,45). Logo em seguida, declara-lhes como podem obter a vida eterna — comendo a sua carne e bebendo o seu sangue, isto é, crendo nele como a expiação de seus pecados. Os judeus não compreendem a linguagem figurada; tomam-na literalmente

(v. 52,60). Jesus, então, diz-lhes que suas palavras não devem ser tomadas literalmente, mas de modo espiritual (v. 63).

Observe o resultado desse discurso: uma "peneirada" nos discípulos de Jesus (v. 60-71).

III. Rejeição às reivindicações de Cristo (7.1—12.50)

1. Jesus na festa das cabanas (cap. 7)
2. A mulher adúltera (8.1-11)
3. Discursos sobre a luz do mundo e a liberdade espiritual (8.12-59)
4. A cura de um cego de nascença (cap. 9)
5. O discurso do bom pastor (10.1-21)
6. Jesus na festa da dedicação (10.22-42)
7. A ressurreição de Lázaro (11.1-46)
8. A rejeição final de Cristo pela nação (11.47—12.50)

Os irmãos de Jesus pedem-lhe que assista à festa das cabanas (ou dos tabernáculos, segundo outras versões da Bíblia) e manifeste suas obras ao povo, porque eles julgam que, se ele é de fato o Messias, deve fazer uma proclamação pública de seus direitos em vez de permanecer num povoado insignificante da Galiléia (7.1-5). Até então eles não acreditavam que ele fosse de fato quem pretendia ser, mas veio o tempo em que creram (At 1.14). Jesus responde que a hora em que ele tem de ir a Jerusalém ainda não chegara. Mais tarde ele foi à festa, em segredo (7.10), para evitar as caravanas de peregrinos galileus que o reconheceriam e talvez fizessem uma demonstração pública.

Quando Jesus começa a ensinar no templo, o povo admira-se com suas pregações, porque sabem que ele não tinha freqüentado as escolas de teologia (7.15). Jesus explica que seu ensino vem diretamente de Deus (v. 16) e que, se alguém estivesse realmente disposto a fazer a vontade de Deus, provaria que seu ensino é verdadeiro. Depois defende sua sinceridade, demonstrando que não busca a própria glória (v. 18). Olhando no coração deles, vê o ódio contra ele e acusa-os de violarem a Lei de Moisés (v. 19). Em seguida defende a cura de um homem no sábado (v. 21.24; cp. cap. 5). Ao ouvirem Jesus falar com tanta ousadia, alguns pensam que os chefes talvez o aceitem como o Cristo (v. 26). Outros não podem crer que seja o Messias porque conhecem sua residência e seus pais (v. 27). Jesus reconhece que eles sabem essas coisas, mas replica que ignoram o fato de que foi enviado por Deus (v. 28). Outros, recordando os milagres de Jesus, inclinam-se a crer que é o Messias (v. 31). Os fariseus, ao ouvirem isso, mandam prendê-lo (v. 32). Jesus, então, diz-lhes que o desejo de livrar-se dele logo será cumprido (v. 33); mas virá o tempo em que buscarão um libertador e não encontrarão nenhum (v. 34). Durante a festa das cabanas, era costume os sacerdotes irem ao tanque de Siloé tirar água num cântaro de ouro cantando Isaías 12. A água era derramada sobre o altar. O ritual era considerado como uma comemoração da água dada no deserto, e era simbólico do derramamento futuro do Espírito sobre Israel.

Provavelmente, foi nesse ponto que Jesus se tinha proclamado a fonte das águas vivas, a rocha aberta da qual o mundo inteiro pode beber (v. 37-39). Ao ouvirem isso, muitos reconheceram que ele era o Messias (v. 40), mas outros opuseram-se por ele ter vindo da Galiléia. Os guardas do templo, impressionados e intimidados por suas palavras majestosas, não o prenderam (v. 46). Os fariseus censuraram-nos dizendo que nenhuma das autoridades acreditou nele, mas somente o povo ignorante (v. 47-50). Nesse ponto, Nicodemos defende Jesus, e logo os fariseus afirmam encolerizados que, segundo as Escrituras, nenhum profeta viria da Galiléia (7.52). Isso não era certo, porque tanto Jonas como Elias eram daquela região.

Os escribas e fariseus trazem à presença de Jesus uma mulher apanhada em adultério e perguntam a ele se a adúltera não deveria ser castigada com a pena imposta pela Lei de Moisés. Era uma tentativa de pôr Jesus num dilema. Se ele ordenasse a libertação da mulher, estaria contradizendo sua declaração de que não viera para destruir, mas, sim, para cumprir a Lei de Moisés (Mt 5.17). Se dissesse que a mulher deveria ser apedrejada, de acordo com a Lei, poderia ser acusado de contradizer sua declaração de que não tinha vindo para julgar, mas, sim, para salvar os pecadores. Jesus resolve a questão transferindo o caso para o tribunal da consciência. Nessa corte, seus inquiridores descobrem que "todos pecaram e estão destituídos da glória de Deus" (8.3-11; Rm 3.23).

Jesus proclama-se em seguida a luz do mundo — um direito verdadeiramente divino (8.12). Os fariseus objetam que o testemunho em benefício próprio não prova a verdade de suas pretensões (v. 13). Jesus responde que ele pode dar testemunho de si mesmo, porque tem conhecimento perfeito de sua origem e natureza divinas (v. 14).

Refere-se em seguida ao testemunho de seu Pai (v. 18), isto é, aos milagres pelos quais Deus confirmou a palavra de seu Filho. Jesus então acusa os fariseus de ignorância acerca do Pai (v. 19). Apesar de o rejeitarem, dia virá em que buscarão um Messias (v. 21) e não o encontrarão. Diz-lhes que, depois de sua crucificação e ressurreição, quando o Espírito for derramado e obras poderosas tiverem sido realizadas em seu nome, então eles terão inúmeras provas de sua divindade (v. 28).

Essas declarações fizeram que muitos do povo cressem nele (8.30), mas Jesus, sentindo fraqueza em sua fé, exorta-os a continuarem firmes com seu ensinamento, que os libertará completamente do pecado (v. 31,32). Alguns discípulos escandalizam-se com essas palavras, porque, como judeus, consideravam-se homens livres (v. 33). Jesus explica que a escravidão a que se refere é a servidão ao pecado (v. 34-37). Ele lhes mostra que não são semente de Abraão, porque não executam as obras de Abraão, isto é, as obras da fé (v. 37-40). Prova a falsidade da pretensão deles de serem filhos de Deus (v. 42). Diz-lhes que sua aversão à verdade e o ódio em seus corações mostram que são filhos do Diabo (v. 44). Desafia-os a ou acusá-lo de algum pecado, ou, então, a crerem nele (v. 46). É, então, acusado de fazer-se maior que Abraão, por ter prometido livrar da morte espiritual aqueles que crêem nele (v. 53). Jesus responde que Abraão previu sua vinda (v. 56). Essa declaração surpreende os judeus, que não podem compreender como ele e Abraão se podem conhecer (v. 57). Jesus afirma, então, sua preexistência (v. 58). Os judeus entendem essa atitude como uma pretensão de igualar-se à divindade e procuram apedrejá-lo como blasfemador (v. 59).

A cura de um cego no sábado ocasiona novamente o ódio dos chefes. Depois de uma tentativa de provar que Jesus é pecador, são confundidos pelos argumentos de um pobre homem sem instrução que foi curado (cap. 9).

Provavelmente para mostrar o contraste entre os falsos pastores que expulsaram o homem da sinagoga e os pastores verdadeiros, Jesus pronuncia o discurso registrado em 10.1-21 (Leia Ez cap. 34). Nos versículos 1 e 2 refere-se aos verdadeiros pastores que entram no redil por meio dele, que é a porta, referindo-se àqueles que têm vocação divina. Nos versículos 8, 9 e 12, Jesus refere-se evidentemente aos messias e profetas falsos, que enganaram o povo e causaram sua destruição.

Na festa da dedicação, os judeus perguntam a Jesus se ele é o Cristo (10.23,24). Jesus responde que as suas obras e palavras provam que ele é o Cristo (v. 25), mas que eles não tinham crido porque não pertenciam ao seu rebanho; não obedeciam à voz do pastor divino (v. 26,27). Jesus descreve em seguida a segurança de suas ovelhas e termina declarando: "Eu e o Pai somos um" (v. 30). Os judeus procuram apedrejá-lo por ele dizer que era igual a Deus. Jesus justifica o direito de chamar-se Filho de Deus por meio de uma citação do AT. Ele afirma que naquela época os príncipes e juízes às vezes eram chamados deuses (v. 34,35; Sl 82.6). Assim, pois, se juízes injustos, representantes temporários de Deus, foram chamados deuses, por que ele, o juiz justo e eterno, não poderia ser chamado Filho de Deus? (v. 36). Ele diz que eles não precisam crer nele se as obras não forem divinas (v. 37,38).

A comoção causada pela ressurreição de Lázaro (cap. 11) reúne os sacerdotes e fariseus num concílio com o propósito de determinar a morte de Jesus (11.47). Caifás deseja livrar-se de Jesus por razões políticas. Argumenta que, se for permitido a Jesus continuar seu ministério, sua popularidade causará um tumulto popular que despertará as suspeitas dos romanos e resultará na perda do poder e ofício dos dirigentes e em calamidade para a nação. Assim sendo, ele argumenta: é melhor que um só homem sofra, em lugar de uma nação inteira (v. 49,50). Isso é o que ele quis dizer com suas palavras, no versículo 50, mas Deus lhe conferiu o significado de profecia da morte expiatória do Messias (v. 51,52).

O capítulo 12 registra dois acontecimentos mencionados pelos outros evangelistas: a unção de Jesus e a entrada triunfal. Durante a festa da Páscoa, um pedido de alguns gentios que desejam vê-lo (12.20) evoca uma profecia de sua morte, que traria a salvação ao mundo gentílico (v. 24). Depois ele assinala o caminho que seus discípulos deviam seguir — o da abnegação e, até mesmo, da morte (v. 25,26).

Embora a idéia de uma morte vergonhosa lhe seja extremamente repulsiva, ele não recua (v. 27). Anuncia que a sua morte será o juízo do mundo (v. 31), a derrota de Satanás (v. 31) e o meio de atrair para ele a humanidade enferma pelo pecado (v. 32). Os versículos 37 a 41 do capítulo 12 registram o resultado geral do ministério de Cristo para Israel — rejeição da luz, seguida por cegueira espiritual. Os últimos versículos do capítulo contêm o último apelo de Jesus à nação.

IV. A manifestação de Cristo a seus discípulos (caps. 13—17)

1. Discursos de despedida (caps. 13—17)
2. A oração intercessora (cap. 17)

Os versículos 1 a 17 do capítulo 13 contêm o exemplo supremo da humildade de Cristo. Com plena consciência de sua divindade (v. 3), humilha-se ao executar a tarefa mais servil, a de lavar os pés de seus discípulos. O motivo desse ato é explicado por ele (v. 13-17): em parte, é um exemplo aos seus seguidores para que se humilhem e sirvam uns aos outros. Eles necessitavam dessa lição (v. Lc 22.24).

Há muitos motivos para duvidar que Jesus tivesse a intenção de estabelecer literalmente um ritual de lava-pés, especialmente por ser costume naquele tempo o hospedeiro oferecer água e toalha e um servo para lavar os pés de seus hóspedes, visto que se usavam sandálias abertas e os pés naturalmente se sujavam nas caminhadas pelas ruas e estradas poeirentas.

Parece haver aqui um símbolo muito mais profundo, porque Cristo fez tudo tendo em vista sua cruz e a função subseqüente como nosso sumo sacerdote e advogado à direita do Pai. "Sabendo Jesus que havia chegado o tempo em que deixaria este mundo e iria para o Pai... sabia que o Pai havia colocado todas as coisas debaixo do seu poder, e que viera de Deus e estava voltando para Deus; assim, levantou-se da mesa, tirou sua capa e colocou uma toalha em volta da cintura" (v. 1,3,4).

O contexto, então, mostra claramente que seu ato foi um símbolo de sua futura obra redentora e sacerdotal. Cremos que ele interpretava simbolicamente o seu ministério, conservando limpos os pés (a caminhada diária) dos seus santos. "Se, porém, alguém pecar, temos um intercessor junto ao Pai, Jesus Cristo, o Justo" (1Jo 2.1).

Ele diz a Pedro: "Você *não compreende agora* o que estou lhe fazendo; *mais tarde*, porém, *entenderá*" (v. 7). Pedro, com certeza, compreendeu que Cristo ia lavar-lhe os pés literalmente, mas o Senhor indica que o significado desse ato Pedro só compreenderia mais tarde, na sua experiência. Depois da sua terrível falta, ao negar Cristo, Pedro reconheceu o verdadeiro sentido das palavras do Mestre: "Mas eu orei por você, para que a sua fé não desfaleça" (Lc 22.32), quando foi purificado e restituído à companhia de seu Senhor.

Depois de ter anunciado o ato da traição e a saída do traidor, Jesus revela o espírito que haveria de caracterizar as relações de seus discípulos entre si, na sua ausência, isto é, o amor (v. 34). O amor mútuo deverá ser o distintivo do discipulado cristão (v. 35).

Depois de ouvir falar da morte e da partida do Senhor, os discípulos ficam tristes. Agora, ele diz as palavras consoladoras mencionadas no capítulo 14. Como remédio para a perturbação deles, ele sugere três coisas: que tenham fé nele (v. 1); ele irá preparar-lhes um lugar (v. 2); ele voltará de novo (v. 3). Em resposta à pergunta de Tomé a respeito do caminho para o céu (v. 5), responde que ele é o caminho. Ele é o caminho porque é a imagem e o revelador do Pai (v. 7,9). Sua união completa com o Pai é mostrada pelo fato de que até as palavras eram ditas e as obras realizadas por meio do poder direto do Pai. E a união dos discípulos com ele devia ser tão forte a ponto de fazerem as mesmas obras (v. 12). Isso seria realizado por meio da oração (v. 13). A obediência a seus mandamentos e o amor por ele seriam a causa pela qual ele lhes mandaria um consolador, que agora habitava *com eles*, mas posteriormente estaria *neles* (v. 16,17); e faria também com que o Pai e o Filho se manifestassem a eles (v. 21-25). No versículo 26 ele expõe o ministério do Espírito com relação aos discípulos. E transmite a eles seu último legado — a sua paz (v. 27,28).

No capítulo seguinte, Jesus explica a relação entre os discípulos e ele em sua ausência — uma união orgânica e vital, simbolizada pela videira e seus ramos. Mostra como essa videira se conserva limpa e frutífera: tiram-se os ramos que não dão frutos e limpam-se os sadios (v. 2). Seus discípulos já foram purificados por seu ensino (v. 3), mas ele exorta-os a permanecerem nele para conservar a união vital (v. 4-6). Ele mostra-lhes como podem ser atendidas suas orações, eles permanecendo nele e as palavras dele permanecendo neles. Se tiverem frutos, haverá resultados: o Pai será glorificado e eles se mostrarão verdadeiros discípulos (v. 8). Exorta-os a continuarem em seu amor (v. 9), pela observação de seus mandamentos (v. 10).

A união entre os discípulos há de ser mantida pelo espírito de amor (v. 12,13). Guardando os seus mandamentos, eles entram numa relação mais íntima com ele; o Mestre escolheu-os como seus discípulos (v. 16). Escolheu-os para um propósito específico — o de dar fruto e desfrutar de uma comunhão peculiar com o Pai na oração (v. 16). Os versículos restantes do capítulo 15 revelam a atitude do mundo com os discípulos.

Para que eles não se entreguem ao desânimo e desespero quando surgirem perseguições, ele lhes diz o que devem esperar do mundo (16.1-4). Eles se entristecem porque Jesus os deixará, mas é necessário que ele os deixe, para que o Conselheiro possa vir (v. 7). Porque, enquanto está em carne, pode estar presente num lugar só num tempo determinado, mas, à direita do Pai e enviando seu Espírito, pode estar presente com cada um dos seus seguidores "até o fim dos tempos".

Em seguida, explica o tríplice ministério do Espírito Santo em relação ao mundo: ele convencerá o mundo de que a incredulidade é pecado; revelará o fato de que ele, o crucificado, é o justo; embora os maus prosperem e os justos sofram, ele convencerá o mundo de que virá um juízo para endireitar as coisas (v. 8-12). Em seguida, explica o ministério do Conselheiro com relação aos discípulos (v. 12-15). Jesus diz-lhes que sua partida pela morte os tornará tristes, mas que eles o verão novamente, e o choro se transformará em alegria (v. 16-22). Deverão vê-lo outra vez, primeiro após a ressurreição; depois, com os olhos da fé e, finalmente, face a face. Após sua ascensão, não será necessário que ele interceda por eles (v. 26), porque terão acesso direto ao Pai (v. 23,27).

O capítulo 17 registra a grande oração intercessora de Jesus. Damos um simples esboço dessa oração:

    I. Oração por si mesmo (v. 1-5)

       1. pela sua própria glorificação.

    II. Oração por seus discípulos (v. 6-19)

1. pela sua preservação (v. 11);
2. pela sua santificação (v. 17).
III. Oração por todos os fiéis (v. 20-26)
1. pela sua união (v. 21,22);
2. pela sua presença com ele (v. 24).

V. A humilhação e glorificação de Cristo (caps. 18—21)

1. A traição e prisão (18.1-18)
2. O julgamento perante Caifás e Pilatos (18.19—19.16)
3. A crucificação (19.17-42)
4. A ressurreição (20.1-10)
5. A manifestação de Jesus a seus discípulos (20.1a—21.25)

Jesus primeiramente é levado a Anás, sogro de Caifás, para um julgamento preliminar (18.19-23). Ele é interrogado sobre sua doutrina, porque crêem que tenha espalhado teorias secretas e perigosas. Jesus defende-se asseverando que ensinava tudo aberta e publicamente (v. 20,21). Enviam-no, em seguida, ao sumo sacerdote para o juízo formal, descrito pelos outros evangelistas.

Após sua condenação por blasfêmia (Mt 26.65), Jesus é conduzido a Pilatos para a execução da sentença. Os judeus esperam, evidentemente, que Pilatos ratifique a sentença sem fazer perguntas, mas ele não está disposto a cumprir o desejo dos sacerdotes, que desprezava de todo o coração. Ele lhes diz que o julguem segundo sua lei; não lhe interessa julgar casos religiosos (v. 31). Mas, como o poder de infligir a pena capital foi tirado dos judeus havia alguns anos, eles não podiam executar a sentença de morte (v. 31). Jesus fora acusado de declarar-se rei (Lc 23.2). Isso era uma ofensa grave aos olhos dos romanos, razão por que Pilatos interroga Jesus a respeito do seu Reino (v. 33-35). Cristo responde claramente que seu Reino é espiritual e não temporal (v. 36), e que os membros de seu Reino são aqueles cujos corações estão abertos à verdade (v. 37). Pilatos faz várias tentativas de soltar Jesus, mas a intenção dos judeus em crucificá-lo é mais forte do que a vontade de Pilatos de soltá-lo; por causa da ameaça de os judeus acusarem Pilatos ante o imperador, ele cede (19.12,13).

João, ao descrever a crucificação, menciona alguns detalhes que não se encontram nos outros evangelhos: a inscrição de Pilatos da acusação (v. 19-22); a partilha das vestimentas de Jesus (v. 23,24); a recomendação de sua mãe a João (v. 26,27); as duas expressões na cruz (v. 28,30) e a perfuração do lado de Jesus. Às vezes, os ossos dos criminosos crucificados eram quebrados, para apressar a morte. No caso de Jesus, não foi necessário, porque já estava morto, o que significa mais um cumprimento de profecia (v. 36,37). O fato de Jesus morrer tão depressa parece indicar que foram sofrimentos espirituais, e não físicos, que causaram sua morte, porque as pessoas crucificadas geralmente sofriam cerca de três dias (v. Mc 15.44). Os médicos afirmam que a água e o sangue que saíram do lado de Jesus indicam uma ruptura do coração.

Observe como João, ao descrever o sepulcro vazio, cuidadosamente menciona detalhes suficientes para refutar a informação falsa de que os discípulos tivessem roubado o corpo de Jesus (Mt 28.11-15). Destacaremos aqui as manifestações de Jesus depois da ressurreição:

1. A Maria Madalena (20.11-18).
2. Aos apóstolos, estando ausente Tomé (20.19-23). Para convencer os discípulos temerosos e que duvidavam da realidade de sua ressurreição, Jesus mostra-lhes as cicatrizes. Em seguida, confere-lhes a missão (v. 21), seu equipamento — profético e simbólico — (v. 22), e a autoridade (v. 23). Note que o último versículo mencionado se refere à disciplina da Igreja (cp. Mt 18.15-18).
3. Aos apóstolos, estando Tomé presente (v. 24-29). Embora leal, Tomé é cético (11-16). Não acredita sem antes

ver. Sua incredulidade evidentemente tinha retardado a viagem dos discípulos à Galiléia (Mt 28.7). Embora cético, o coração de Tomé é sincero: deseja conhecer a verdade. Jesus satisfaz esse desejo, e Tomé torna-se um discípulo fiel tão profundamente cristão como antes fora incrédulo.

4. Aos sete no mar da Galiléia (cap. 21). Após a pesca milagrosa e a refeição, Jesus confere a Pedro a missão de pastorear suas ovelhas. A pergunta repetida três vezes pode corresponder às três negações de Pedro. Os versículos 20 a 24 do mesmo capítulo foram escritos por João a fim de corrigir uma impressão falsa que se tinha propagado entre os discípulos com base nas palavras de Jesus a Pedro (v. 22). Pensavam que Jesus tivesse dito que João não morreria (v. 23). João mostra que as palavras de Cristo não significam que ele não morreria, mas que, se fosse da vontade de Jesus que João ficasse até sua vinda, Pedro não tinha nada com isso.

Seção B
O livro histórico

6
Atos dos Apóstolos

Tema. O livro de Atos contém a história do estabelecimento e desenvolvimento da igreja cristã, e da proclamação do evangelho ao mundo então conhecido, de acordo com o mandamento de Cristo e pelo poder de seu Espírito. É o relato do ministério de Cristo continuado por seus servos. Leon Tucker sugere as seguintes palavras-chave: ascensão, descida e expansão. A ascensão de Cristo é seguida pela descida do Espírito Santo, que, por sua vez, é seguida pela expansão do evangelho.

Autor. Lucas. Chegamos a essa conclusão considerando a dedicatória do livro a Teófilo (1.1; cp. Lc 1.3), a referência a um livro anterior (1.1), o estilo, o fato de o autor ter sido companheiro de Paulo, como indicam determinadas partes do livro escritas na primeira pessoa (16.10), e por ter ele acompanhado Paulo até Roma (27.1; cp. Cl 4.14; Fm 24; 2Tm 4.11). Os autores antigos confirmam esse fato.

A quem foi dirigido. Atos foi escrito particularmente a Teófilo, cristão de família nobre, mas, de um modo geral, a toda a Igreja.

Conteúdo

    I. A igreja de Jerusalém (1.1—8.4)

    II. O período de transição: a igreja da Palestina e da Síria (8.5—12.23)

    III. A igreja dos gentios (12.24—21.17)

    IV. Cenas finais da vida de Paulo (21.18—28.31)

I. A igreja de Jerusalém (caps. 1.1—8.4)

1. Introdução (cap. 1)
2. O derramamento do Espírito Santo (2.1-13)
3. O sermão de Pedro e seus resultados (2.14-47)
4. A cura de um aleijado e o sermão de Pedro (3.1-26)
5. Pedro e João perante o concílio (4.1-22)
6. A primeira reunião de oração (4.23-31)
7. A consagração da igreja primitiva (4.32-37)
8. O pecado de Ananias e Safira (5.1-16)
9. A prisão de Pedro e João (5.17-42)
10. A primeira dificuldade da igreja primitiva e sua solução (6.1-7)
11. O ministério de Estêvão (6.8-15)
12. O discurso de Estêvão perante o Sinédrio (cap. 7)
13. A primeira perseguição da Igreja (8.1-4)

O livro de Atos começa, realmente, com o capítulo 2, que descreve o derramamento do Espírito Santo e o início da Igreja. O capítulo 1 é simplesmente uma introdução e descreve os fatos que conduzem ao grande acontecimento do dia de Pentecoste.

A que passagem bíblica se refere o autor em 1.1? O que diz a respeito de Jesus no mesmo versículo? O que é mencionado primeiro:

"fazer" ou "ensinar"? Quando Jesus deu Jesus instruções aos apóstolos por meio do Espírito Santo? (v. 2; cp. Mt 28.16-20; Mc 16.14-20; Lc 24.44-53; Jo 20.19-23). Mencione uma das "provas indiscutíveis" (v. 3) da ressurreição de Cristo (Lc 24.39-43). Que ordem foi dada então? (v. 4). Quando o Pai prometeu o Espírito Santo? (Jl 2.28). Quando Jesus o prometeu? (Jo 14.16,17; 15.26; 16.7-15). Jesus mencionou o dia exato em que o Espírito Santo seria derramado? (v. 5). Por que não? (cp. Mc 13.37). Que pergunta fizeram os discípulos nessa ocasião? (v. 6). O reino havia sido tirado de Israel? (Mt 21.43). Jesus respondeu diretamente àquela pergunta? O reino de Israel será restaurado? (Rm 11.25-27). Quando? (Mt 23.39; Lc 21.24; Rm 11.25; At 3.19,20; Zc 12.10). O que deve suceder antes desse acontecimento? (At 1.8; 15.14; Rm 11.25). Onde devia começar e terminar o ministério dos apóstolos? (1.8). Em que cidade começa o livro de Atos? Em qual termina? Que outro versículo deve ser citado com o último mencionado? (Zc 4.6). Que sucedeu depois de Jesus ter dado suas instruções aos apóstolos? De que montanha Jesus ascendeu? (v. 12). Em que montanha descerá na segunda vinda? (Zc 14.4). Que grupo de pessoas é mencionado no versículo 13? Quem é mencionado primeiro? Por quê? Que outros grupos são mencionados no versículo 14? Houve um tempo em que os irmãos de Jesus não creram nele? (Jo 7.5). Quem falou em nome dos apóstolos? (v. 15). Quantos discípulos se reuniram naquela ocasião? Que partes do AT Pedro cita com relação a Judas? (Sl 69.25; 109.8).

Parece que há uma contradição entre Atos 1.18 e Mateus 27.5, mas a conclusão lógica tirada da comparação dos dois versículos é a de que Judas se enforcou e depois caiu na terra. Exemplifiquemos com o caso de alguém que comete suicídio. Digamos que a pessoa dê um tiro na cabeça na janela do quarto andar de um prédio. Um repórter pode descrever o acontecimento todo; outro, apenas o tiro; um terceiro, apenas a queda da janela. Os três estão certos.

Por que Pedro se preocupava em que o número dos apóstolos permanecesse completo? (Mt 19.28; Ap 21.14). Quais são as duas qualidades necessárias ao apostolado? (v. 21,23).

As duas qualidades do apostolado eram: que tivesse andado com o Senhor durante seu ministério terrestre e que o tivesse visto depois da ressurreição. Muitas vezes se discute se Matias foi divinamente escolhido como apóstolo, ou se foi Paulo o duodécimo apóstolo. A opinião do autor é que Matias foi o duodécimo apóstolo. Embora tenha sido um apóstolo que viu Jesus e foi devidamente nomeado para o seu posto, Paulo não possuía a primeira qualidade, a de ter andado com o Senhor durante seu ministério terrestre. Não possuía esse relacionamento peculiar com Jesus que os doze tiveram (v. Jo 15.27).

Chegamos agora aos acontecimentos do dia de Pentecoste. A morte e ressurreição de Cristo e o derramamento do Espírito Santo representam a realização dos tipos de três festas que se seguiam em sucessão uma à outra, a saber: a Páscoa (Lv 23.5), a festa dos Primeiros Frutos, ou das Primícias (Lv 23.10-14) e a festa de Pentecoste (Lv 23.15-21). A Páscoa simbolizava a morte expiatória de Cristo. Depois da Páscoa, celebrava-se a festa dos Primeiros Frutos, quando um feixe do primeiro cereal da colheita era movido perante o Senhor. Essa cerimônia era símbolo da ressurreição de Cristo como "as primícias dentre aqueles que dormiram" (1Co 15.20). A partir dessa festa, contavam-se cinqüenta dias e, no último, celebrava-se a festa de Pentecoste — daí o nome: "pentecoste" significa "cinqüenta". Nessa festa, dois pães — os primeiros pães da colheita de trigo — eram movidos diante do Senhor. Isso, por sua vez, era símbolo da consagração dos primeiros membros da Igreja.

O Espírito Santo inspirou pessoas nos tempos do AT e deu poder a elas? (Nm 11.26; 1Sm 10.6; Sl 51.11; Mq 3.8). O povo ficou *cheio* do Espírito Santo antes da morte de Cristo? (Lc 1.15,41,67; cp. Jo 7.39). Qual foi, então, a diferença entre a concessão do Espírito Santo nesses dias e na época do NT? Responderemos a essa pergunta:

1. Nos tempos do AT o Espírito Santo foi concedido somente a poucos: pessoas que tinham um cargo especial, como profeta, sacerdote ou juiz. Agora ele é derramado sobre *todos os povos* (Jl 2.28).
2. Naqueles dias, a concessão do Espírito Santo era *temporária*; agora permanece conosco *para sempre*.

É interessante notar que, para cada manifestação do Espírito Santo mencionada no NT, vê-se outra correspondente no AT, com exceção de uma — o "falar em outras línguas". Conclui-se daí que o falar em outras línguas é a manifestação do Espírito Santo específica para esta dispensação.

Quais foram as três manifestações que acompanharam o derramamento do Espírito Santo? Falar em outras línguas ocorreu simplesmente com a finalidade de se pregar o evangelho a cada um na sua própria língua? (2.8-11; cp. 10.46). Observe que aqueles que recebem o batismo nem sempre falam numa língua conhecida, mas, geralmente, numa língua desconhecida (cp. 1Co 14). Nesse caso, línguas conhecidas foram faladas, porque, na primeira manifestação desse tipo, era necessário convencer os judeus incrédulos de que se tratava de uma manifestação genuína do Espírito Santo e não apenas de uma mistura confusa de vozes, como alguns poderiam supor.

Quais os dois efeitos que essa manifestação produziu nos ouvintes? (v. 12,13). Em que sentido os discípulos estavam embriagados? (Ef 5.18). Observe que Pedro os defendeu da acusação de estarem bêbados. Os judeus geralmente não comiam nem bebiam antes da hora da oração, que era mais ou menos às 9 da manhã. Como Pedro explicou essa manifestação? (2.16-21). A profecia de Joel cumpriu-se *totalmente* nesse momento? Com relação a Israel, quando será efetivamente cumprida? (Zc 12.10). Quem, nos tempos do AT, orou por esse acontecimento? (Nm 11.29). Pedro, em seu sermão, declara imediatamente que Jesus é o Messias? (v. 22; cp. v. 36). O que faz primeiro? Qual é a primeira prova que Pedro dá de ser Cristo o Messias? (v. 22). Qual é a segunda prova? (v. 24). Qual é a terceira prova? (v. 33). Qual foi o efeito desse sermão? O que os judeus teriam de fazer, segundo Pedro? (v. 38). Quais os dois fatos que se seguiriam ao arrependimento deles? (v. 38). O que mais teriam de fazer além de se arrependerem? (v. 40). O que podemos dizer a respeito da união entre os primeiros cristãos? (v. 44-47). Qual era a manifestação exterior dessa união? (v. 45). Você acredita que lhes foi ordenado que tivessem em comum todas as coisas, ou esse ato foi espontâneo, nascido do amor pelos irmãos inspirado pelo Espírito Santo? Nós, que vivemos sob as condições atuais, devemos seguir literalmente o exemplo deles, ou devemos manifestar o mesmo espírito?

O capítulo 3 registra o primeiro milagre apostólico. Observem suas características. Foi realizado num homem cuja enfermidade era incurável, e foi feito publicamente para que pudesse ser verificado por todos.

A conduta do homem curado não foi completamente digna de honra? Nos tempos do NT, quando as pessoas desejavam ou recebiam alguma coisa de Deus, levavam sempre em consideração sua dignidade? (cf. Lc 17.15; 19.3,4). De quem Pedro desviou a atenção do povo? (3.12). A quem a dirigiu? (v. 13). Que diferença ele aponta entre a maneira como eles trataram Cristo e a maneira como Deus o trata? (v. 13-15). Como os judeus consideraram Jesus? (Mt 26.65; Jo 9.24). O que foi feito, segundo Pedro, em nome do Senhor? (v. 16). Qual foi a conclusão lógica desse fato a respeito do caráter de Jesus? (Jo 9.33). Os judeus tiveram alguma desculpa pelo seu ato de crucificar Cristo? (v. 17). Essa ignorância foi inteiramente desculpável? (Jo 12.37,38). Quem representava a nação judaica nesse sentido? (1 Tm 1.13). A nação judaica foi rejeitada por ter crucificado Cristo, o Filho, ou por ter rejeitado o Espírito

Santo, que comprovou a ressurreição e exaltação de Cristo? (cp. At 13.46). Que apelo fez Pedro à nação? (v. 19). Segundo ele, o que acontecerá após o arrependimento deles como nação? (v. 19,20). Eles se arrependerão algum dia? (Zc 12.10; Mt 23.39; Rm 11.26). O que significa "a restauração de todas as coisas" prometida pelos profetas? (Is 11; Jr 23.5,6; Am 9.11-15; Zc 14.16-21). Alguma vez os profetas predisseram a restauração final dos ímpios e do demônio e seus anjos? A quais profetas Pedro faz referência ao falar aos judeus? Por que eles devem ser os primeiros a crer nos profetas? (v. 25). Qual era o privilégio de Israel? (v. 26; cp. Mt 15.24; At 13.46; Rm 1.16 e 15.8).

O capítulo 4 registra a primeira perseguição aos apóstolos pelas autoridades religiosas.

Qual foi o tema central das pregações dos apóstolos? (v. 2). Por que isso entristeceu os saduceus? (Mt 22.23). Qual foi o resultado do último sermão de Pedro? (v. 4). O que explica a audácia de um pescador sem instrução na presença dos chefes religiosos? (v. 8). De que Pedro os acusou? (v. 10). A que versículo do AT Pedro os conduziu? (v. 11; cp. Sl 118.22). Onde provavelmente Pedro aprendeu essa passagem bíblica com o seu significado e aplicação? (Mt 21.42). Que advertência fez a eles? (v. 12). A imagem de quem os sacerdotes viram em Pedro e João? (v. 13). Por que não poderiam agir contra os apóstolos? (v. 14). A que conclusão chegaram? (v. 16). A que essa conclusão deveria conduzi-los? Em que ocasião essas mesmas pessoas tiraram conclusão semelhante? (Jo 11.47). A tentativa de intimidar os apóstolos obteve êxito? (v. 19,20). Que efeito gerou o milagre sobre o povo? (v. 21).

O que a oposição dos líderes levou os discípulos a fazer? (4.24). Que salmo citaram em sua oração? (v. 25,26; cp. Sl 2). Quais as três petições que fizeram? (v. 29,30). Quanto tempo se passou antes de chegar a resposta? Quais foram os três fatos que aconteceram? (v. 31).

Que podemos dizer acerca da consagração da igreja primitiva? (4.32-37). Quem é mencionado nesse ponto como exemplo de cristão consagrado? (v. 36). Quem desejava ter a mesma honra sem pagar o preço por ela? (5.1). O que provavelmente havia na origem de seu pecado? (1Tm 6.10). A que pecado conduziu? (Lc 12.1). Em que pecado resultou finalmente? Qual foi a pena do pecado? Deus sempre castiga ofensas semelhantes dessa maneira, ou castigou esses dois para que fossem um exemplo para os outros, e para demonstrar que a Igreja era uma instituição santa na qual não seria tolerado nenhum engano? Qual foi o efeito desse juízo sobre a Igreja? (5.11). E sobre o povo? (v. 13). Os hipócritas se interessariam em pertencer a uma Igreja que fosse assim? Qual promessa do Senhor cumpriu-se em 5.15,16? (Jo 14.12).

Que efeito gerou o ministério de Pedro sobre os saduceus? (5.17). Como procuraram impedir a mensagem de vida? O que Deus teve de dizer sobre a questão? (5.20). O que causou inquietação aos saduceus? (v. 28). O sangue do Senhor estava realmente sobre eles? (11.47-53). Pedro disse-lhes que o sangue de Jesus estava sobre eles? (v. 30,31). Quais são as duas testemunhas da ressurreição de Jesus mencionadas por Pedro? (v. 32). Quem mostrou mais sabedoria do que os outros líderes? (v. 34). Quem foi o seu discípulo mais distinto? (22.3). O seu conselho era prudente no tocante à sabedoria natural?

No acontecimento mencionado, Griffith-Thomas destaca três forças representativas: o espírito do erro (os saduceus); o espírito de comprometimento (Gamaliel) e o espírito da verdade (Pedro).

O capítulo 6 registra a primeira dificuldade da Igreja e a solução adotada. Note que essa dificuldade era inevitável porque a organização da Igreja não se desenvolveu na mesma proporção de seu crescimento (v. 1). Observe, também, que se tratava de um problema sério, por ameaçar uma divisão na Igreja entre os hebreus ("judeus de fala hebraica") e os gregos ("judeus de fala grega"), que tinham recebido educação grega ou que viviam em países onde se falava grego. Essa dificuldade foi resolvida com o espírito de amor e cooperação; a solução veio com o aperfeiçoamento da organização — instituindo uma nova ordem no ministério da Igreja, os diáconos.

A que ministério os apóstolos desejavam dedicar-se? (6.4). Quais são as três qualificações mencionadas de um diácono? (v. 3). Observe que, embora não se registre que essas pessoas fossem chamadas por esse nome, seu ministério demonstra que elas eram diáconos (palavra que, em grego, significa "servo"). Quem foi o mais notável de todos os diáconos? Como o Senhor manifestou sua satisfação em ver resolvida amistosamente a dificuldade? (v. 7). É necessário ser um apóstolo para fazer milagres? (v. 8). Com quem argumentou Estêvão? Por que não puderam resistir aos seus argumentos e pregações? (v. 10; Lc 21.15). Falhando os argumentos verbais, a que recorreram? (v. 11-14). Qual foi a acusação contra ele? Ele parecia um blasfemo? (v. 15).

O capítulo 7 apresenta a defesa de Estêvão, em que ele resume a história de Israel desde Abraão até Salomão. Em seu discurso encontram-se os seguintes pensamentos:

> 1. A revelação divina é progressiva. Estêvão foi acusado de pregar que a Lei de Moisés passaria (v. 14). Apesar de suas palavras terem sido mal citadas e o sentido, torcido, Estêvão evidentemente havia pregado que a época da Lei estava passando e que a da graça se iniciava. Assim, mostrava que Deus sempre deu novas revelações de si mesmo. Primeiro, revelou-se a Abraão, por meio da instituição do altar; a Moisés, na sarça ardente e no monte Sinai; depois, a Israel, por meio do tabernáculo e, finalmente, por meio do templo. Estêvão demonstra que a morada de Deus no tabernáculo e no templo era apenas simbólica (v. 48,49). Deus mora conosco agora, e revela-se, realmente, por meio de uma nova instituição, a Igreja.

2. Estêvão fora acusado de ter declarado que o templo seria destruído (6.14). Ele prova que o templo não é o único lugar santo, mas que Deus se revela em qualquer lugar onde se encontre um coração aberto. Revelou-se a Abraão na Mesopotâmia (v. 2); a José no Egito (v. 9-12); a Moisés no Egito (v. 25) e no deserto (v. 30-33,38).

3. Israel sempre rejeitou a primeira oferta da misericórdia de Deus; tem sofrido por isso e, depois, aceitado a segunda oportunidade. Rejeitaram José e Moisés na primeira vez, mas aceitaram-nos na segunda (v. 9-13,24-35). Da mesma maneira rejeitaram Jesus, mas, depois de sofrerem, aceitaram a segunda oferta.

Quais são as duas acusações contra os chefes judeus com que Estêvão terminou o seu discurso? (v. 51,52). Que versículos do AT contêm essas acusações? (Is 63:10, 2Cr 36.15,16; Ne 9.30). Jesus acusou-os de um fato semelhante? (Mt 5.12; 23.34-39). Quais os verdadeiros infratores da Lei? (v. 53). Que visão teve Estêvão? (v. 55,56). Que disse ele? Quem tinha pronunciado palavras parecidas perante o mesmo Sinédrio? (Mt 26.64). Quais foram as duas últimas frases de Estêvão? (v. 59,60). Quem disse palavras idênticas numa ocasião semelhante? (Lc 23.34,46). Quem é mencionado nessa ocasião? Foi respondida nesse jovem a oração de Estêvão pelos seus assassinos? (cp. 1Tm 1.13).

Os versículos 1 a 4 do capítulo 8 registram a primeira perseguição geral contra toda a Igreja. Saulo aparece aqui como o agente mais ativo nessa perseguição. Levado pelo zelo e energia que o caracterizavam, chegou a ser o campeão do judaísmo contra o que ele considerava a heresia do cristianismo. O que pensava Saulo estar fazendo ao perseguir as cristãos? (Jo 16.2). Qual era seu caráter moral e religioso? (Fp 3.5,6). Apesar de sua moralidade, zelo e sinceridade, o que era ele enquanto perseguia as cristãos? (1Tm 1.13). Deus lhe perdoou alguma vez? Paulo perdoou a si mesmo?

(1Co 15.9). Essa perseguição impediu ou favoreceu a obra do Senhor? (8.4; 11.19-21).

II. O período de transição: a igreja da Palestina e da Síria (8.5—12.23)

1. O evangelho em Samaria (8.5-25)
2. O eunuco Etíope (8.26-40)
3. A conversão de Saulo (9.1-22)
4. O ministério de Saulo em Jerusalém e a fuga para Tarso (9.23-31)
5. O ministério de Pedro em Judá e Jape (9.32-43)
6. A visão de Cornélio (10.1-8)
7. A visão de Pedro (10.9-18)
8. O primeiro sermão aos gentios (10.19-48)
9. A defesa de Pedro por pregar aos gentios (11.1-18)
10. O estabelecimento da Igreja em Antioquia (11.19-30)
11. A perseguição da Igreja por Herodes (cap. 12)

Quem é o Filipe mencionado em 8.5 e 21.8? Quem primeiramente lançou a semente em Samaria? (Jo cap. 4). O que Filipe pregou? (v. 5). Com quem se põe em contraste nesse sentido? (v. 9). O que acompanhou a pregação de Filipe? (v. 6,7). Qual foi o efeito geral desse grande despertar religioso? (v. 8). Simão era realmente convertido? (cp. v. 21-23). Que espécie de fé possuía? (cp. Jo 2.23,24). Qual foi o motivo básico de ele seguir Filipe? (v. 6,7). Simão tinha visto manifestações do poder do Espírito? (v. 6,7). Tinha visto alegria? (v. 8). O que havia no batismo do Espírito que o impressionou? (v. 18,19). Ele manifestou arrependimento verdadeiro? (v. 24). Estava realmente arrependido do seu pecado, ou sentia medo do que lhe poderia acontecer?

Para onde Filipe recebeu ordem de ir? (8.26). Por que era necessário que deixasse a cena de grande euforia para ir a um deserto? Havia algum outro disposto a sair de seu caminho para falar a uma só pessoa? (Jo 4). Por quem foi conduzido Filipe? (v. 29).

Que pergunta muito importante fez ao enunco? (v. 31). De que esse homem sentia necessidade? (Jo 16.13; Lc 24.45). Como Jesus tinha suprido essa necessidade? (Jo 16.13; Lc 24.45). Que passagem da Escritura o eunuco lia? O que não podia compreender? (v. 34). Sob que condição Filipe batizou o eunuco? (v. 37). Que meio de transporte rápido se usou aqui? (v. 39). O que isso simboliza? (1Ts 4.17).

O ódio de Saulo contra os cristãos tinha diminuído? (9.1-4). A que cidade quis estender as suas atividades? Onde estava quando viu o Senhor? A quem disse Jesus que Saulo estava perseguindo? O que isso ensina no que se refere à relação dos fiéis com o Senhor? (Mt 10.40).

Na versão Almeida Revista e Corrigida, lemos no versículo 5: "E ele [Saulo] disse: Quem és, Senhor? E disse o Senhor: Eu sou Jesus a quem tu persegues. Duro é para ti recalcitrar contra os aguilhões". No Oriente, quando um animal se mostrava obstinado, seu condutor espetava-o com uma vara com ponta de ferro (o aguilhão). Os movimentos do animal, então, aumentavam a dor. Jesus pretendia ensinar a Saulo que, lutando contra Deus, apenas prejudicava a si mesmo.

Quanto tempo depois Saulo se arrependeu? (v. 6). Como se dirigiu a Jesus? Saulo viu realmente o Senhor? (1Co 9.1). O que podia afirmar sempre? (Gl 1.1). Quem agora foi enviado como ministro a Saulo? O Senhor foi bem explícito ao dar instruções? (v. 11). Qual foi a ocupação de Saulo durante os três dias em que esteve cego? (v. 11). Quais são os três grupos a quem Saulo ia pregar? (v. 15). O que Jesus revelou a Saulo? (v. 16). Que lado do ministério Jesus sempre mostrou em primeiro lugar aos seus futuros discípulos? (Lc 14.25-33). Ele mostra o outro lado? (Mt 19.28,29).

Como Ananias se dirigiu a Saulo? (v. 17). O que Saulo recebeu nessa ocasião? O que Saulo fez imediatamente? (v. 19).

O que sucedeu no tempo subentendido entre os versículos 22 e 23? (Gl 1.15-17). Qual foi a atitude dos discípulos com Paulo quando ele foi a Jerusalém? (v. 26). Quem se tornou seu amigo nessa ocasião? Que perigo Paulo corria? (v. 29). Que visão teve nessa ocasião? (22.17,18). Para onde Paulo foi enviado? (v. 30). Quanto tempo permaneceu nesse lugar? (11.25). Cerca de 8 anos. Que efeito teve sobre a Igreja a remoção de seu grande perseguidor? (v. 31).

Qual foi o destino de Pedro nessa viagem? (9.32,43). Que aconteceu nessa ocasião? Que atos de Pedro ao ressuscitar Tabita se assemelham aos do Senhor ao ressuscitar a filha do chefe da sinagoga? (v. 40-42; cp. Mc 5.40, 41). Qual foi o efeito dos milagres de Pedro em Judá e Jope? Qual foi o propósito principal da visita de Pedro a Jope? (10.6).

Quais são as três referências feitas ao caráter de Cornélio? (10.2). Qual era sua função? A quem Jesus profetizou a salvação dos gentios? (Mt 8.5-13). Cornélio era um homem salvo? (11.14). Mas o que havia em seu coração que assegurava que Deus lhe revelaria Cristo? (v. 2,35). Cornélio tinha orado nesse sentido? (10.31). Que estava fazendo quando teve a visão? (v. 3). Onde Deus geralmente se encontra com os homens? (Dn 9.3,21; At 22.17,18). A que hora Cornélio orava? (cp. 3.1). Por que os anjos não pregaram o evangelho a Cornélio em vez de lhe dizer onde encontraria um pregador? (v. 5,6; 2Co 5.18; Lc 2.10,11).

Observe o significado da visão de Pedro. Foi-lhe ordenado por uma voz do céu que fizesse algo contrário à Lei de Moisés (v. 12-14). Isso significava que a dispensação da Lei estava acabando. O fato de se ter repetido o mandamento significa que o propósito de Deus estava estabelecido (cp. Gn 41.32). O fato de o lençol ter sido recolhido ao céu significa que era divino o propósito simbolizado pelo lençol e pelos animais. Pedro compreendeu nesse tempo o significado da visão? (v. 17). Quando o entendeu? (v. 22). Quem

Pedro levou consigo? (v. 23). Por quê? (v. 45,46; 11.12). Que versículos condenam a adoração dos santos da igreja Romana? (v. 25,26). Que disse Pedro sobre qual deveria ser a atitude dos judeus com os gentios? (v. 28). Há profecias no AT sobre a salvação dos gentios? (Sl 22.27; Is 49.6; Os 2.23). Jesus profetizou a salvação deles? (Mt 8.11; 21.23; Jo 10.16). O AT ensinou alguma vez que o judeu e o gentio pertenceriam ao *mesmo corpo*? (Ef 3.3-6).

O que Pedro aprendeu? (v. 34,35). O que diz o versículo 38 a respeito de Jesus? Quando foi ungido? (Mt 3.16). Com que propósito? (cp. Lc 4.18). Como Pedro soube disso? (v. 39). O que sucedeu enquanto Pedro falava? Qual foi o efeito sobre os judeus que estavam com Pedro? O que provou cabalmente a esses judeus cheios de preconceitos que os gentios tinham recebido o Espírito Santo? Como os gentios foram salvos? (15.9; cp. Rm 10.17).

O que mostra o preconceito dos judeus contra os gentios? (11.2,3) Como Pedro se defendeu? Como demonstrou que Deus não faz diferença entre judeus e gentios? (v. 15). O que os judeus foram obrigados a admitir? (v. 18).

Que distância viajaram aqueles que foram dispersos pela perseguição de Saulo? (11.19). A quem limitaram seu ministério? (v. 20). A quem alguns deles pregaram? (Observe que a palavra "helenista", reproduzida em algumas versões como "grego", quer dizer "gentio") Qual era a condição espiritual da igreja em Antioquia? (v. 23). Quem foi enviado a pregar a eles? Quais as três coisas que se dizem a respeito dele? Aonde foi buscar ajuda? (v. 25). Quanto tempo permaneceram em Antioquia? O que caracterizava os discípulos nesse tempo? (11.26). Que dom do Espírito se exercia nessa época? (v. 28). O que demonstra a liberdade da igreja em Antioquia? (v. 29).

O Herodes mencionado em 12.1 é Herodes Agripa I, neto de Herodes, o Grande (Mt 2.1).

O martírio de Tiago estava profetizado indiretamente? (Mt 20.22,23). Por que Pedro foi preso por Herodes? A quem a igreja recorreu? (v. 5). O que sucedera na última vez em que a igreja orou durante uma crise? (4.31). Os que oravam esperavam de fato resposta a suas orações? (v. 15). Qual teria sido sua condição? (Lc 24.44). Qual foi o juízo de Deus sobre Herodes?

III. A igreja dos gentios (12.24—21.17)

1. A primeira viagem missionária de Paulo (12.24—14.28)
2. O concílio em Jerusalém (15.1-35)
3. A segunda viagem missionária de Paulo (15.36—18.22)
4. A terceira viagem missionária de Paulo (18.23—21.17)[a]

Quem Paulo e Barnabé levaram, de Jerusalém, nesse momento? (12.25). Que parentesco ele tinha com Barnabé? (Cl 4.10). Que igreja enviou Paulo e Barnabé? Como foi fundada essa igreja? (11.19). Quem chamou esses dois ao ministério? Consta que Marcos foi chamado também? O que pode explicar isso? (13.13). Que lugar Paulo ocupa na lista dos leigos em Antioquia? (13.1).

Tracemos a viagem de Paulo e Barnabé passo a passo.

Antioquia. Nesta cidade estava a sede missionária da igreja.

Selêucia. Era o porto marítimo de Antioquia.

Chipre. Ilha do Mediterrâneo. Residência anterior de Barnabé (4.36).

Salamina. Que fizeram os missionários nessa cidade? (13.5).

Pafos. Qual foi a primeira pessoa que os missionários encontraram nesse lugar? O que ele tentou fazer? (13.8). Que luta é exemplificada aqui? (1Jo 4.6; cp. 2Tm 3.8). Por qual poder Paulo pronunciou a sentença sobre o mágico? (13.9). Qual foi o efeito dessa sentença? (v. 12). Que mudança de nome sucede a essa altura? (v. 9).

---

[a]Nas seções que tratam das viagens de Paulo, o uso de um mapa é muito útil. O aluno deve estudar cada viagem de maneira que seja capaz de indicar o itinerário de Paulo, mencionando brevemente o que sucedeu em cada lugar.

Perge. Quem era o líder até aqui? O que aconteceu nessa cidade? Como podemos explicar a atitude de Marcos? (cp. 13.2). Marcos alguma vez chegou a ser útil? (2Tm 4.11).

Antioquia da Pisídia. O culto da sinagoga judaica consistia geralmente em orações prescritas e na leitura da Lei e dos profetas. Estando presente um pregador ou mestre, pedia-se a ele que apresentasse uma mensagem (cp. Lc 4.16-21). Paulo começou sua mensagem com um resumo da história de Israel até o tempo de Davi (v. 17-25). Em seguida, provou que Jesus era a semente de Davi (v. 25-33). Baseou os direitos de Jesus como Filho de Deus e Messias em sua ressurreição dentre os mortos (v. 26-37) Depois ofereceu o Evangelho aos judeus, prevenindo-os quanto à sua rejeição (v. 38-41).

Quem estava particularmente ansioso para ouvir o Evangelho? (v. 42). Qual foi a intensidade do desejo pela palavra de Deus nesse lugar? (v. 44). Quais eram os sentimentos dos judeus ao ver que a palavra de Deus era pregada aos gentios? (v. 45). De qual profecia essa atitude era cumprimento? (Dt 32.21). Qual foi a atitude desses com o Evangelho? (v. 45). O que era necessário, segundo Paulo e Barnabé? (v. 46). Por quê? (Mt 10.6; 15.24; Jo 4.22; Rm 1.16; 15.8). Qual seria o resultado, para os gentios, da rejeição do Evangelho pelos judeus? (v. 46; cp. Rm 11.11). Apesar de ter sido perseguido por eles, quais foram sempre os sentimentos de Paulo pelo povo? (Rm 9.1-3; 10.1). Como os gentios receberam o Evangelho? (v. 48). Tendo falhado os argumentos, o que os judeus fizeram? O que fizeram Paulo e Barnabé? (v. 51). Havia algum mandamento sobre isso? (Mt 10.14).

Icônio. O que prova que Paulo ainda não tinha abandonado seu povo? (14.1). Quais foram os dois resultados de sua pregação nessa cidade? (v. 2,3). Como o Senhor confirmou sua pregação? (v. 3). O que seu ministério causou na cidade? (v. 4). Que fizeram quando souberam que mais perseguição esperava por eles? (v. 6). Receberam alguma instrução nesse sentido? (Mt 10.23).

Listra. Quem foi curado por Paulo nessa cidade? Por quais outros apóstolos um paralítico foi curado? (3.1-6). Que desejava fazer o povo a Paulo e a Barnabé? (14.13). Que apóstolo teve experiência semelhante? (10.25,26). Qual talento de Paulo manifestou-se aqui? (v. 12) Que duração teve sua popularidade? (v. 19).

Derbe. O que fez Paulo nessa cidade? (14.21).

Listra, Icônio e Antioquia. Que exortação Paulo pronunciou aos discípulos nesses lugares? (v. 22). O que podiam esperar? (v. 22). Que ele fez antes de partir? (v. 23).

Pisídia. É a província onde Antioquia se situava.

Perge. O que tinha sucedido aqui antes? (13.13). Que obra foi feita nesse lugar? (14.25).

Atália. Um porto marítimo.

Antioquia. Aqui os apóstolos relataram sua obra.

O aluno deve estar preparado para citar, de cor, os diferentes lugares visitados por Paulo em sua primeira viagem, mencionando brevemente o que sucedeu em cada lugar.

O capítulo 15 registra a reunião do primeiro concílio cristão convocado para resolver um problema muito importante, a saber, a relação entre gentios e judeus e as condições em que os primeiros seriam salvos; as questões a resolver eram: os gentios deviam guardar a Lei de Moisés para serem salvos? Os gentios deveriam ter igualdade religiosa com os judeus?

> Devemos lembrar que a separação entre os judeus e gentios era tanto religiosa como social. Os judeus tinham uma lei divina que sancionava o princípio do isolamento nacional e ordenava sua prática. Não conseguiam crer facilmente que a Lei, presente em todas as passagens gloriosas de sua história, devia perdurar somente por um período limitado. Não podemos deixar de compreender a dificuldade que tinham em aceitar a idéia

de uma união cordial com os incircuncisos, ainda que estes tivessem abandonado a idolatria e observassem a moralidade.

O caráter peculiar da religião que impunha o isolamento dos judeus era tal que colocava obstáculos insuperáveis no caminho de uma união social com outro povo. As práticas cerimoniais tornavam impossíveis refeições comuns com os gentios. O paralelismo mais próximo que podemos encontrar para a barreira entre judeus e gentios é a instituição das castas entre as populações da Índia, que se apresenta aos nossos políticos como um fato desconcertante em governos democráticos, e aos nossos missionários, como o grande obstáculo ao cristianismo no Oriente. Um hindu não pode comer com um pária ou com um maometano e, entre os próprios hindus, os alimentos dos brâmanes são profanados pela presença de um pária — apesar de terem livre intercâmbio em todas as transações comerciais comuns. Assim era também na época patriarcal. Era uma abominação para os egípcios comer pão com os hebreus (Gn 43.32). O mesmo princípio recebia sanção divina nas instituições judaicas. Os israelitas que viviam entre os gentios podiam vê-los com liberdade em seus lugares públicos, comprando e vendendo, conversando e discutindo, mas suas famílias estavam separadas. Nas relações da vida doméstica, era contra a Lei, como Pedro disse a Cornélio, "um judeu associar-se a um gentio ou mesmo visitá-lo" (10.28). Quando Pedro voltou para junto de seus irmãos cristãos em Jerusalém, a grande acusação contra ele foi a de ter estado com homens incircuncisos e ter comido com eles.

Como essas duas dificuldades que pareciam impedir a formação de uma única igreja: unir os gentios religiosamente, sem a obrigação de observar completamente a Lei de Moisés, e socialmente, como irmãos iguais na família de um Pai comum tinham de ser superadas, a solução deve ter parecido impossível naquele dia. E sem a intervenção da graça divina teria sido impossível. — CONYBEARE e HOWSON[b]

---

[b]Provavelmente o trecho tenha sido citado do livro *Life and Epistles of St. Paul* [Vida e epístolas de São Paulo] [N. do E.].

Um grupo de judeus cristãos transformou o assunto em debate. Embora reconhecendo que Deus tinha concedido a vida eterna aos gentios, esse grupo insistia em que a observância da Lei de Moisés era obrigatória e necessária para a salvação deles. Mais tarde, os membros desse partido se tornaram os maiores inimigos de Paulo e, em diferentes períodos de seu ministério, fizeram tudo para sabotar sua autoridade (Gl 2.4). Foi essa classe de homens que fez a igreja dos gálatas voltar à observância da Lei de Moisés (Gl 5.1-7). Devemos recordar que esses homens, conhecidos como judaizantes, apoiavam suas asserções na autoridade das Escrituras do AT (o NT ainda não fora escrito). O AT predisse a salvação dos gentios por Deus (Sl 22.27; 86.9; Is 49.6), mas ensinava que a aceitação do ritual da circuncisão e a observância de outros ritos mosaicos eram necessárias para fazer parte do povo de Deus (Gn 17.14). Assim, surge outro aspecto do problema: como preservar a liberdade do Evangelho e a autoridade das Escrituras? Esse problema e outros tiveram solução nas falas dos participantes do concílio.

Observe o discurso de Pedro (v. 7-11). Seu principal argumento é a concessão do Espírito Santo, a verdadeira prova de que Deus aceitou os gentios. O fato de estes últimos terem recebido o dom do Espírito Santo da mesma forma que os judeus prova que Deus não faz distinção entre cristãos judeus e gentios (v. 8). O fato de os gentios receberem o Espírito Santo antes de se submeterem a alguma cerimônia externa demonstra que nenhuma observância exterior da Lei de Moisés era necessária para a salvação. Ainda que, sob a antiga aliança, a circuncisão fosse necessária como condição para pertencer ao povo escolhido, a ação de Deus para salvar e batizar os gentios sem a observância desse rito indicava que ele tinha feito uma nova aliança, e que a antiga estava desaparecendo (Jr 31.31). Era pela fé e não pelas obras da Lei que os gentios eram justificados (v. 9). Deus libertou todos os cristãos do jugo pesado da Lei; portanto a imposição dessa carga sobre os gentios significaria tentar a

Deus (v. 10). Os próprios cristãos judeus não foram salvos pela Lei, mas pela graça (v. 11).

Paulo e Barnabé limitaram-se a relatar o que Deus tinha operado entre os gentios (v. 12). O fato de Deus estar salvando os gentios, enchendo-os do Espírito Santo e fazendo milagres entre eles sem nenhum esforço da parte deles de seguir a Lei, prova que esta era desnecessária para a salvação deles.

Pedro havia declarado a igualdade entre judeus e gentios. Mas os fariseus poderiam argumentar: "Como esse fato pode conciliar-se com as Escrituras, que ensinam a supremacia dos judeus sobre os gentios?" (Is 61.5,6; Zc 14.18). Tiago prevê essa objeção e responde com um esboço do programa divino para a época. Antes de tudo, explica que nem todos os gentios serão salvos nesse momento, mas somente alguns indivíduos, para completar a Igreja com os judeus escolhidos (v. 14). Depois virá a restauração de Israel como nação, e a sua exaltação sobre as nações (v. 16). E, no fim, todas as nações buscarão o Senhor (v. 17).

Observe a decisão do concílio (v. 19-29). Não foi exigido dos gentios que se circuncidassem nem guardassem a Lei de Moisés. Foram impostas, porém, algumas proibições a eles: tinham de se abster da idolatria e fornicação, não deviam comer animais estrangulados, nem o sangue desses animais (Lv 7.22-27). As primeiras duas proibições eram ditadas pela lei moral; as outras duas, pelo cerimonial. Os pecados de fornicação e idolatria são citados por representarem tentação especial para os salvos entre os pagãos. As duas últimas proibições eram uma concessão às crenças judaicas. Mas não havia nenhum comprometimento de questões fundamentais.

> As mais descaradas violações da pureza realizavam-se por ocasião dos sacrifícios e festas celebrados em honra das divindades pagãs. Assim sendo, tudo quanto tendesse a preservar os gentios convertidos de uma associação mesmo acidental ou aparente com essas cenas de vícios fazia com que fossem guardados mais facilmente da corrupção e que permitissem aos judeus

convertidos ver seus novos irmãos cristãos com menos suspeita e antipatia. Parece ser esse o motivo por que encontramos no decreto a menção a um pecado reconhecido, com as observâncias cerimoniais de caráter temporário e talvez local. Devemos analisar o assunto do ponto de vista judaico, e considerar que as violações morais e as contestações à lei cerimonial eram associadas no mundo dos gentios. Talvez nem fosse necessário comentar que foi muito enfatizada a parte moral do decreto, quando nos recordamos de que ele foi dirigido àqueles que viviam nas proximidades dos santuários libertinos de Antioquia e Pafos. — CONYBEARE e HOWSON[c]

Observe o resultado do concílio: vitória de Paulo e o reconhecimento de sua vocação e ministério (Gl 2.9).

Concluiremos apresentando as quatro fases dessa grande verdade — a união de judeus e gentios — num só conjunto:

1. Nos séculos passados, essa verdade foi um *mistério* (Ef 3.5,6). O AT ensina a salvação dos gentios, mas não a formação de um só corpo com os judeus.
2. Tornou-se uma *revelação* (At 10.11-18,34,35; 15.7-9).
3. Transformou-se num *problema* (At cap. 15).
4. Converteu-se *em realidade* (Gl 3.28).

Que acontecimento lamentável marcou o princípio da segunda viagem missionária? (15.36-39). Esse fato impediu a obra de Deus? Barnabé e Marcos foram mencionados novamente no livro de Atos? Quem recebeu a confirmação dos irmãos? (15.40).

Sigamos agora o curso da segunda viagem de Paulo (15.36—18.22).

De acordo com a disposição de Hurlbut, vamos dividir a viagem em três partes: as paradas na Ásia, na Europa e no regresso.

[c]Idem.

Síria e Cilícia. Nestas duas províncias, Paulo visitou as igrejas que já estavam organizadas.

Derbe. O que aconteceu a eles quando estiveram ali pela última vez? (14.21).

Listra. Quem Paulo encontrou aqui? Qual era a sua nacionalidade? O que se dizia de sua reputação?

Frígia, Galácia e Mísia. Que limitação foi imposta ao ministério de Paulo nessas províncias? Por quê? (16.9).

Trôade. Que missão Paulo recebeu nessa cidade?

Filipos. Observe o início humilde da igreja na Europa — uma pequena reunião de oração. Note, em seguida, o primeiro conflito dos apóstolos com o paganismo (v. 19-40). Menciona-se aqui, pela primeira vez, a cidadania romana de Paulo (v. 37). Essa cidadania muito lhe serviu mais tarde em seu ministério. Tinham direito à cidadania romana: os nascidos em Roma (exceto os escravos); os nascidos numa colônia romana, isto é, numa cidade onde os direitos de cidadão romano eram outorgados (Filipos era uma dessas cidades); os filhos de cidadãos romanos (Paulo pode ter obtido, dessa maneira, os privilégios de cidadão romano); e aqueles que compraram a cidadania (At 22.28). Os privilégios do cidadão romano eram os seguintes: sempre podia pedir proteção pronunciando a frase: "Sou cidadão romano"; não podia ser condenado sem ir a juízo; não podia ser açoitado nem crucificado e podia apelar das cortes comuns para o imperador.

Anfípolis, Apolônia. Paulo não esteve muito tempo nessas cidades.

Tessalônica. A quem Paulo pregou primeiro nessa cidade? Qual foi sua mensagem? (17.3). Quais os dois efeitos que se seguiram à sua pregação? (v. 4,5).

Beréia. A quem Paulo pregou inicialmente? Qual era o caráter desses judeus? Quais são os dois efeitos que se seguiram à pregação da Palavra? (v. 12,13). Quem permaneceu em Beréia quando Paulo partiu para Atenas?

Atenas. Observe o encontro de Paulo com os membros de duas escolas de filosofia — os epicureus e os estóicos (v. 18-20). (Filosofia é o ramo do conhecimento que tem por objetivo descobrir a verdade sobre Deus, o homem e o universo, até o ponto em que pode ser compreendida pela razão humana.) Os epicureus eram céticos, rejeitavam todas as religiões. Acreditavam que o mundo se formara casualmente, que a alma é mortal e que o prazer é o fim principal da vida. Os estóicos eram panteístas, isto é, acreditavam que todas as coisas são parte de Deus. Acreditavam que a virtude é a finalidade principal da vida, e que devia ser praticada como um fim em si mesma. Examinemos a mensagem de Paulo. Ela demonstra a relação entre Deus, o universo (v. 24,25) e o homem (v. 26-29). A seguir, declara o governo moral de Deus no mundo; esse governo se manifestará perfeitamente no juízo final (v. 31). Quais foram os dois efeitos da pregação? (v. 32-34).

Corinto. Quem Paulo encontrou nessa cidade? Quem se uniu a ele? Qual foi o efeito de sua pregação aos judeus? O que animou Paulo a se demorar em Corinto, apesar da oposição? (18.9). Quanto tempo Paulo permaneceu ali? Quem o protegeu nessa ocasião? (v. 12).

Foi em Corinto que Paulo escreveu as duas cartas aos tessalonicenses. Elas tinham o propósito de confirmar os recém-convertidos, confortando-os em meio à perseguição, exortando-os à santidade e consolando-os pelos seus mortos.

Cencréia. É um porto perto de Corinto, onde Paulo embarcou. Foi estabelecida aqui uma igreja? (Rm 16.1).

Éfeso. Quem Paulo deixou nessa cidade? (18.19). Que ministério Priscila e Áqüila tiveram ali mais tarde? (18.26). Por que Paulo estava ansioso para voltar a Jerusalém? (v. 21). O que prometeu fazer antes de partir? (v. 21).

Cesaréia. Era a capital romana da Palestina e um porto.

Jerusalém. Paulo deteve-se aqui para saudar a igreja (18.22).

Antioquia. Paulo relata os resultados de sua jornada missionária.

Tracemos, agora, a terceira viagem missionária de Paulo.

Antioquia. Foi o ponto de partida de todas as viagens missionárias de Paulo.

Galácia e Frígia. Paulo viajou por essas províncias, confirmando e animando os fiéis das igrejas que ele estabelecera.

Éfeso. Observe a preparação para os três anos de ministério em que Paulo esteve na cidade (18.24). Apolo, o judeu culto de Alexandria, tinha pregado a mensagem de João Batista, preparando o caminho para a revelação mais completa sobre Cristo e a salvação pregada por Paulo. Qual era o desejo sincero de Paulo para todos os fiéis? (19.2). O que ele escreveu mais tarde aos fiéis dessa cidade? (Éfesios 5.18). Esses homens eram realmente salvos antes de receber o Espírito? (19.5; cp. 8.36,37). O que aconteceu depois de estarem salvos? (v. 6). Quanto tempo Paulo pregou na sinagoga? O que fez quando surgiu a oposição? Quanto tempo continuou pregando na escola de Tirano? (v. 10). A que distância de Éfeso espalhou-se a palavra de Deus? (v. 10).

Observe que Paulo fez milagres *especiais* em Éfeso. Esse dom foi manifesto em Paulo por ter sido Éfeso o centro principal de idolatria na Ásia. A cidade era considerada uma fortaleza dos poderes do Diabo. Por esse motivo, Deus conferiu ao apóstolo um poder adicional para triunfar sobre Satanás. Alguns exorcistas profissionais (aqueles que tinham como atividade comercial expulsar demônios) procuraram usar o nome pelo qual Paulo tinha efetuado milagres. Foram punidos severamente pela temeridade. O castigo recebido por eles ensinou aos efésios que o nome de Jesus era poderoso e sagrado, que não podiam abusar dele (19.17). Muitos fiéis ficaram impressionados com o acontecimento e confessaram alguns pecados, especialmente o de ocupar-se de ciências ocultas (v. 18,19).

Seguiu-se um grande avivamento (v. 20). Repare que a visão missionária de Paulo se amplia: ele deve pregar em Roma (v. 21). Os versículos 23 a 41 registram um contecimento que comprova, de maneira concreta, o êxito de Paulo em Éfeso: deu um golpe tão forte naquela que era considerada a grande fortaleza de Satanás, que a adoração à deusa Diana começou a diminuir. Isso alarmou aqueles que faziam ídolos que, então, provocaram um tumulto na cidade contra Paulo.

Durante sua estada em Éfeso, Paulo escreveu a primeira carta aos Coríntios. Após sua partida, sérias desordens surgiram na igreja de Corinto. A comunidade estava dividida, a imoralidade era tolerada, um irmão processava outro em tribunal pagão, e a ceia do Senhor era colocada no mesmo nível de uma refeição comum, na qual a embriaguês era habitual. Paulo escreveu-lhes a carta para corrigir esses abusos e para responder a algumas perguntas que haviam sido formuladas acerca do matrimônio, da ceia e dos dons do Espírito Santo.

Macedônia (20.2). É provável que nesse tempo Paulo tenha visitado Filipos, Tessalônica e Beréia. Foi aí que Paulo escreveu a sua segunda carta aos Coríntios. Sua intenção era a de animar o grande corpo da igreja que se arrependera após receber sua primeira carta, e repreender um pequeno grupo que insistia em desprezar as suas ordens.

Grécia (20.2). A missão principal de Paulo nesse país era visitar a igreja de Corinto para corrigir abusos e tratar com uma minoria rebelde que se recusava a reconhecer sua autoridade. Em Corinto, escreveu as cartas aos Gálatas e aos Romanos. A primeira tinha a finalidade de restaurar a igreja dos Gálatas, que, influenciada por pregadores legalistas, começara a observar a Lei de Moisés como meio de salvação e santificação. A segunda pretendia dar à igreja em Roma uma explicação das grandes verdades que Paulo pregava e informar sua intenção de visitá-los.

Filipos. Ao partir da Grécia, Paulo tomou o rumo de Jerusalém (19.21). Os companheiros de Paulo foram mais adiante, até Trôade (20.4,5).

Trôade. Quanto tempo Paulo permaneceu nessa cidade? Em que dia a igreja costumava reunir-se para o culto semanal? (20.7). Há algum outro versículo da Escritura que fala sobre isso? (1Co 16.1,2). O que aconteceu ali?

Assôs. Enquanto o resto dos companheiros de Paulo embarcaram no navio em Trôade, Paulo foi a pé até Assôs, onde embarcou.

Mitilene, Quios, Samos. Pequenas ilhas por onde passou o navio em que Paulo havia embarcado.

Mileto. Enquanto o navio se deteve nessa cidade, Paulo chamou os presbíteros da igreja de Éfeso e pronunciou uma mensagem de despedida. Nos versículos 17 a 21, Paulo dá um resumo de seu ministério entre eles. Como havia servido ao Senhor? (v. 19). Qual foi o grau de perfeição de seu ministério? (v. 20). Qual foi sua mensagem? (v. 21). O que estava esperando? (v. 22,23). Quais eram seus sentimentos em face disso? (v. 24). Paulo tinha cumprido sua responsabilidade entre eles? (v. 26). Como? (v. 27; cp. Ez 33.1-9). Que recomendação deu aos presbíteros? (v. 28). A quais perigos ele se referia? (v. 29). Paulo havia somente pregado o evangelho entre eles? (v. 35).

Cós, Rodes. Duas pequenas ilhas na costa da Ásia Menor.

Pátara. Nesse local o apóstolo mudou de navio.

Tiro. Que mensagem recebeu Paulo nessa cidade? (21.4).

Ptolemaida. Quanto tempo permaneceu Paulo ali?

Cesaréia. Nessa cidade foram profetizadas as perseguições futuras de Paulo em Jerusalém. Antes de responder negativamente à pergunta se era ou não a vontade de Deus que Paulo fosse a Jerusalém, devemos observar o seguinte fato: Paulo obedeceu à orientação de Deus (16.6-10); suas palavras em 21.13 são as de quem faz a vontade de Deus (21.14); não era natural que uma pessoa como Paulo se expusesse desnecessariamente ao perigo; o que sofreu em Jerusalém não foi um sinal de que ele estivesse agindo contra a vontade de Deus (At 9.16; 23.11); era a vontade do Senhor que Paulo aparecesse perante Nero (27.24). Talvez os discípulos de Tiro (21.4) tivessem predito, por meio do Espírito Santo, a perseguição futura contra Paulo, acrescentando depois o próprio conselho.

Jerusalém. Logo que Paulo chegou, o concílio reuniu-se para ouvir seu relato.

IV. Cenas finais da vida de Paulo (21.18—28.31)

1. Paulo e os judeus cristãos (21.18-26)
2. Paulo e os judeus não-cristãos (21.27-31)
3. A prisão de Paulo (21.32-40)
4. A defesa de Paulo perante os judeus e o resultado dela (22.1-30)
5. Paulo perante o Sinédrio (23.1-10)
6. A transferência de Paulo para Cesaréia (23.4-35)
7. Paulo perante Félix (cap. 24)
8. Paulo perante Festa (cap. 25)
9. Paulo perante Agripa (cap. 26)
10. A viagem de Paulo a Roma (caps. 27,28)

Paulo foi bem recebido pela igreja em Jerusalém (27.17, 18). Os irmãos, porém, temiam por sua segurança, pois se espalhara o rumor de que Paulo estava pregando contra a Lei de Moisés e persuadindo os judeus a abandoná-la. Por causa desse rumor (falso), os sentimentos dos judeus de Jerusalém por Paulo se assemelhavam aos que teríamos por um anarquista, contrário à lei e a ordem. Para desarmar a hostilidade dos judeus e provar a falsidade do rumor, Paulo consentiu na observância de uma cerimônia judaica. Ao fazê-lo, não comprometeu nenhuma questão fundamental, mas agiu de acordo com os princípios expostos por ele em seus escritos, a saber: tornou-se "judeu para os judeus, a fim de ganhar os judeus", com a mesma vontade com que se fez gentio para conquistar os gentios (1Co 9.20,21); ninguém devia mudar as suas práticas externas por ter-se tornado cristão (1Co 7.17-19). A ação de Paulo referente ao testemunho de Timóteo (16.3) provou a falsidade da acusação de que ele persuadia os judeus a abandonar a Lei de Moisés. Aconselhando Paulo a realizar uma cerimônia do ritual judaico, Tiago assegurou-lhe que isso não envolvia nenhum comprometimento básico da salvação dos gentios (v. 25).

A ação de Paulo não o livrou da inimizade dos judeus não-cristãos (v. 27-31). Alguns daqueles que o ouviram pregar na Ásia Menor (v. 27) reconheceram-no e imediatamente instigaram o povo contra ele. Se os soldados romanos não tivessem intervindo, Paulo teria sido morto.

Vejamos a defesa de Paulo (22.1-21).

Paulo assegurou-lhes que suas crenças atuais e sua vida não podiam ser o resultado de uma diferença de origem entre ele e os seus ouvintes, porque era um verdadeiro judeu (v. 3), instruído pelo maior mestre da época (v. 3), e era tão zeloso da Lei e tão contrário aos cristãos quanto eles (v. 4,5). Mostrou-lhes o que causou sua mudança de crença e de atitude para com os cristãos, a saber, uma visão do próprio Senhor (v. 6-16). A razão pela qual estava pregando aos gentios, desprezados, era a vocação do Senhor (17-21). Vejam o que aconteceu ao mencionar os gentios (v. 22).

Observe como os direitos de cidadão romano protegeram Paulo nessa ocasião (22.25). As palavras "Sou cidadão romano", pronunciadas em qualquer parte do império, eram suficientes para garantir proteção a quem as proferia.

Paulo foi levado perante o Sinédrio e ali declarou sua inocência (23.1). A ação injusta e cruel do sumo sacerdote ao mandar que o ferissem fez com que Paulo o repreendesse severamente. No calor da indignação, esqueceu-se de que ali estava o sumo sacerdote e viu nele somente um dirigente tirano. Apesar de não poder honrar o homem, honrou o posto que ele ocupava (v. 5). É interessante notar que a reprimenda de Paulo ao sumo sacerdote era profética, porque cerca de 12 anos mais tarde este teve morte violenta.

Vendo que o Sinédrio estava contra ele e não tendo esperança de receber deles justiça e misericórdia, Paulo recorreu a uma estratégia. Sabia que os fariseus e saduceus estavam divididos sobre a doutrina da ressurreição; apelou, então, para os fariseus do Sinédrio por clemência dizendo que era acusado de pregar uma doutrina que eles aceitavam. Esse apelo dividiu o Sinédrio, e levou à fuga de Paulo e à proteção pelos romanos. Mais tarde, a descoberta de uma conspiração para assassinar Paulo fez que ele fosse escoltado até Cesaréia por um destacamento de soldados romanos. Nessa cidade, compareceu perante o governador Félix.

Citaremos aqui as acusações feitas contra Paulo e suas respostas (24.1-21). Nesse discurso e no que foi pronunciado perante Agripa, seguiremos a análise dada por Stifler[d].

A acusação era tríplice (v. 5,6): sedição: "promove tumultos entre os judeus"; heresia: "principal cabeça da seita dos nazarenos"; sacrilégio: "e tentou até mesmo profanar o templo". Paulo refuta a acusação de sedição demonstrando que o tempo era muito curto (v. 11), que sua conduta o absolvia (v. 12) e que não havia prova disso (v. 13). Em resposta à acusação de heresia, afirmou sua crença nas escrituras judaicas (v. 14) e declarou ter a mesma esperança que tinham os judeus (v. 15,16). Era evidente que não tinha cometido sacrilégio, porque tinha vindo a Jerusalém trazer esmolas ao seu povo e apresentar ofertas (v. 17); foi encontrado "cerimonialmente puro" no templo (v. 18) e não havia testemunha que provasse as acusações contra ele (v. 19).

Observe a atitude de Félix com Paulo em público (v. 22,23) e em particular (v. 25), e o resultado do julgamento (v. 27).

---

[d]Fonte não mencionada no texto original [N. do E.].

Paulo foi, então, levado perante Festo, o novo governador (25.1). Vendo que Festo queria agradar os judeus (25.9), lançou mão do direito de cidadão romano de apelar para o imperador (v. 11). Essa atitude retirou o caso completamente das mãos de Festo.

Note a defesa de Paulo perante Agripa (cap. 26). É uma argumentação que justifica sua crença na ressurreição. Essa crença, afirma Paulo, não é crime, porque ele sempre foi fariseu, cujo principal item de fé era a esperança na ressurreição (v. 4-6). Seus acusadores crêem nessa mesma doutrina e entram em contradição quando o atacam (v. 7). Paulo não começou a pregar o evangelho por iniciativa própria, pois antes se opunha a ele (v. 8-12). Foi uma revelação de Jesus que o levou ao ministério (v. 13-18). A obediência a essa revelação divina era a causa única da hostilidade dos judeus (v. 19-22). Sua doutrina referente à morte e à ressurreição de Cristo está de acordo com a doutrina de Moisés e dos profetas (v. 22,23).

Que efeito teve esse discurso sobre Félix? E sobre Agripa?

Vejamos, agora, a viagem de Paulo a Roma (caps. 27 e 28).

Cesaréia. Desse porto, onde fora prisioneiro por dois anos, Paulo embarcou para Roma. Tinha como companheiro Aristarco (27.2) e Lucas (indicados pelo uso do pronome "nós").

Sidom. Nessa cidade foi-lhe permitido visitar seus amigos.

Mirra. Cidade na costa sul da Ásia Menor, onde Paulo mudou de navio.

Cnido. Porto na costa da Ásia Menor, onde o navio não pôde entrar por causa de ventos contrários.

Creta. Ilha ao sul da Grécia.

Bons Portos. O navio permaneceu ali algum tempo. Paulo aconselhou passarem o inverno nesse porto, para escapar de um perigo previsto por ele. O comandante do navio não aceitou o conselho, e procurou chegar à ilha de Malta.

Malta. Quanto tempo permaneceu Paulo nessa ilha? (28.11).

Siracusa. Cidade na costa da Sicília. O navio permaneceu ali três dias.

Régio. Cidade na extremidade da península italiana.

Putéoli. Um dos portos principais da Itália. Ali Paulo encontrou alguns irmãos.

Praça de Ápio, Três Vendas. Dois povoados onde os irmãos romanos vieram encontrar-se com Paulo.

Roma. A primeira coisa que Paulo fez ao chegar a Roma foi convocar os líderes judeus para justificar-se das acusações que sofrera e para obter uma audiência amigável. É o último registro de sua tentativa de ganhar os judeus. Observemos o resultado da sua pregação (28.24-28; cp. Mt 13.13-15; Jo 12.40; Mt 21.43).

Griffith Thomas[e] vê a providência de Deus na prisão de Paulo da seguinte maneira:

1. Estava a salvo de todos os judeus.
2. Tornou-se conhecido de todos (Fp 1.12,13).
3. Teve oportunidade de testemunhar aos soldados que o vigiavam.
4. Foi visitado por amigos de diversas igrejas (Fp 2.25; 4.10).
5. Teve oportunidade de escrever algumas de suas melhores cartas: Filipenses, Filemom, Colossenses, Efésios.

Deduz-se da tradição e de algumas referências que Paulo ficou em liberdade por mais ou menos 2 anos (v. Fp 1.24-26; 2.24; Fm 24; 2Tm 4.17), que foi preso novamente e, finalmente, executado durante a perseguição de Nero contra os cristãos. Nesse período de liberdade, provavelmente, escreveu as cartas a Timóteo e Tito.

---

[e]William Henry Griffith Thomas (1861-1924), autor de *Christianity in Christ* e *Pentateuch (Chapter by Chapter Study)* [N. do E.].

Por sua importância, tratamos o livro de Atos dos Apóstolos mais pormenorizadamente do que os anteriores. Pedimos agora ao aluno que estude o seguinte esboço dos capítulos a fim de gravar bem na memória o conteúdo do livro:

Capítulos

1. Poder (cap. 1)
2. Pentecoste (cap. 2)
3. Pedro e João (cap. 3)
4. Sacerdotes e oração (cap. 4)
5. Castigo (cap. 5)
6. Cristãos pobres (cap. 6)
7. Estêvão perseguido (cap. 7)
8. Filipe (cap. 8)
9. A conversão de Paulo (cap. 9)
10. A visão de Pedro (cap. 10)
11. A explicação de Pedro (cap. 11)
12. A prisão de Pedro (cap. 12)
13. A primeira viagem missionária de Paulo (cap. 13)
14. O regresso de Paulo (cap. 14)
15. Paulo em Jerusalém (cap. 15)
16. A segunda viagem missionária de Paulo (cap. 16)
17. Paulo em Atenas (cap. 17)
18. Priscila e Áqüila (cap. 18)
19. A terceira viagem missionária de Paulo (cap. 19)
20. Paulo na Europa (cap. 20)
21. A prisão de Paulo (cap. 21)
22. O discurso de Paulo na escadaria (cap. 22)

23. A fuga de Paulo (cap. 23)
24. Paulo perante Félix (cap. 24)
25. Paulo perante Festo (cap. 25)
26. Paulo perante Agripa (cap. 26)
27. Paulo num naufrágio (cap. 27)
28. Paulo em Roma (cap. 28)

Seção C
As cartas paulinas

7
Romanos

Tema. A carta aos Romanos é uma resposta completa, lógica e inspirada à grande pergunta de todas as épocas: "Mas como pode o mortal ser justo diante de Deus?" (Jó 9.2) No AT, nos evangelhos e em Atos, encontram-se em diversas passagens os ensinamentos relativos à grande doutrina que constitui a base da carta aos Romanos — a justificação pela fé. Foi o apóstolo Paulo quem reuniu esses ensinamentos, acrescentando as revelações especiais que lhe foram confiadas. Ele nos deu a mais completa explicação encontrada no NT, incorporada numa carta que tem sido denominada "a catedral da doutrina cristã". Resumiremos o tema de Romanos da seguinte maneira: a justificação dos pecadores, a santificação dos justificados e a glorificação dos santificados, pela fé e pelo poder de Deus.

Por que foi escrita. Em sua última visita a Corinto, Paulo encontrou Febe, uma senhora cristã, que ia a Roma (Rm 16.1,2). Aproveitou a oportunidade para enviar, por meio dela, uma carta à igreja de lá, falando de sua futura visita e dando aos romanos uma declaração das verdades que lhe tinham sido reveladas.

Quando foi escrita. Na última visita de Paulo a Corinto (2Co 13.1; At 20.1,2).

Conteúdo. A carta pode ser dividida em três partes gerais:

a) *doutrinária*, desenvolve o argumento de Paulo da justificação pela fé (caps. 1—8);

b) *dispensacional* (caps. 9—11). Nos capítulos 1 a 8 e 12 a 16, Paulo trata da Igreja. Nos capítulos 9 a 11, afasta-se por um certo tempo desse tema, para falar de Israel e mostrar a relação desse povo com o plano divino da salvação. Esta seção responde à pergunta: "Que lugar ocupa a nação judaica no plano divino da salvação?";

c) *prática* (caps. 12—16). Contém exortação relativa à vida cristã.

Usaremos o seguinte esboço como base do nosso estudo:

I. Condenação (1.1—3.20)

II. Justificação (3.21—5.21)

III. Santificação (caps. 6—8)

IV. Dispensação (caps. 9—11)

V. Exortação (caps. 12—16)

I. Condenação (1.1—3.20)

Antes de começar o estudo do argumento principal de Paulo, observe estes tópicos:

1. A saudação (1.1-7)
2. A introdução (1.8-15)

   Paulo exprime sua intenção de visitar a igreja em Roma.
3. O tema (1.16,17)

   O versículo 16 contém, em resumo, o tema de toda a carta: o evangelho é (1) o poder de Deus para a salvação;

(2) de todo aquele que crê, (3) primeiro do judeu e (4), também, do grego.

Paulo começa seu grande argumento da justificação pela fé, definindo a premissa maior, a saber, que o mundo inteiro é culpado perante Deus e está sob condenação. Ele demonstra que:

1. Os pagãos estão sob condenação (1.18-32). Eles receberam no princípio uma revelação de Deus (v. 19,20), mas a rejeitaram (v. 21). A rejeição da luz levou à ignorância espiritual (v. 22); a ignorância espiritual conduziu à idolatria (v. 23-25) e a idolatria deu lugar à corrupção moral (v. 26-32).

2. O judeu está sob condenação (cap. 2). Em vez de humilhar-se pelo seu conhecimento da Lei, como deveria ter feito, tornou-se crítico e presunçoso, e a presunção cegou-o para não compreender que, aos olhos de Deus, não é melhor do que os pagãos que não têm a Lei (2.1-16). O conhecimento da Lei agrava ainda mais a condenação e torna-o mais culpado do que os pagãos que não possuem a luz (2.17-29).

3. Não há diferença entre o judeu e o gentio. Ambos estão sob o pecado, sem esperança alguma de serem justificados pelas obras da Lei ou por outra forma humana (3.1-20).

II. Justificação (3.21—5.21)

A última seção termina com um retrato do mundo inteiro culpado perante Deus, confinado na prisão do pecado e aguardando a pena da Lei. Do lado humano, não há nenhuma possibilidade de escapar; a libertação terá de vir do lado divino. A maneira de escapar é, então, revelada — a justificação pela fé. Justificação é um ato divino de justiça, por meio do qual aqueles que põem sua fé em Cristo são declarados justos ante os olhos dele e livres de toda culpa e castigo. Esse conceito pode ser ilustrado pela absolvição do prisioneiro pelo juiz, que o declara inocente.

Observaremos nesta seção:

1. A justificação pela fé (3.21-31). O judeu não podia entender justiça que não procedesse da Lei. Mas a Lei não pode trazer a salvação, pois condena em vez de justificar. Agora, no entanto, Deus revela uma justiça que existe *sem a Lei*, um dom (v. 24), obtido por todos os que crêem em Cristo (v. 22) e que se tornou possível pela sua morte expiatória (v. 25). Uma vez que Cristo morreu e pagou a pena da Lei, Deus pode ser justo e justificador (v. 26), isto é, pode absolver o pecador sem violar as exigências da sua Lei sagrada.

2. Exemplos de justificação pela fé no AT (cap. 4). Reportando os judeus às suas Escrituras, Paulo prova que a doutrina mencionada não é nova. Em primeiro lugar, cita Abraão. Se algum judeu tinha o direito de afirmar sua justificação pelas obras, esse seria Abraão, "o pai de todos os que crêem" (v. 11) e o "amigo de Deus" (Tg 2.23). Esse patriarca era justo perante Deus, mas sua justiça era pela fé e não por obras (v. 1-3). Davi foi um homem segundo o coração do Senhor (At 13.22). Recebeu esse testemunho não por causa de sua retidão, pois cometeu muitos pecados, mas por sua fé (v. 6-8).

3. Os resultados da justificação pela fé (5.1-11).

4. A segurança obtida pela justificação pela fé (5.12-21). Assim como é certo que a união com o *primeiro Adão* acarreta pecado, condenação e morte, assim também a união com o *segundo Adão* resulta em justiça, justificação e vida.

III. Santificação (caps. 6—8)

Nos capítulos 1 a 5 Paulo discorreu sobre os *pecados*, sua manifestação externa em nossa natureza e a culpa que se segue a eles.

Nos capítulos 6 a 8 ele trata do *pecado*, isto é, da própria natureza pecadora. A primeira seção fala da nossa libertação da *culpa* e *do castigo*; a segunda, da nossa libertação do *poder* do pecado. A primeira trata das nossas *ações*; a segunda, da nossa *natureza*. Os capítulos 6 a 8 respondem à pergunta: uma vez justificado, qual é a relação do cristão com o pecado? A resposta a essa pergunta pode reduzir-se a uma palavra — santificação, ou seja, separação *do* pecado e separação *para* Deus.

Resumo desta seção:

1. O cristão está morto para o pecado (cap. 6). O batismo é o símbolo da identificação do cristão com Cristo, em sua morte e ressurreição (v. 1-10). O cristão, pela fé, deve considerar-se morto para o pecado (v. 11,12); isso tem aplicação prática no abandono de todo pecado conhecido e na submissão a Deus (v. 13).

2. O cristão é liberto da Lei como meio de santificação (cap. 7). Do mesmo modo que a morte dissolve a relação matrimonial, a morte do fiel para o pecado livra-o da Lei (v. 1-6), para que se una em matrimônio com Cristo. A relação com a Lei expunha-o constantemente à condenação, porque exigia uma justiça que a corrupta natureza humana não podia oferecer. Isso não era tanto por imperfeição da Lei, porque ela era boa, santa e espiritual. A falta está na natureza carnal, que não podia cumprir suas exigências. Depois de descrever sua experiência pessoal, ao descobrir a natureza espiritual da Lei e a própria incapacidade de observá-la, Paulo solta uma exclamação que é ao mesmo tempo um grito de socorro e uma pergunta: "Miserável homem que eu sou! Quem me libertará do corpo sujeito a esta morte?" (v. 24).

3. A resposta a essa exclamação encontra-se no capítulo 8, no qual aprendemos que a justiça exigida pela Lei é operada

em nós pelo Espírito Santo, que vem depor o pecado, produzir os frutos de justiça, dar testemunho de nossa filiação e ajudar-nos na oração.

IV. *Dispensação* (caps. 9—11)

Até aqui Paulo revelou o plano divino da salvação e chegou à conclusão de que a salvação se dá pela fé em Cristo para todos os que crêem, judeus ou gentios. Ele tratou da salvação em relação ao *indivíduo*. E quanto a Israel como *nação*? Se eles foram rejeitados como nação, o que terá ocorrido com as promessas de restauração nacional no AT? Se Israel é o povo escolhido de Deus e o que recebeu sua Palavra, as alianças e a Lei, por que rejeitou, como nação, o seu Messias? Israel ainda será restaurado? Qual será a atitude dos cristãos com ele? Essas perguntas são antecipadas por Paulo e respondidas na seção que estudaremos agora.

Façamos, pois, um resumo do conteúdo desta seção:

1. Tema dos versículos 1 a 9 do capítulo 9: embora a maior parte da nação judaica tenha rejeitado Cristo, as promessas de Deus referentes a sua redenção nacional não têm falhado, porque há um remanescente fiel que formará o núcleo da nova nação quando chegar o tempo da restauração completa de Israel.

2. Tema de 9.30—10.21: a rejeição de Israel ocorre inteiramente por culpa deles.

3. Pensamento central do capítulo 11: a rejeição de Israel não é total nem final. Não é total porque há um remanescente da nação fiel a Deus, e a salvação desse grupo é a garantia da salvação de toda a nação (v. 1-10). Não é final porque, quando a plenitude dos gentios tiver chegado à Igreja, Deus enviará o Redentor que levará a nação inteira à bem-aventurança e glória milenar predita pelos profetas (v. 11-36).

V. *Exortação* (caps. 12—16)

Como a maioria das cartas doutrinárias de Paulo, Romanos contém uma seção prática. O apóstolo pode conduzir os seus leitores às alturas mais elevadas da doutrina cristã, mas nunca deixa de trazê-los de novo à terra, onde hão de aplicar a doutrina à vida cotidiana. A seção prática, na realidade, segue-se ao capítulo 8. Os capítulos de 9 a 11 são parentéticos, isto é, são inseridos por causa de sua grande importância, mas não são necessários para completar o sentido da carta. A carta aos Romanos estaria completa — pelo menos na forma — sem esses capítulos. O "portanto" de 12.1 é o que une esta seção aos primeiros 8 capítulos. Devido ao que foi exposto neles — justificação, santificação e esperança de uma glória futura —, os cristãos devem consagrar-se a Deus, servir uns aos outros em amor, andar em sabedoria e santidade diante do mundo. Resumimos o conteúdo desta seção da seguinte maneira:

1. O dever do cristão como membro da Igreja (12.1-21): consagração (v. 1,2), serviço (v. 3-8), amor aos irmãos (v. 9-21).

2. Seu dever como membro do Estado (13.1-7): obediência às autoridades.

3. Seu dever para com os outros membros do Estado (13.8-14): amor.

4. Seu dever para com os irmãos mais fracos (14.1—15.13): paciência.

5. Conclusão (15.14—16.27). O ministério de Paulo entre os gentios (v. 14-21); seu propósito de visitá-los (v. 22,23); saudações (16.1-23); bênção (v. 24-27).

Estude o seguinte resumo dos capítulos de Romanos:

1. A culpa dos pagãos (cap. 1)
2. A culpa dos judeus (cap. 2)

3. Condenação universal (cap. 3)
4. Justificação pela fé (cap. 4)
5. Resultados da justificação (cap. 5)
6. Libertação do pecado (cap. 6)
7. Libertação da Lei (cap. 7)
8. Libertação da condenação (cap. 8)
9. A eleição de Israel (cap. 9)
10. A rejeição de Israel (cap. 10)
11. A restauração de Israel (cap. 11)
12. Consagração (cap. 12)
13. Deveres com o Estado (cap. 13)
14. Deveres com os irmãos fracos (cap. 14)
15. A obra de Paulo e a visita futura (cap. 15)
16. Saudações (cap. 16)

8
1Coríntios

Tema. A primeira carta aos Coríntios foi escrita com o propósito de corrigir desordens que haviam surgido na igreja de Corinto e para definir aos fiéis um modelo de conduta cristã. Assim sendo, podemos determinar o tema desta carta: a conduta cristã na Igreja, no lar e no mundo.

Por que foi escrita. Paulo visitou Corinto em sua segunda viagem missionária (cp. At 18). Quando estava em Éfeso, ouviu falar de desordens cometidas na igreja de Corinto. Acredita-se que fez, então, uma visita apressada a essa cidade. (Deduz-se isso da declaração em 2Co 12.14, de que estava para visitar Corinto pela terceira vez. A primeira visita foi feita em sua segunda viagem missionária, e a última, depois de escrever 2Co). Depois de voltar a Éfeso, escreveu aos coríntios uma carta (agora perdida), instruindo-os acerca da atitude deles com os membros da igreja que tinham cometido pecados (1Co 5.19). Mais tarde, uma família de Corinto visitou Paulo, informando-o sobre as divisões surgidas na igreja. Chegou uma resposta à sua primeira carta (7.1), com algumas perguntas sobre a conduta cristã. Para corrigir as desordens surgidas, e para responder às perguntas, Paulo escreveu esta sua primeira carta aos coríntios. A seguir, um resumo do propósito de Paulo.

1. Corrigir as seguintes desordens:

   a) divisões;

   b) imoralidade;

   c) disputas entre os cristãos;

   d) desordens durante a ceia do Senhor;

   e) desordens durante o culto.

2. Responder às perguntas sobre:

   a) o matrimônio;

   b) comer carne oferecida aos ídolos;

   c) os dons do Espírito Santo.

Quando foi escrita. No fim dos três anos de Paulo em Éfeso (At 20.31; 1Co 16.5-8).

Conteúdo

I. Correção de desordens morais e sociais (caps. 1—8)

II. Autoridade apostólica (cap. 9)

III. Ordem na igreja (caps. 10—14)

IV. A ressurreição (cap. 15)

V. Conclusão (cap. 16)

I. Correção de desordens morais e sociais (caps. 1—8)

Sob esse título estudaremos os temas contidos no seguinte esboço:

1. Introdução (1.1-9)

2. Divisões (1.10-16)

3. A sabedoria de Deus e a sabedoria do homem (1.17—2.16)

4. Os ministros cristãos, suas relações mútuas e com os fiéis (caps. 3—4)
5. Imoralidade (cap. 5)
6. Cristãos em litígio (6.1-8)
7. A santidade do corpo (6.9-20)
8. Matrimônio (cap. 7)
9. Sobre as carnes oferecidas aos ídolos (cap. 8)

Paulo denuncia as divisões existentes entre os coríntios. O espírito de partidarismo quase destruiu o amor cristão. Os coríntios, tomados de uma admiração indevida pela figura do líder humano, colocavam-se sob o comando de diferentes ministros e procuravam levantar um contra outro como se fossem rivais. Alguns admiravam o zelo e poder de Paulo; outros viam no eloqüente e culto Apolo o pregador ideal; outros, ainda, pertencendo talvez à facção judaizante, consideravam Pedro o apóstolo dos judeus, o líder modelo; e havia os que, evidentemente desanimados com essas divisões, intitulavam-se simplesmente seguidores de Cristo (1.12).

Paulo dedica uma seção ampla à comparação entre a sabedoria de Deus e a sabedoria do homem e à demonstração da incapacidade deste último em revelar as coisas de Deus (1.17—2.1-16). A repreensão de Paulo e sua recusa da sabedoria e filosofia meramente humanas se compreendem quando levamos em consideração que os gregos tinham uma profunda admiração pela educação e cultura, e que havia o perigo de eles reduzirem o Cristianismo a um simples sistema intelectual e de o transformarem em uma das muitas escolas de filosofia de seu país. Foi esse verdadeiro amor pela sabedoria humana que os levou à apreciação indevida da liderança humana, que, por sua vez, resultou em divisões entre eles.

Nos capítulos 3 e 4, Paulo ataca a raiz do problema, demonstrando claramente a relação do ministro com Deus, com os outros e com o povo.

Apesar de os coríntios se vangloriarem de sua intelectualidade, estavam divididos acerca da liderança, tolerando em seu meio a mais baixa imoralidade (5.1-2). Paulo, usando plenamente sua autoridade apostólica (v. Mt 16.19; 18.17,18), corta o transgressor da comunhão da igreja e o entrega, por assim dizer, às mãos punitivas de Satanás (cp. Jó 1.12; 2Co 12.7), para que se arrependa (v. 5). Sabemos, pela segunda carta aos Coríntios, que esse homem se arrependeu (2Co 2.6-8).

Alguns coríntios tinham exposto a causa de Cristo ao vexame, indo a juízo uns contra os outros, perante juízes não-cristãos (6.1-8). Paulo diz-lhes claramente que, se eles quisessem reinar com Cristo, julgar o mundo e até os anjos, deveriam ser capazes de julgar as próprias demandas.

As palavras nos versículos 9 a 20 do capítulo 6 são dirigidas contra um grupo de pessoas conhecido na história da igreja como *antinomianos*. Eram cristãos professos que, indo ao outro extremo do legalismo, declaravam-se inteiramente livres da Lei. Baseando-se em algumas declarações de Paulo, segundo as quais os cristãos não estavam sob a Lei e não eram justificados por nenhuma observância externa, esses hereges haviam concluído falsamente que os atos exteriores não tinham nenhuma importância, e que o indivíduo podia até ser criminoso sem afetar sua condição de cristão. Ao refutar esse erro, Paulo salienta a santidade do corpo.

No capítulo 7, Paulo responde a uma pergunta dos coríntios sobre o matrimônio. Ao estudar esse capítulo, devemos recordar-nos de que nem todas as declarações ali contidas são mandamentos (7.6), mas muitas são sugestões de um homem guiado pelo Espírito Santo, que considera o matrimônio nas condições locais de Corinto (onde predominava a imoralidade, 7.1) e com relação às futuras perseguições da igreja (v. 26-29). Devemos lembrar também que esse capítulo não contém todas as doutrinas do NT acerca do casamento. Para um estudo completo do tema, devem ser investigadas todas as referências a ele no NT.

O capítulo 8 trata da liberdade cristã. Alguns cristãos de Corinto, salvos do paganismo, sentiam-se livres para aceitar convites para festas em templos de ídolos, porque, raciocinavam, "o ídolo não significa nada no mundo e... só existe um Deus" (8.4). Paulo reconhece essas razões, mas adverte que há os cristãos de "consciência fraca", que "não têm esse conhecimento" e que tropeçariam e cairiam em pecado se vissem um cristão instruído comendo num templo de ídolos.

II. *Autoridade apostólica* (cap. 9)

Nesse capítulo, Paulo defende-se contra um pequeno segmento da igreja que negava sua autoridade como apóstolo (6.18; 9.3). Uma das acusações era a de que não exigia sustento financeiro porque lhe faltava autoridade para pedi-lo. Paulo menciona como prova de seu apostolado o fato de ter visto o Senhor (v. 1) e refere-se a eles, como igreja, como fruto de seu ministério (v. 2). Reclama autoridade igual à dos outros apóstolos (v. 4-6). Ele prova que, como ministro do Evangelho, tem direito ao sustento financeiro. Recorre a uma metáfora natural (v. 7), uma citação da Lei (v. 9,10) e uma ilustração do templo (v. 13). Em seguida, explica por que não faz uso desse direito: não desejava colocar obstáculos ao Evangelho, transformando-o em fardo para o povo (v. 12; cp. 2Ts 3.8,9); pregar o Evangelho sem remuneração é a sua recompensa (v. 18); pregando o evangelho, considerava-se simplesmente um "servo inútil" (v. 16; cp. Lc 17.10), cumprindo apenas seu dever (v. 16). Paulo está disposto a renunciar aos seus direitos e a adaptar-se a todas as condições e tipos de homens, para poder salvar algumas almas (v. 19-23). Há uma boa razão para fazer esses sacrifícios. Como os atletas gregos que, durante o período de treino, abstinham-se de muitos prazeres e conforto e sujeitavam-se a tarefas árduas para ganhar uma coroa de folhas, ele estava disposto a fazer sacrifícios para ganhar uma coroa incorruptível (v. 24-27).

III. Ordem na igreja (caps. 10—14)

Nesta seção, estudaremos os seguintes temas:

1. Advertência contra o perigo de cair da graça (10.1-13)
2. A liberdade cristã e a idolatria (10.14-33)
3. A conduta das mulheres nas assembléias (11.1-16)
4. Desordens durante a ceia do Senhor (11.17-34)
5. Os dons do Espírito Santo, sua diversidade e distribuição (cap. 12)
6. Como regular o uso desses dons (cap. 13)
7. As regras para sua manifestação nas assembléias (cap. 14)

Apesar de terem partilhado grandes favores espirituais e recebido a graça de Deus, Paulo adverte os coríntios da possibilidade de caírem de sua elevada posição espiritual. Prova isso comparando-os a Israel.

Nos versículos 14 a 33 do capítulo 10, Paulo continua o tema do capítulo 8, a saber, a liberdade cristã de participar de festas pagãs. Paulo pronuncia uma advertência contra o risco de cair na idolatria. Embora os cristãos possam sentir-se livres para desfrutar de alguma liberdade, devem refletir se essa tolerância edifica os cristãos em geral (v. 24). Ao comprar carne no açougue, o cristão não deveriam perguntar se a carne era oferecida aos ídolos, para não perturbar desnecessariamente sua consciência (v. 25). Mas, se aceitar um convite para comer com um pagão conhecido e lhe disserem que a carne foi oferecida aos ídolos, então não deve tocá-la, porque a participação nessas circunstâncias pode parecer aceitação da idolatria, e sua conduta seria "motivo de tropeço" para muitos (27-32).

Os versículos 1 a 16 do capítulo 11 tratam da conduta das mulheres nas assembléias. À primeira vista, os versículos parecem discutir se as mulheres devem ou não usar véu na igreja. Mas, lendo cuidadosamente, descobrimos que tratam da relação entre mulher e homem, ordenada por Deus. O versículo 3 parece ser a chave desta seção. Na época de Paulo, as mulheres usavam véu como símbolo de sujeição ao homem. O evangelho deu à mulher uma liberdade que nunca antes tivera, abolindo a distinção de sexos quanto à salvação e ao estado de graça (Gl 3.28). Talvez por causa dessa liberdade, as mulheres de Corinto reclamavam igualdade de condições com os homens, em todos os sentidos; e, como afirmação clara desse direito, vieram a profetizar e orar sem o véu. Ao fazer isto, violaram a seguinte ordem divina: Deus é a cabeça de Cristo; Cristo, do homem; e o homem, da mulher (v. 3).

Os versículos restantes desse capítulo tratam das perturbações na ceia do Senhor. Parece que, antes de participarem da ceia do Senhor, os cristãos realizavam uma refeição comum, geralmente conhecida como festa do amor. Durante essa festa, muitos coríntios tinham cedido à gula e embriaguez (v. 20-22) e, como conseqüência, não tinham mais condições de participar da ceia do Senhor. Depois de explicar o caráter sagrado e o significado da ceia do Senhor (v. 23-26), Paulo adverte os cristãos contra a participação indigna (v. 27-29), para que não sofram a condenação divina (v. 30-32).

Os capítulos 12, 13 e 14 tratam dos dons espirituais. O capítulo 12 fala da variedade e distribuição dos dons; o capítulo 13, do espírito que deve caracterizar seu uso; o capítulo 14, das regras que regularizam sua manifestação no culto.

IV. A ressurreição (cap. 15)

Esse é o grande capítulo da ressurreição na Bíblia. Paulo foi obrigado a tratar da ressurreição de uma maneira muito profunda porque havia uma negação dessa doutrina. Alguns, talvez interpretando mal os ensinamentos de Paulo sobre a ressurreição espiritual do pecador, pensavam que essa fosse a única ressurreição. Outros, provavelmente do partido dos antinomianos (v. o texto ref. aos v.

de 9 a 20 do cap. 6), não se importavam por antever a ressurreição de um corpo corrompido pelos pecados da impureza.

V. *Conclusão* (cap. 16)

Resumimos o conteúdo do capítulo 16 da seguinte maneira:

1. A oferta para os cristãos judeus pobres (v. 1-4)
2. A futura visita de Paulo (v. 5-9)
3. A visita de Timóteo (v. 10,11)
4. Sobre Apolo (v. 12)
5. Exortações e saudações (v. 13-24)

Para reter o conteúdo de 1Coríntios, o aluno deve memorizar o seguinte resumo dos capítulos:

1. Divisões (cap. 1)
2. Sabedoria de Deus e sabedoria do homem (cap. 2)
3. Ministros (cap. 3 e 4)
4. Imoralidade (cap. 5)
5. Cristãos em litígio (cap. 6)
6. Matrimônio (cap. 7)
7. Liberdade cristã (cap. 8)
8. Autoridade apostólica (cap. 9)
9. Idolatria (cap. 10)
10. A ceia do Senhor (cap. 11)
11. Dons (cap. 12)
12. Amor (cap. 13)
13. Desordens no culto (cap. 14)
14. Ressurreição (cap. 15)
15. Saudações (cap. 16)

9
2Coríntios

Tema. De todas as cartas de Paulo, a segunda aos Coríntios é a mais pessoal. É uma revelação de seus sentimentos mais íntimos e dos motivos mais profundos. Abrir o coração não foi uma tarefa fácil para o apóstolo; ao contrário, bem desagradável. A presença de mestres falsos em Corinto, que punham em dúvida sua autoridade, contestando seus motivos e menosprezando seu comando, tornou necessária uma defesa de seu ministério. Ao fazer essa defesa, foi obrigado a relatar experiências a respeito sobre as quais preferia ficar calado. Pela carta, ele tem o cuidado de informar seus leitores desse fato. Tendo em mente que 2Coríntios é a defesa pessoal do ministério de Paulo, resumiremos o seu tema da seguinte maneira: o ministério de Paulo, seus motivos, sacrifícios, responsabilidades e eficiência.

A quem foi dirigida

1. Depois de escrever a primeira carta em Éfeso, Paulo foi a Trôade, onde esperou Tito, que deveria trazer-lhe uma resposta de Corinto (2Co 2.13).

2. Frustrado em sua expectativa, Paulo foi à Macedônia, onde encontrou Tito, que lhe deu as novas de que a maioria

dos fiéis da igreja tinha aceitado suas exortações, mas havia uma pequena minoria que recusara sua autoridade.

Por que foi escrita. A carta foi escrita com o objetivo de:

a) consolar os membros arrependidos da igreja;

b) repreender a minoria rebelde;

c) advertir contra os falsos mestres;

d) resistir aos ataques feitos por esses falsos mestres contra o seu ministério.

Onde foi escrita. Provavelmente em Filipos, durante a terceira viagem missionária.

Conteúdo. É excessivamente difícil analisar o livro. Como diz determinado autor[a]: "É quase impossível analisar esta carta, que é o menos sistemático dos escritos de Paulo. Assemelha-se a um rio africano. Às vezes, corre calmamente e espera-se uma análise satisfatória, mas repentinamente aparece uma grande catarata e uma agitação terrível, quando se abrem as grandes profundezas de seu coração". Dividiremos o livro em quatro seções, da seguinte maneira:

I. Uma visão retrospectiva (1.1—2.13)

II. A dignidade e eficiência do ministério de Paulo (2.14— 7)

III. A oferta para os judeus cristãos (caps. 8 e 9)

IV. A defesa de seu apostolado (10—13)

I. Uma visão retrospectiva (1.1—2.13)

1. Deus sustenta Paulo na tribulação para que ele possa, por sua vez, consolar os outros (1.1-11).

---

[a]Fonte não mencionada no texto original [N. do E.].

2. Seus motivos são puros! (1.12-14).

3. Por que Paulo retardou sua visita (1.15—2.11).

4. A espera ansiosa de Paulo por notícias de Corinto (2.12,13).

II. A dignidade e eficiência do ministério de Paulo (2.14—7)

1. Os triunfos de Paulo no seu evangelho (2.14-17).

2. Paulo defende-se contra os judaizantes e mostra que a nova aliança é melhor do que a antiga (3.1—4.6).

3. Na enfermidade, no perigo e na perseguição, a força de Paulo vem do poder de Deus e da esperança na vida eterna (4.7-10).

4. O segredo da sinceridade de Paulo e o sentimento de responsabilidade para com Cristo (5.11-21).

5. Paulo defende sua fidelidade em pregar o Evangelho (6.1-13).

6. Separem-se deles! (6.14—7.1).

7. Paulo pede aos seus convertidos que não dêem importância às notícias maldosas e mentirosas sobre ele (6.3- 4).

8. Por que Paulo esperou por Tito (7.5-16).

III. A oferta para os judeus cristãos (caps. 8 e 9)

1. Paulo pede que tomem conhecimento do exemplo dos pobres macedônios e sobretudo de Jesus! (8.1-15).

2. Paulo elogia os que trazem as ofertas (8.16-24).

3. Paulo recomenda que se preparem para contribuir com liberalidade e, assim, colher a bênção de Deus (cap. 9).

IV. A defesa de seu apostolado (caps. 10—13)

1. Paulo faz uma comparação entre ele e os falsos mestres (10.1-18).
2. Suportem a quem ama vocês! (11.1-6).
3. Por que Paulo não pediu sustento (11.7-15).
4. Sinais e visões divinas, serviço fiel e sofrimentos provam o direito de Paulo ao apostolado (11.16—12.13).
5. Peço a vocês que não me obriguem a usar o meu poder para discipliná-los! (12.14—13.10).
6. Conclusão (13.11-14).

10
Gálatas

Tema. A questão se os gentios deviam guardar a Lei de Moisés foi resolvida no concílio de Jerusalém. Foi decidido que os gentios eram justificados pela fé sem as obras da Lei. Essa decisão, no entanto, não parecia satisfazer a facção judaizante, que insistia em defender que a fé dos gentios seria aperfeiçoada pela observância da Lei de Moisés, apesar de eles serem salvos pela fé. Ao pregar essa mensagem que misturava a Lei e a graça, faziam todo o possível para insurgir os seus convertidos contra Paulo e contra a mensagem que ele pregava. Conseguiram seu objetivo a ponto de conduzirem para a observância da Lei toda a igreja dos gálatas — uma igreja gentílica. Para restituir a essa igreja o estado anterior de graça, Paulo escreveu esta carta, cujo tema é: a justificação e a santificação, não pelas obras da Lei, mas pela fé.

Onde foi escrita. Passando pela Galácia na segunda viagem missionária, Paulo demorou-se por causa de enfermidade (At 16.6; Gl 4.13). Foi bem recebido pelos gálatas e estabeleceu uma igreja nesse lugar (Gl 1.6; 4.14). Quando estava na Grécia em sua terceira viagem missionária (At 20.2), recebeu notícias de que os gálatas se tinham sujeitado à Lei. Esse fato levou-o a escrever a carta.

Por que foi escrita. A carta foi escrita com o objetivo de:
- a) opor-se à influência dos mestres judaizantes que procuravam destruir a autoridade de Paulo;
- b) refutar os seguintes erros, que eles ensinavam:
  - b1) que a obediência à Lei, com a fé, é necessária à salvação;
  - b2) que o cristão se aperfeiçoa guardando a Lei.
- c) reconquistar os gálatas que haviam caído da graça.

Quando foi escrita. Durante a terceira viagem missionária de Paulo.

Conteúdo
I. O apóstolo da liberdade (caps. 1 e 2)

II. A doutrina da liberdade (caps. 3 e 4)

III. A vida de liberdade (caps. 5 e 6)

I. O apóstolo da liberdade (caps. 1 e 2)

Nos dois primeiros capítulos, Paulo defende-se contra as seguintes acusações dos judaizantes:

1. Negavam que ele fosse verdadeiro apóstolo de Cristo, porque não tinha recebido, como os Doze, sua missão pessoalmente do Senhor.
2. Diziam que era apenas um mestre enviado pelos apóstolos, de maneira que suas doutrinas só deveriam ser aceitas quando estivessem de acordo com as dos outros.
3. Acusavam-no de espalhar doutrinas não aprovadas pelo concílio de Jerusalém.

Observe como Paulo respondeu a essas acusações:

1. No primeiro versículo da carta, ele revela enfaticamente sua missão divina como apóstolo. Em seguida, cumprimenta os cristãos (v. 2-5). Note-se a ausência de ações de

graças que caracterizam as outras cartas, porque está escrevendo a uma igreja que caiu em pecado. Está admirado por eles se terem afastado do verdadeiro Evangelho para aderirem ao que ele chama de evangelho diferente (v. 6): esse evangelho *diferente*, no entanto, não é *outro*, pois há somente um Evangelho. A mensagem a que tinham obedecido é uma perversão do evangelho (v. 7). E profere uma maldição sobre aqueles que pregavam um evangelho diferente (v. 8,9).

2. Nos versículos 10 a 24 do capítulo 1, Paulo desmente a acusação de ter recebido dos apóstolos seus ensinamentos e sua missão, dizendo que os recebeu do próprio Senhor.

3. Nos versículos 1 a 10 do capítulo 2, Paulo mostra que seu ministério e sua mensagem receberam a aprovação dos líderes do concílio da igreja em Jerusalém. Quatorze anos depois de sua conversão, Paulo foi a Jerusalém para assistir ao concílio e aí defendeu sua pregação sobre a justificação dos gentios somente pela fé (2.1; cp. At 15.1,2).

4. Em vez de ter sido censurado pelos Doze, como se alegava, Paulo afirma ter censurado um deles (2.11-21). Depois de sua visão (At 10.11-18) e da experiência na casa de Cornélio, Pedro livrou-se dos preconceitos judaicos e manteve livre relacionamento social com os gentios. Mas, quando alguns judeus cristãos ortodoxos vieram de Jerusalém e viram sua conduta (e a dos judeus que estavam com ele) com olhar de crítica, ele separou-se dos gentios (v. 11-13). Paulo condenou esse comportamento como concessão covarde.

II. A doutrina da liberdade (caps. 3 e 4)

Paulo repreende os gálatas por se terem afastado da verdade da justificação pela fé e diz a eles que a experiência espiritual deles não tinha nenhuma ligação com a sua observância da Lei (3.1-5). Ele apresenta, então, o argumento de que a justificação se dá pela fé, sem as obras da Lei (3.6 — 4.7). Os seus pontos principais são os seguintes:

1. Mesmo Abraão, o amigo de Deus, não foi justificado por suas obras, mas pela fé (v. 6); assim, filho de Abraão não é aquele que observa a Lei de Moisés (cp. Mt 3.9), mas aquele que é justificado pela fé (v. 7).

2. A aliança que Deus fez com Abraão foi uma aliança de *fé* (v. 8,9). Isto não tem nada com a aliança de Moisés, que era uma aliança de *obras* (v. 10). A aliança de Abraão ocorreu primeiro, mas a Lei, com sua maldição, foi acrescentada depois e, assim, vedou o caminho pelo qual a bênção de Abraão viria ao mundo. Mas Cristo, com sua morte, removeu a maldição da Lei (v. 13), para que a bênção de Abraão viesse tanto sobre os gentios quanto sobre os judeus (v. 14).

3. Paulo explica, em seguida, a relação entre as alianças de Abraão e de Moisés (3.15-18). Se a bênção de Abraão tivesse de vir pelas obras da Lei, então a recepção dessa bênção seria *condicional* à guarda da Lei; a aliança com Abraão, porém, é *incondicional* (v. 18). Do versículo 18 conclui-se que, se tiver de vir ao mundo pela observância da Lei, a bênção de Abraão nunca virá, porque ninguém poderá ser justificado pela Lei.

4. Paulo, então, explica também o propósito da Lei e sua relação com o cristão (3.19—4.7). Os argumentos anteriores de Paulo provocam a seguinte pergunta dos judeus: se a Lei não pode salvar, por que foi dada ao homem? (v. 19). A aliança com Abraão prometia a salvação pela fé sem as obras da Lei. Mas, como Deus poderia ensinar ao homem que a salvação viria unicamente pela fé, sem qualquer

esforço da parte deste? Somente colocando-o sob a Lei e mostrando a ele que sua natureza pecaminosa não permite a observância perfeita dos preceitos da Lei, fazendo-o, assim, recorrer à fé como meio de salvação (v. 19). A Lei não se opõe à aliança de Abraão, porque nunca teve por finalidade salvar o homem (v. 21); foi dada para mostrar ao homem a necessidade da salvação pela fé (v. 22,23). Paulo pede a eles que voltem para a plena liberdade do Evangelho (4.8-31).

III. A vida de liberdade (caps. 5 e 6)

Podemos resumir esta seção com as seguintes exortações:

1. Permaneçam firmes na liberdade da graça, porque a Lei não os pode salvar (5.1-6).
2. Afastem-se dos falsos mestres que perverteram o Evangelho e fizeram de vocês escravos do legalismo (5.7-12).
3. Embora estejam livres da Lei de Moisés, não estão livres para pecar. Andem no amor e, assim, cumprirão a Lei (5.13,14).
4. Vocês serão tentados, contudo, pela natureza carnal, mas obedeçam aos impulsos do Espírito Santo e serão vitoriosos (5.16-26).
5. Levem as cargas uns dos outros e sede pacientes com os que cometem faltas (6.1-5).
6. Ajudem os seus ministros e, assim, vocês receberão a bênção divina (6.6-10).
7. Conclusão (6.11-18). Cuidado com os judaizantes! Sei muito bem que desejam conquistá-los somente para se gloriarem em vocês. Gloriai-vos somente na cruz, na qual, unicamente, há salvação.

11
Efésios

Tema. Efésios supera todas as demais cartas de Paulo no que diz respeito à profundidade e excelência da doutrina. Tem sido chamada a "carta do terceiro céu" de Paulo — porque nela "ele se eleva das profundezas da ruína até as alturas da redenção" — e os "Alpes do Novo Testamento" — "porque aqui Deus nos ordena subir passo a passo até alcançarmos o ponto mais elevado possível para o homem, a própria presença de Deus". A carta aos Efésios é a grande exposição de uma doutrina fundamental da pregação de Paulo, a saber: a unidade de todo o universo em Cristo; a unidade do judeu e gentio em seu corpo, a Igreja; e o propósito de Deus nesse corpo para o tempo presente e para a eternidade. A carta é dividida em duas seções: doutrinária (caps. 1—3) e prática (caps. 4—6). Na primeira seção, Paulo expõe a grandeza e glória da vocação cristã. Ensina que uma vocação santa exige uma conduta santa.

Ele apela para os seus leitores a fim de que se elevem à mais alta dignidade de sua missão. Fazendo isso, apresenta o retrato da Igreja como um só corpo, predestinado desde a eternidade a unir judeus e gentios. Essa Igreja, pelos séculos futuros, exibirá ante o universo a plenitude da vida divina, vivendo-a, imitando o caráter de Deus, usando a armadura de Deus, lutando nas batalhas de Deus, perdoando como Deus perdoa, educando como Deus educa; tudo isso para que se cumpra a obra mais ampla, pela qual Cristo deverá ser o centro do universo.[a]

Resumiremos o tema da seguinte maneira: a Igreja é escolhida, redimida e unida em Cristo, de sorte que a Igreja deve andar em unidade, em vida nova, na força do Senhor e com a armadura de Deus.

Por que foi escrita. Dois perigos ameaçavam a igreja em Éfeso: a tentação de descer ao nível pagão e a falta de unidade entre o judeu e o gentio. Para enfrentar o primeiro perigo, Paulo contrasta a santidade da vocação cristã deles com a condição anterior, pecaminosa e pagã. Para se prevenir contra o segundo perigo, Paulo apresenta Jesus promovendo a paz entre o judeu e o gentio pelo sangue da cruz e tornando os dois um novo corpo.

Quando foi escrita. Durante a primeira prisão de Paulo em Roma. Foi enviada por Tíquico, que também levou cartas aos colossenses e a Filemom.

Conteúdo. O aluno notará, durante o estudo do esboço com suas divisões e subtítulos principais, que a carta comporta agrupamentos tríplices, conforme sugestão de Riley no livro *Éfesios, a tríplice carta*.

Seção doutrinária: a vocação da igreja (caps. 1—3)
    I. A fonte tríplice da nossa salvação (1.1-18)
    II. A manifestação tríplice do poder de Deus (1.19—2.22)
    III. Declaração tríplice referente a Paulo (cap. 3)

Seção prática: a conduta da igreja (caps. 4—6)
    I. Exortação tríplice à igreja (4.1—5.21)

---

[a] Fonte não mencionada no texto original [N. do E.].

II. Exortação tríplice à família (5.22—6.9)

III. Expressão tríplice da vida espiritual (6.10-24)

Seção doutrinária: a vocação da igreja (caps. 1—3)

I. A fonte tríplice da nossa salvação (1.1-18)

A nossa salvação, que é a soma de todas as bênçãos, encontra a sua fonte:

1. Na predestinação do Pai, que nos escolheu antes da criação do mundo para sermos seus filhos, sem mancha nem defeito (1.4-6).

2. Na redenção do Filho, por meio do qual nos é dado o conhecimento do plano eterno de Deus para o universo e uma herança eterna (1.7-12).

3. No selo do Espírito Santo, que é a garantia — o primeiro sinal pago — da redenção completa que será nossa no futuro (1.13,14).

Paulo ora para que os efésios tenham uma consciência ainda mais profunda e completa do privilégio e do poder de sua salvação (1.15-18).

II. A manifestação tríplice do poder de Deus (1.19—2.22)

1. O poder de Deus foi manifesto em Cristo (1.19—23) de três maneiras:

    a) pela ressurreição;

    b) pela ascensão;

    c) pela exaltação.

2. O poder de Deus foi manifesto no indivíduo das três seguintes maneiras:

    a) pela ressurreição espiritual (2.1-5);

b) pela ascensão espiritual (v. 6);

c) pelo poder de fazer boas obras e demonstrar a graça de Deus durante toda a eternidade (v. 7-10).

3. O poder de Deus foi manifesto na humanidade inteira (2.11-22), envolvendo três grupos de pessoas:

a) os gentios (v. 11-13). Em relação a Israel, eram estrangeiros; em relação às alianças, eram estranhos, porque todas as alianças foram feitas com Israel; em relação a Deus, estavam condenados. Mas, agora, tornaram-se próximos pelo sangue de Cristo;

b) os judeus (v. 14-17). Entre judeus e gentios existia uma linha de demarcação rígida com respeito à religião. No templo de Jerusalém havia um pátio especial para os gentios, separado do "pátio de Israel" por uma parede (v. 14); nessa parede havia avisos proibindo aos gentios ultrapassá-la, sob pena de morte. Mas, no templo espiritual de Deus, já não há linha divisória; judeus e gentios têm "acesso ao Pai, por um só Espírito" (v. 18);

c) a Igreja de Deus (v. 19-22). Os gentios prestavam culto nos templos de ídolos; os judeus, no grande santuário em Jerusalém. Agora, ambos deixaram esses edifícios feitos por mãos humanas para formarem um grande templo espiritual, cuja pedra angular é Cristo, cujo fundamento é formado pelos apóstolos e profetas e cujas pedras são os cristãos. O conjunto forma um grande templo habitado por Deus por meio do Espírito Santo.

III. Declaração tríplice referente a Paulo (cap. 3)

1. O ministério de Paulo: pregar o mistério do Evangelho. Esse mistério era a grande verdade de que judeus e gentios são co-herdeiros e membros do mesmo corpo (v. 6). Ele estava escondido em Deus desde a criação do mundo e

não foi revelado sob a dispensação do AT (v. 5,9). As Escrituras do AT ensinavam a salvação dos gentios, mas não a formação de um só corpo com os judeus.

2. A oração de Paulo (v. 13-19).

3. O louvor de Paulo (v. 20,21).

Seção prática: a conduta da igreja (caps. 4—6)

I. Exortação tríplice à igreja (4.1—5.21)

1. Uma exortação à união (4.1-16). Observe três aspectos referentes à união:

   a) qualidades essenciais para a união: humildade, mansidão, paciência, tolerância (v. 1-3);

   b) uma descrição da união (v. 4-6);

   c) o método de produzir a união: pelo uso dos dons e por meio do ministério, cujo ofício é o de proporcionar ao corpo a perfeição espiritual e a união com Cristo (v. 7-16).

2. Exortação a uma vida nova — despir-se do homem velho e dos costumes dos outros gentios; revestir-se do homem novo e viver em conformidade com o plano de Deus (4.17-32).

3. Exortação a um comportamento novo (5.1-20).

Riley aponta três características da conduta do cristão, sugeridas pela tríplice menção da palavra "andar", que na NVI consta como "viver":

   a) viver em amor (v. 1-7);

   b) viver na luz (v. 8-14);

   c) viver com prudência (v. 15-20).

II. Exortação tríplice à família (5.22—6.9)

1. Marido e mulher (5.22-33)

2. Filhos e pais (6.1-4)

3. Escravos e senhores (6.5-9)

III. Expressão tríplice da vida espiritual **(6.10-24)**

1. Poder (6.10-17). Uma exortação para vestir a completa armadura de Deus (essa imagem foi sugerida provavelmente pela armadura dos soldados romanos que guardavam Paulo), para que o cristão possa receber o poder divino e combater o bom combate.

2. Oração (6.18,19). O "quando", "como" e "por quem" orar.

3. Paz (6.20-24). Depois de fazer uma referência pessoal a Tíquico, o apóstolo termina com uma bênção.

12
Filipenses

Tema. A carta aos Filipenses foi chamada de "o mais doce dos escritos de Paulo" e "a mais bela de todas as cartas de Paulo, na qual expõe seu coração e, em cada sentença, brilha um amor mais terno do que o de uma mulher". Por toda a carta respira-se o espírito do amor de Paulo aos filipenses; e a atitude deles com o apóstolo prova que o amor era mútuo. Não se discutem questões nem se apresentam controvérsias. Não há, da parte de Paulo, repreensões severas nem se nota um coração magoado devido a desordens sérias. Havia algumas divisões, é verdade, mas não eram sérias, ao que parece. O apóstolo trata delas com muito tato e discernimento. Em vez de pronunciar severas denúncias contra as facções implicadas, cria uma atmosfera de união e amor pelo uso freqüente de expressões que sugerem comunhão e cooperação, tais como "cooperador", "companheiro de lutas" e semelhantes, sugerindo a idéia de união e camaradagem. Ele cria uma atmosfera de fé e adoração pela repetição do nome do Senhor, e faz que se esqueçam das diferenças insignificantes ao apresentar-lhes um quadro admirável daquele que, embora subsistisse como Deus, esvaziou-se e humilhou-se para a salvação de outros. Ao explorar o tema, seremos guiados pelo uso freqüente de algumas palavras. Um grande conhecedor da Bíblia disse que Filipenses se resume em: "Alegro-me — alegrem-se". A carta é cheia de alegria. Em cada capítulo, soam as palavras "gozo", "exultação", "alegria", como o som de campainhas de prata. Apesar da prisão e de se encontrar diante da morte, o apóstolo sente alegria. Resumiremos o tema da seguinte maneira: a alegria da vida e do serviço cristão, manifesta em todas as circunstâncias.

Por que foi escrita. Epafrodito, o mensageiro da igreja dos filipenses, ao qual foi confiada uma oferta para o apóstolo, ficou doente quando chegou a Roma. Restabelecido, voltou a Filipos, e Paulo aproveitou sua volta para enviar uma carta de agradecimento e exortação à igreja, sobre a qual Epafrodito tinha informado Paulo.

Quando foi escrita. No ano de 64 d.C., aproximadamente, durante a primeira prisão de Paulo em Roma.

Conteúdo

I. A situação e o trabalho de Paulo em Roma (cap. 1)
II. Três exemplos de abnegação (cap. 2)
III. Advertências contra o erro (cap. 3)
IV. Exortações finais (cap. 4)

I. A situação e o trabalho de Paulo em Roma (cap. 1)

1. A saudação de Paulo (1.1-11).
2. Sua alegria na prisão (v. 12-30):
    a) alegria apesar da prisão (v. 12-14), porque causou o progresso do Evangelho. A notícia de sua prisão foi divulgada por todas as instalações militares e, dali, a outras partes da cidade. Os cristãos em Roma foram motivados para um esforço evangelístico por sua coragem;

b) alegria, apesar daqueles que, levados pelo espírito partidário, pregam o Evangelho por motivos falsos (provavelmente os judaizantes — v. 15-18). O apóstolo, porém, alegra-se, uma vez que Cristo é proclamado;

c) alegria, apesar da perspectiva de morte (v. 19-30). Pouco importa ao apóstolo viver ou morrer, porque o seu desejo é glorificar a Cristo, em qualquer circunstância. Seria melhor para ele morrer e estar com Cristo; contudo ele prefere viver para terminar sua obra e aperfeiçoar a fé dos filipenses. Tem esperança de ser posto em liberdade e poder visitá-los. Mas, seja qual for o seu destino, ele deseja que andem de maneira digna do Evangelho, proclamando sua mensagem apesar da perseguição que possam sofrer.

II. Três exemplos de abnegação (cap. 2)

Paulo começa com uma exortação à união, que corria o risco ser arruinada por algumas diferenças insignificantes entre os cristãos (v. 1,2).

Essa união deveria ser efetivada por eles, mediante o espírito de humildade e abnegação (v. 2,3). "Cada um cuide, não somente dos seus interesses, mas também dos interesses dos outros" (v. 4). O apóstolo, em seguida, cita três exemplos de pessoas cujo princípio de vida era o sacrifício pelos outros.

1. O exemplo de Cristo (2.5-16), que, embora fosse igual a Deus, esvaziou-se de seu poder e humilhou-se até a morte na cruz em benefício de outros.

O apóstolo acrescenta, então, uma tríplice exortação:

a) à perseverança na fé (v. 12,13);

b) à obediência (v. 14-16);

c) à atividade missionária (v. 16).

2. O exemplo de Timóteo (2.17-24), ministro que incorpora perfeitamente a exortação de Paulo no versículo 4 (cp. v. 20,21).

3. O exemplo de Epafrodito, cristão que livremente consumiu sua vida por outros. Semimorto por excesso de trabalho, estava angustiado, não por causa da própria aflição, mas porque a notícia de sua doença causou tristeza em outros.

III. Advertências contra o erro (cap. 3)

1. Advertência contra o legalismo (3.1-14). Quem não estiver familiarizado com os mestres a quem Paulo se refere, considerará por demais severas as expressões "cães" e "os que praticam o mal", mas o apóstolo viu na doutrina que pregavam, da salvação pelas formas exteriores da Lei, algo que destruiria a vida e a fé cristãs. Por isso denuncia os judaizantes como inimigos do Evangelho. Paulo podia vangloriar-se tanto quanto esses mestres judaizantes dos privilégios sociais e religiosos (v. 4-6), mas tinha rejeitado todos eles como esterco (v. 7,8), para poder ganhar a Cristo e ser encontrado nele tendo a justiça da fé, e não da Lei (v. 9,10). A justificação e santificação pela fé em Cristo não lhe proporcionaram uma segurança descuidada, porque ele ainda avança tendo como alvo a perfeição, que será consumada na primeira ressurreição (v. 11-14).

2. Exortação à união na doutrina (v. 15,16). Aqueles que são espiritualmente maduros devem buscar a perfeição cristã mencionada por Paulo e estar de acordo com ela. Se houver diferenças insignificantes, em coisas não essenciais, Deus as esclarecerá. Esses versículos revelam o assunto que causava divisões entre os filipenses: a perfeição cristã.

3. Advertência contra o antinomismo (a ilegalidade) (v. 17-19). Do lado judaico, a igreja estava exposta ao perigo do legalismo; do lado dos gentios, ao do antinomismo, doutrina que ensinava não estar o cristão sob lei alguma. A adesão a essa doutrina causava muitas vezes a destruição da fé e da pureza.

4. Exortação à santidade (v. 20,21). Os cristãos devem manter uma conduta celestial, por terem uma esperança celestial, a esperança de glorificação na vinda do Senhor.

IV. *Exortações finais* (cap. 4)

1. Exortações:

   a) à firmeza (v. 1);

   b) à unanimidade (v. 2);

   c) à cooperação com os cristãos leigos (v. 3);

   d) à alegria (v. 4);

   e) à tolerância e mansidão (v. 5);

   f) à libertação da ansiedade (v. 6,7);

   g) à preservação de uma mente santa (v. 8);

   h) à prática do cristianismo (v. 9).

2. Agradecimentos aos cristãos pelas suas dádivas (v. 10-20).

3. Saudações e bênçãos (v. 21-23).

13
Colossenses

Tema. A carta aos Colossenses[a] foi motivada pela introdução de doutrinas errôneas na igreja. É provável que tenha aparecido um mestre propagando um sistema doutrinário que misturava o legalismo judaico com a filosofia pagã. Era o elemento pagão no sistema — conhecido posteriormente como gnosticismo — que constituía o maior perigo para a fé da igreja.

Os gnósticos — de *gnosis*, palavra grega que significa "conhecimento" — vangloriavam-se de possuir uma sabedoria muito mais profunda do que a revelada nas Sagradas Escrituras e que era privilégio de poucos. Os gnósticos consideravam a matéria má em si, razão por que um Deus santo não a poderia ter criado. Os anjos, diziam eles, eram os criadores da matéria. Um Deus puro não se comunicava diretamente com o homem pecador, mas por meio de uma cadeia de anjos intermediários, que formavam uma espécie de escada da terra ao céu.

Jowett descreve da seguinte maneira um aspecto dessa doutrina:

---

[a] Colossos era uma cidade da Frígia, província da Ásia Menor.

A carne é essencialmente má; Deus é essencialmente santo. Entre o essencialmente mau e o essencialmente santo não pode haver comunhão. É impossível, diz a doutrina herética, que o essencialmente santo tenha contato com o essencialmente mau. Há um abismo infinito entre os dois, e um não pode ter intimidade nem contato com o outro. Foi, então, necessário inventar meios para atravessar esse abismo, para que o Deus essencialmente santo pudesse entrar em comunhão com o estado essencialmente mau do homem. O que se podia fazer? A doutrina herética diz que do Deus essencialmente santo emanou um ser um pouco menos santo, e que deste segundo ser santo emanou um terceiro ainda menos santo, e deste terceiro, um quarto e assim por diante, com um enfraquecimento cada vez maior, até que apareceu um (Jesus) que estava tão despojado de divindade e tão semelhante ao homem, que podia entrar em contato com ele.

É claro que essa heresia nega a soberania, a divindade e a condição de intermediário único de Jesus, colocando-o no grupo de anjos mediadores. Paulo corrige esse erro, demonstrando que Jesus, em vez de ser apenas um anjo intermediário, é o criador do universo e dos próprios anjos. Ele eleva Jesus à posição designada por Deus de cabeça do universo e único mediador, reconciliador da criação inteira com Deus.

Resumiremos o tema da seguinte maneira: a preeminência de Cristo. Ele é o primeiro na natureza, na Igreja, na ressurreição, na ascensão e na glorificação. Ele é o único mediador, salvador e fonte de vida.

Por que foi escrita. Os colossenses, tendo ouvido falar da prisão de Paulo, enviaram seu ministro Epafras para informar ao apóstolo a situação (1.7,8). Paulo ficou sabendo, então, que falsos mestres procuravam adicionar à fé cristã uma doutrina que era mistura de judaísmo e filosofia pagã. Paulo escreveu a carta para combater esse erro.

Quando foi escrita. A carta aos Colossenses foi levada por Tíquico, o mesmo portador das cartas aos Efésios e a Filemom. Foi, portanto, escrita mais ou menos na mesma época das outras duas.

Conteúdo

I. Prefácio e saudação (1.1-12)

II. Explicação: a doutrina verdadeira é declarada (1.13—2.3)

III. Refutação: a falsa doutrina é desmascarada (2.4-23)

IV. Exortação: é exigida conduta santa (3.1—4.6)

V. Conclusão e saudações (4.7-18)

I. Prefácio e saudação (1.1-12)

1. A saudação de Paulo (1.1, 2).

2. A sua gratidão (1.3-8). Agradece a Deus o amor e a união da igreja colossense, sobre a qual foi informado por Epafras, ministro e, provavelmente, fundador da igreja.

3. A sua oração (1.9-12).

II. Explicação: a doutrina verdadeira é declarada (1.13—2.3)

1. A pessoa e a posição de Cristo (1.14-19):

   a) ele é nosso redentor por seu sangue reparador (v. 13,14);

   b) ele é o cabeça da criação natural — o universo — porque é seu criador (v. 15-17);

   c) ele é o cabeça da criação espiritual — a Igreja —, porque, como ressuscitado, ele a criou (v. 18);

   d) ele é o preeminente, pois nele habita a plenitude dos poderes e atributos divinos (v. 19).

2. A obra de Cristo — uma obra de reconciliação (1.2—2.3):

   a) o âmbito total da reconciliação — o universo inteiro, tanto material, como espiritual (v. 20);

b) os sujeitos da reconciliação — aqueles que tinham sido inimigos de Deus (v. 21);

c) o propósito da reconciliação — apresentar os homens santos, puros e irrepreensíveis na presença de Deus (v. 22);

d) a condição da plena consumação da reconciliação — a constância na fé (v. 23);

e) o ministro da mensagem de reconciliação — Paulo (1.24—2.3). Pelos seus sofrimentos está completando a medida dos sofrimentos de Cristo. (Em determinado sentido, Cristo sofre ainda por meio dos membros perseguidos de sua Igreja. V. At 9.4.) Seu ministério consiste em revelar o grande mistério, isto é, que Cristo está neles, a esperança da glória. Isso explica o interesse do apóstolo pelos colossenses, apesar de nunca os ter visto (2.1-3).

III. Refutação: a falsa doutrina é desmascarada (2.4-23)

Paulo adverte os colossenses a não se deixarem enganar pelos raciocínios falsos dos filósofos (2.4-7), porque em Cristo eles têm a plenitude da revelação divina (2.3). Previne-os contra os seguintes erros:

1. Gnosticismo (v. 8-10). Os cristãos devem ter cautela com os argumentos da filosofia humana, que não são mais do que o á-bê-cê — isto é, os princípios elementares, ou rudimentos — dos conhecimentos humanos (v. 8). Eles não precisam de uma perfeição maior, dos conhecimentos chamados de "mais elevados" dos gnósticos, porque, como cristãos, desfrutam da plenitude daquele em quem habita a plenitude da Divindade em forma corpórea e que é o cabeça de todo o poder e autoridade.

2. Legalismo (v. 11-17). Nesses versículos, Paulo demonstra:

a) a relação dos cristãos com o rito da circuncisão (v. 11,12); eles passaram por uma circuncisão espiritual que representa a morte aos pecados do corpo, que se exprime externamente na prática cristã do batismo;

b) sua relação com a lei moral (v. 12-15). Mortos em delitos e pecados, estavam condenados pela Lei, mas Cristo, por sua morte, pagou a pena da Lei e anulou a dívida deles (cp. Gl 3.13,14);

c) sua relação com a lei cerimonial (v. 15 e 16). As festas, os dias santos e outras práticas cerimoniais judaicas não passam de símbolos e figuras que representam Cristo. Agora, desde que Cristo veio e cumpriu os símbolos, eles tornam-se desnecessários. Assim, o cristão não é obrigado a observar as festas ou os dias santos dos judeus.

3. Falso misticismo (v. 18,19). O misticismo ensina que se pode adquirir um conhecimento mais profundo das verdades divinas por comunhão direta com Deus do que pelas Escrituras. Os colossenses não devem deixar-se enganar por aqueles que ensinam que os anjos devem ser adorados e que baseiam sua doutrina em revelações imaginárias do outro mundo.

4. Ascetismo (v. 20-23). Ensina que a mortificação do corpo e a renúncia ao conforto físico são necessárias para a santidade. As proibições de alguns alimentos e ao conforto físico são simplesmente regras feitas por homens, para alcançar a santidade (v. 21,22). Essas restrições, embora dêem aparência de humildade e piedade àqueles que as observam, não podem, em si mesmas, mortificar os atos da carne (v. 23). O cristão não precisa dessas proibições, porque morreu para o pecado e vive uma nova vida com Cristo (v. 20).

IV. Exortação: é exigida conduta santa (3.1—4.6)

1. A união do cristão com Cristo e sua conduta em vista disso (3.1-4)
2. Morte do "velho homem" — extinção do que pertence à natureza terrena (v. 5-9)
3. Revestir-se do "novo homem" — o cultivo das graças e virtudes da nova vida em Cristo (v. 10-17)
4. Conselhos à família (3.18—4.1)
5. Exortações finais (4.2-6)

V. Conclusão e saudações (cap. 4.7-18)

1. A missão de Tíquico e de Onésimo (v. 7-9)
2. Saudações de diversas pessoas (v. 10-14)
3. Saudações de Paulo (v. 15-17)
4. Bênção (v. 18)

14
1 Tessalonicenses

Tema. A primeira leitura desta carta revela a existência de um tema que supera todos os demais: a segunda vinda de Cristo. Todos os capítulos terminam com uma referência a esse acontecimento. Paulo trata dessa verdade mais no aspecto prático do que doutrinário, aplicando-a diretamente à atitude e à vida do cristão. Assim, podemos resumir o tema desta carta da seguinte maneira: a vinda do Senhor com relação ao ânimo, consolo, vigilância e santificação do cristão.

Por que foi escrita. A carta foi escrita com o objetivo de:

    a) consolar os cristãos durante a perseguição (3.1-5);

    b) consolá-los pela perda de pessoas queridas que haviam morrido na fé (4.13), pois os tessalonicenses tinham receio de que os que já haviam morrido perdessem o prazer de testemunhar a vinda do Senhor;

    c) corrigir alguns que tinham cometido o erro de supor que não precisavam mais trabalhar, na expectativa da segunda vinda do Senhor (4.11,12).

Quando foi escrita. Foi escrita pouco depois de Paulo partir de Tessalônica, em Corinto.

Conteúdo. Robert Lee, de Londres, dá-nos o seguinte esboço, que consideramos proveitoso.

A vinda do Senhor é uma esperança:

    I. *inspiradora* para o recém-convertido (cap. 1)

    II. *animadora* para o servo fiel (cap. 2)

    III. *purificadora* para o cristão (3.1—4.12)

    IV. *consoladora* para os enlutados (4.13-18)

    V. *despertadora* para o cristão que dorme (cap. 5)

Com verdadeira humildade e polidez cristã, Paulo menciona os seus colaboradores, colocando-os no mesmo nível que ele (1.1). Por que Paulo recomenda três coisas aos cristãos? (v. 3; cp. 1Co 13.13 em contraste com as primeiras palavras de Ap 2.2). Como Paulo pregou o Evangelho a esses cristãos? (v. 5). De quem se tornaram seguidores? (v. 6; cp. 1Co 11.1). Como eles receberam o Evangelho? (cp. At 13.50-52). Qual era a relação deles com as outras igrejas? (v. 7). Qual era a relação deles com a evangelização das regiões vizinhas? (v. 8). Que atitude, com relação a Deus e ao pecado, assegurou a salvação deles? (v. 9). Qual era a atitude deles agora? (v. 10).

A que acontecimento se refere Paulo em (At 16.19-40)? O que se diz a respeito dos motivos de Paulo para pregar o Evangelho? (v. 3-6). O que se diz sobre sua atitude para com esses cristãos? (v. 7-12). Era lícito a Paulo, como apóstolo, pedir ajuda financeira? (1Co 9.6,14). Por que não a exigiu dos tessalonicenses? (2.6,9). Que testemunho todo verdadeiro o ministro do Evangelho deve dar? (v. 10). Como os tessalonicenses receberam o Evangelho? (v. 13). Com quem são comparados por Paulo? (v. 14). Qual era o maior pecado da nação judaica, segundo Paulo? (v. 16; cp. Mt 23.13). Quais eram os desejos de Paulo quando estava em Atenas? (v. 18; cp. At 17.15). O que será fonte de alegria no céu para o ministro do Evangelho? (v. 19).

Quem se uniu a Paulo em Atenas? (3.1,2; cp. At 17.15). Por que Paulo enviou Timóteo dali aos tessalonicenses? (3.2,3). O que eles deveriam esperar, segundo Paulo? (v. 4; cp. At 14.22). O que o apóstolo temia? (v. 5). Que notícias Timóteo trouxe ao regressar? (v. 6). O que era a própria vida para o apóstolo? (v. 8). Qual era o seu desejo sincero? (v. 10). A sua oração? (v. 11,12). A oração no versículo 12 era importante? (Jo 13.34, 35; Rm 13.9; 1Co 13.13; Gl 5.6). O que seria a consumação do amor deles? (v. 13).

Os tessalonissences são advertidos por Paulo contra que tipo de pecado muito comum entre os gentios? (4.1-7). O que diz Paulo acerca de sua autoridade? (v. 8). Por qual poder exerce a autoridade? (v. 8; cp. At 15.28). Qual verdade evidente todo cristão deve conhecer, como filho de Deus? (v. 9; cp. 1Jo 3.18). A que ordem se refere Paulo no versículo 11? (2Ts 3.10). Quais são os dois motivos dessa ordem? (v. 12). Onde Paulo aprendeu as verdades expostas nos versículos 13-18? (v. 15).

Como virá o dia do Senhor para o incrédulo? (5.1-3). E para o cristão? (v. 4). Apesar de não sabermos a hora exata da vinda do Senhor, saberemos quando estiver próxima? (Mt 24.32). Com o que Paulo compara o estado pecaminoso do mundo? (v. 7). Qual é a relação entre o versículo 9 e o ensinamento de que a Igreja passará pela tribulação? Qual deve ser a atitude do cristão com os seus chefes? (v. 12,13). Que advertência é dada àqueles que possam estar dispostos a reprimir as manifestações genuínas do Espírito Santo? (v. 19). Que advertência é feita aos que exaltam as manifestações acima da pregação da palavra? (v. 20). Qual deve ser a nossa atitude com as mensagens em línguas e as profecias? (v. 21). Qual é o plano perfeito de Deus para todos os cristãos? (v. 23). Quando essa obra será terminada? (v. 23; cp. Fp 3.21; 1Jo 3.2). O que torna possível o cumprimento da oração pronunciada no versículo 23? (v. 24).

15
2 Tessalonicenses

Tema. A segunda carta aos Tessalonicenses anuncia a segunda vinda do Senhor com relação aos cristãos perseguidos, aos pecadores não arrependidos e a uma igreja apóstata.

Por que foi escrita. A carta foi escrita com o objetivo de:

    a) consolar os cristãos durante um novo surto de perseguições (1.4);

    b) corrigir a falsa doutrina de que o dia do Senhor já teria vindo (2.1), pois as severas perseguições haviam ocasionado em alguns a idéia de que já havia começado a grande tribulação;

    c) censurar aqueles que se comportavam desordenadamente (3.6).

Quando foi escrita. Foi escrita pouco depois da primeira carta de Paulo para a mesma igreja.

Conteúdo. O conteúdo gira em torno da segunda vinda do Senhor com relação a:

    I. Cristãos perseguidos (1.1-7)

II. Impenitentes (não arrependidos) (1.8-12)
III. Apostasia (2.1-12)
IV. Serviço (2.13—3.18)

Paulo começa esta carta com a saudação usual (1.1,2). Agradece a Deus o fato de os cristãos estarem crescendo na graça e no amor (v. 3) e elogia-os pela perseverança nas perseguições (v. 4). Essa perseverança prova que eles crêem na justiça de Deus, que finalmente prevalecerá (v. 5), quando os ímpios sofrerão (v. 6) e o descanso será dado aos justos (v. 7). Isso acontecerá depois de Cristo ter levado consigo o seu povo (v. 10).

O capítulo 2 é o coração da carta. A expressão "dia do Senhor" refere-se ao período em que Deus julgará Israel e as demais nações, época de grande tribulação (cp. Jl 1.15; 2.1; 3.14; Is 2.10-22). Parece que alguns falsos mestres tinham espalhado a crença de que o dia do Senhor já havia chegado (2.2). Sustentavam essa doutrina por meio de supostas revelações espirituais e uma carta falsificada, como se fosse de Paulo (v. 2). Essa doutrina causou grande confusão entre os cristãos, porque eles temiam ter perdido o arrebatamento de que Paulo fala na sua primeira carta. Para corrigir a falsa crença, Paulo mencionou os seguintes acontecimentos que precederão o dia da vinda do Senhor:

1. Apostasia de parte da igreja professante (v. 3).
2. O povo de Deus será arrebatado (v. 7). Isso não é declarado abertamente, mas compreende-se perfeitamente: "restando apenas que seja afastado aquele que agora o detém". Aqui se faz referência a um poder que impede que o mistério da iniqüidade venha a consumar-se. É uma referência direta ao Espírito Santo e indireta à Igreja, na qual o Espírito Santo habita. Jesus Cristo chamou os fiéis de sal da terra, isto é, o elemento que preserva e que impede a corrupção (Mt 5.13). Uma vez removido

o elemento protetor, a iniqüidade e a anarquia inundarão o mundo.

3. A revelação do anticristo (v. 3,4). Qual é o ensino geral das Escrituras sobre esse homem? (Dn 7.8,11,21,25; 8.23; 9.27; Jo 5.43; Ap 13.4-8; 19.19).

O capítulo 3 contém várias exortações que não requerem explicação especial.

16
1 Timóteo

Tema. Esta é a primeira das "cartas pastorais" — as outras são a segunda a Timóteo e Tito —, assim chamadas por serem dirigidas a ministros com o propósito de instruí-los no governo da igreja. A carta que estudamos agora foi escrita a Timóteo, companheiro e discípulo fiel de Paulo, depois de o apóstolo ter sido libertado de sua primeira prisão. Os movimentos do apóstolo depois desse acontecimento não podem ser traçados com certeza.

Acredita-se que visitou a Espanha (Rm 15.24). Em seguida, foi a Mileto e Colossos (Fm 22). Dali, foi a Éfeso, onde deixou Timóteo encarregado da igreja, que estava em perigo por causa de falsos ensinamentos (1Tm 1.3). Indo para o norte, chegou a Trôade, onde embarcou rumo à Macedônia. Da Macedônia, escreveu a carta para instruir Timóteo sobre seus deveres e também para animá-lo, porque, jovem, era de caráter sensível, retraído e, portanto, inclinado a deixar de afirmar sua autoridade. Resumiremos o tema da seguinte maneira: as qualidades e os deveres do ministro cristão, e sua relação com a igreja, o lar e o mundo.

Por que foi escrita. Com o objetivo de instruir Timóteo nos deveres do cargo, animá-lo e preveni-lo contra os falsos mestres.

Quando foi escrita. Provavelmente durante o intervalo entre as duas prisões de Paulo, na Macedônia.

Conteúdo
    I. A sã doutrina (cap. 1)
    II. Oração pública (cap. 2)
    III. Qualidades ministeriais (3.1-13)
    IV. Doutrina falsa (3.14—4.11)
    V. Instruções pastorais (4.12—6.2)
    VI. Exortações finais (6.3-21)

I. A sã doutrina (cap. 1)

1. Saudação (1.1,2).
2. A obra especial de Timóteo em Éfeso (v. 3-11). Ele deve lutar pela sã doutrina. A igreja está ameaçada pelos seguintes erros:
    a) gnosticismo (v. 4). As teorias e genealogias intermináveis do gnosticismo (genealogias dos poderes celestiais e de anjos intermediários) provocam apenas especulações inúteis;
    b) legalismo (v: 5-11). "O objetivo desta instrução" é ensinar "o amor que procede de um coração puro, de uma boa consciência e de uma fé sincera" (v. 5). Alguns, no entanto, afastavam-se do princípio do amor como poder principal na vida do cristão. Ensinavam a justificação pela Lei, apesar de não possuírem as qualidades de mestres (v. 6,7). Ignoram o fato de que a Lei não foi destinada para aqueles em cujos corações está escrita (os justos); seu propósito é despertar a consciência dos pecadores (v. 8-11).
3. O testemunho de Paulo (v. 12-17). O chefe dos pecadores tornou-se chefe dos santos; o blasfemo tornou-se prega-

dor; o destruidor da Igreja transformou-se seu construtor. A ele, o maior dos pecadores, foi mostrada misericórdia, para que pudesse ser um exemplo vivo da misericórdia de Deus.

4. O mandamento a Timóteo (v. 18-20). Repete-se a exortação do versículo 5, reforçada por dois fatos:

   a) a menção das profecias pronunciadas na ocasião de sua ordenação (v. 18; cp. At 13.1,2);

   b) a advertência extraída do "naufrágio" doutrinário de dois mestres que Paulo excomungou (v. 19,20).

II. *Oração pública* (cap. 2)

1. Por quem devemos orar? Os cristãos devem orar por todos os homens, especialmente pelas pessoas que se encontram em posição de autoridade (v. 1-7).

2. A atitude de homens e mulheres na oração pública (v. 8-15):

   a) os homens devem orar levantando mãos santas e tendo o coração livre de ira e animosidade (v. 8);

   b) as mulheres devem vestir-se modestamente, adornando-se com boas obras mais do que com vestidos caros (v. 10). As mulheres devem observar a ordem instituída por Deus para as sexos; isto é, o homem é o cabeça da mulher, e ele exerce a autoridade no lar e na igreja (v. 11-14). Falando genericamente, o apóstolo dá a entender que a esfera de atividade da mulher está mais no lar do que no ministério (v. 15). Note que, para interpretar adequadamente o versículo 12, é necessário se levarem em conta os seguintes aspectos: (1) a ênfase do versículo 12 parece visar à mulher que usurpa autoridade do homem, quer dizer, que atribui a si uma autoridade que Deus não lhe deu; (2) Paulo fala em termos gerais e, especificamente, das mulheres casadas. Outros versículos da Escritura demonstram claramente que Deus, em casos especiais, concede um ministério à mulher (Êx 15.20,21; Jz 4.4; 2Rs 22.14; Jl 2.28; At 21.8,9; Rm 16.1; 1Co 11.5; Fp 4.3).

III. Qualidades ministeriais (3.1-13)

1. As qualidades necessárias aos bispos (v. 1,2). As igrejas locais do tempo de Paulo eram administradas por um grupo de presbíteros ou bispos em vez de um pastor (At 20.28; Tt 1.5,6,7; 1Pe 5.1-3; Fp 1.1). Essa forma de administração, evidentemente, era a melhor para aquela época. Mais tarde, um dos presbíteros foi designado líder dos demais e, finalmente, cada igreja local passou a ser governada por um pastor, em cooperação com os diáconos e presbíteros.

2. As qualidades necessárias aos diáconos (v. 8-13). Aos diáconos eram confiados os assuntos temporais da igreja, como, por exemplo, a administração de finanças etc.

IV. Doutrina falsa (3.14—4.11)

1. O propósito das instruções de Paulo é mencionado nos versículos que constituem a chave da carta (v. 14,15). Timóteo precisa saber como agir em todas as situações referentes à "casa de Deus, que é a igreja do Deus vivo, coluna e fundamento da verdade" (v. 15).

2. O mistério da piedade (v. 16). O alicerce da verdade, da qual a Igreja é depositária, é o mistério da piedade, que inclui os seguintes fundamentos do Evangelho:

   a) a encarnação de Cristo: "Deus foi manifesto em corpo";

   b) sua ressurreição: "justificado no Espírito" (cp. Rm 1.4). O mundo, crucificando Cristo, declarou-o injusto; Deus, levantando-o dos mortos, declarou-o justo;

c) manifestação: "visto pelos anjos" (1Co 15.5-8);
d) proclamação: "pregado entre as nações";
e) aceitação: "crido no mundo";
f) e exaltação: "recebido na glória".

3. Em oposição ao mistério da *piedade*, Paulo menciona o mistério da *impiedade* (4.1-5). Nos últimos dias, haverá apostasia da fé (v. 1). Na época de Paulo, a apostasia era representada pela heresia gnóstica.

O erro especial aqui combatido é a heresia gnóstica. Sete características dessa falsa doutrina são aparentes nas cartas pastorais: a pretensão de possuir conhecimento, compreensão e sabedoria superior; uma religião falsa com especulações inúteis e vãs; estado de anarquia; cauterização da consciência com ferro em brasa; interpretação alegórica das Escrituras, explicando erroneamente a ressurreição etc.; uma forma vazia de piedade na qual as palavras ocupam o lugar das obras; conciliação do culto a Deus com o culto ao dinheiro, reduzindo a piedade a uma questão de interesse mundano; pretensão de santidade superior que permite até pecados flagrantes sob o pretexto de um motivo puro.[a]

4. A atitude de Timóteo com as doutrinas errôneas (v. 6-11). Ele deve evitar teorias religiosas e especulativas que ensinam um ascetismo estéril. Exercícios físicos (no sentido religioso), como jejum e abstinência de certos alimentos, têm apenas valor temporário e limitado; mas a piedade é benéfica para tudo, tanto nesta vida como na eternidade (v. 7-11).

V. *Instruções pastorais* (4.12—6.2)

1. Instruções relativas ao próprio Timóteo (4.12-16).
2. Instruções referentes aos diversos grupos na igreja:

[a]Fonte não mencionada no texto original [N. do E.].

a) homens e mulheres, idosos e jovens (5.1,2);

b) viúvas (v. 3-16). Era costume na igreja primitiva que se sustentassem as viúvas pobres (At 6.1). Timóteo foi instruído a providenciar o sustento das viúvas necessitadas e de caráter irrepreensível (v. 3-8). Muitos comentaristas acreditam que outra classe de viúvas é mencionada nos versículos 9 e 10, a saber, aquelas que serviam na igreja como diaconisas e que se comprometiam a dedicar-se a diferentes formas de serviços de caridade. As viúvas mais novas não deveriam ser admitidas, por não manterem, em muitos casos, o compromisso com a igreja, casando-se (v. 11-16);

c) presbíteros (v. 17-25). Aqueles que governam (lideram, na tradução da NVI) bem e que ensinam devem receber remuneração generosa (v. 17 e 18). Qualquer acusação contra eles não provada por duas ou mais testemunhas deveria ser ignorada (v. 19). Quando fosse provado que cometeu um grande pecado, o presbítero deveria ser repreendido publicamente (v. 20). Timóteo não deve precipitar-se quanto à ordenação de presbíteros (v. 22). Impor as mãos sobre um homem pode significar identificar-se com os pecados dele. Timóteo deve usar prudência em ordenar presbíteros: os pecados e faltas são evidentes em alguns homens; em outros, manifestam-se apenas mais tarde (v. 24,25);

d) escravos (6.1,2). Os escravos devem fazer os seus serviços conscientemente, sejam seus senhores cristãos ou não (v. Ef. 6.5; Cl 3.22).

VI. Exortações finais (6.3-21)

Timóteo é aconselhado a:

1. Separar-se dos falsos mestres que ensinam contrariamente à doutrina de Paulo e que supõem que a finalidade da religião é o lucro material (v. 3-10).
2. Fugir do amor ao dinheiro e seguir as verdadeiras riquezas das virtudes cristãs (v. 11).
3. Lutar o combate glorioso pela fé e levar o prêmio da vida eterna (v. 12).
4. Manter pura e irrepreensível a missão confiada a ele por Paulo (v. 13-16).
5. Exortar os ricos a não confiarem em suas riquezas, mas em Deus, o proprietário de todas as coisas, e a usarem o dinheiro neste mundo de tal maneira que renda juros para toda a eternidade (v. 17-19).
6. Guardar a verdade sagrada, evitando as teorias filosóficas do gnosticismo (v. 20,21).

17
2Timóteo

Tema. Depois de ter deixado Tito em Creta, Paulo navegou para o norte com intenção de ir a Nicópolis passando por Trôade e Macedônia (Tt 3.12). Trófimo, seu companheiro, adoeceu durante a viagem e ficou em Mileto (2Tm 4.20). Navegando para Trôade, o apóstolo permaneceu na casa de um homem chamado Carpo. Nessa época começou a perseguição contra os cristãos, estimulada pelo imperador Nero, que os acusou de terem incendiado Roma. Paulo, reconhecido como líder dos cristãos, foi preso, provavelmente em Trôade. Sua prisão deve ter sido tão repentina, que alguns objetos de uso pessoal ficaram na casa de Carpo (4.13). Ao chegar a Roma, o apóstolo foi encarcerado. Sabendo que seu martírio se aproximava, escreveu esta última carta a Timóteo, pedindo a ele que o visitasse. Paulo necessitava muito desse seu filho na fé, porque os da Ásia, que deviam apoiá-lo, o abandonaram. Por causa da recente perseguição a ele, a maioria dos cristãos temia ajudá-lo. Sabendo que a timidez de Timóteo poderia fazer com que ele evitasse o risco de uma visita a Roma, Paulo aconselha-o a não temer a perseguição nem se envergonhar dele, o apóstolo, mas a ser valente em seu testemunho e a sofrer as dificuldades como fiel soldado de

Jesus Cristo. Adverte-o, também, a respeito de sua atitude com os falsos mestres e suas doutrinas. O seguinte tema tem sido sugerido para a carta: lealdade ao Senhor e a verdade diante da perseguição e da apostasia.

Por que foi escrita. Com o objetivo de solicitar a presença de Timóteo em Roma; adverti-lo contra os falsos mestres; animá-lo em seus deveres; fortalecê-lo contra as perseguições futuras.

Quando foi escrita. Pouco antes do martírio de Paulo em Roma.

Conteúdo

I. Introdução (1.1-5)

II. Exortações referentes aos sofrimentos e perseguições futuras (1.6—2.13)

III. Exortações referentes à apostasia atual (2.14-26)

IV. Exortações referentes à apostasia futura (3.1—4.8)

V. Conclusão (4.9-22)

I. Introdução (1.1-5)

1. A vocação de Paulo, apóstolo chamado pela vontade de Deus para proclamar a promessa da vida centralizada em Cristo (v. 1).

2. A saudação de Paulo a Timóteo (v. 2).

3. As orações incessantes de Paulo por ele (v. 3).

4. O desejo de Paulo de ver novamente Timóteo, lembrando-se de suas lágrimas por ocasião da última despedida (v. 4).

5. As memórias de Paulo. A fé verdadeira de Timóteo, que primeiramente habitou no coração de sua mãe e de sua avó (v. 5).

II. Exortações referentes aos sofrimentos e perseguições futuras (1.6—2.13)

Conselhos de Paulo a Timóteo:

1. Despertar e acender a chama viva do dom de Deus que lhe foi dado em sua ordenação, e deixar o espírito de covardia, uma vez que é incoerente com esse dom (v. 6,7).
2. Ser corajoso diante da perseguição (v. 9-11).
3. Guardar o que lhe foi confiado, pelo poder do Espírito Santo que habita nele (v. 13,14).
4. Tomar consciência da atitude de determinados cristãos com o apóstolo:

    a) alguns, como os da Ásia, o abandonaram (v. 15);

    b) outros, como Onesífero, o apoiaram (v. 16-18).
5. Ser forte no poder da graça de Deus (2.1).
6. Transmitir aos outros as instruções recebidas de Paulo (2.2).
7. Estar pronto para enfrentar dificuldades, como:

    a) um soldado que faz seu serviço voluntariamente (v. 3,4);

    b) um atleta que observa as regras do jogo (v. 5);

    c) um lavrador que recebe a recompensa do trabalho executado pacientemente (v. 6,7).
8. Recordar dois aspectos:

    a) o evangelho de Cristo ressuscitado torna possível a Paulo sofrer por amor aos escolhidos (v. 8-10);

    b) a palavra fiel — se sofrer com Cristo, reinará com ele; se o negar, será negado por ele (v. 11-13).

III. Exortações referentes à apostasia atual (2.14-26)

Exortações feitas a Timóteo:

1. Ordenar aos cristãos que evitem discussões inúteis (2.14).
2. Ser um verdadeiro mestre da Palavra de Deus, evitando as conversas inúteis e profanas dos falsos mestres (v. 15-21).
3. Fugir não só da doutrina errônea, mas também da vida má; e seguir não apenas a verdadeira doutrina, mas também a verdadeira vida (v. 22).
4. Evitar as especulações tolas e superficiais que causam contendas e que impedem a obra do pregador (v. 24-26).

IV. Exortações referentes à apostasia futura (3.1—4.8)

Exortações feitas a Timóteo:

1. Evitar os falsos mestres, porque:
   a) no futuro, surgirá uma profissão de fé desprovida de conteúdo, combinando a completa falta de poder com um nível baixo de moralidade (3.1-5);
   b) os ministros dessa religião se caracterizarão pela falta de princípios e oposição à verdade (v. 6-9).
2. Permanecer fiel a suas convicções, recordando-se:
   a) da lição de que o sofrimento faz parte da vida do cristão neste mundo, como ilustrado no exemplo de Paulo (v. 11-13);
   b) das lições aprendidas com a vida santa de Paulo (v. 10,14);
   c) das lições das Sagradas Escrituras (v. 16,17).
3. Cumprir inteiramente o seu dever como evangelista, pregando a Palavra com paciência incansável, adaptando seu ensino à capacidade dos alunos, pregando, exortando e reprovando, quer as oportunidades pareçam favoráveis, quer não (4.1, 2). Deve fazer isso por dois motivos:
   a) no futuro as pessoas se tornarão impacientes a respeito da doutrina sã e a rejeitarão (v. 3,4);

b) o ministério de Paulo está perto do fim e ele confia em que Timóteo continue sua obra até onde for possível (v. 5,6).

V. *Conclusão* (4.9-22)

1. Um pedido urgente (4.9,10). Como um velho pai moribundo dirigindo-se a seu único filho, Paulo pede a Timóteo: "Procure vir logo ao meu encontro" (v. 9). O apóstolo está sozinho. Demas abandonou-o; os outros estão ausentes em diferentes missões, e apenas Lucas está com ele.
2. Instruções especiais (4.11-13):
   a) Timóteo deve trazer Marcos, que se havia mostrado digno da confiança do apóstolo (v. 11);
   b) Timóteo deve trazer a capa, os livros e os pergaminhos de Paulo (v. 13). Provavelmente o apóstolo tinha estado num cárcere frio, esperando um inverno rigoroso.

O estado patético de Paulo torna-se vivo quando se lê uma carta de Guilherme Tyndale (tradutor inglês das Escrituras, martirizado no século XVI), encarcerado pela causa de Cristo nas celas úmidas de Vivoorde. "Rogo a Sua Excelência", escreve ele, "e isso pelo Senhor Jesus, que, se eu tiver de ficar aqui durante o inverno, peça ao comissário ter a bondade de enviar-me, das minhas coisas que ele retém, um gorro mais quente. Sinto muito frio na cabeça. Também uma capa mais quente, porque esta que tenho é muito fina. Também alguns trapos para remendar minhas polainas. Minha capa está toda gasta, e até as minhas camisas não servem mais. Ele tem uma camisa minha que me pode enviar. Porém, mais do que tudo, rogo e imploro a sua bondade, que faça o possível para que o comissário seja tão bondoso que me envie minha Bíblia hebraica, a gramática e o vocabulário, para que eu possa empregar o meu tempo nessa tarefa." — Percy G. Parker[a]

3. Um oponente implacável (v. 14,15). Ele adverte Timóteo contra Alexandre, provavelmente alguém que tinha testemunhado contra Paulo em juízo.
4. O julgamento de Paulo e sua primeira defesa (v. 16,17). A segunda prisão de Paulo foi mais rigorosa do que a primeira. Durante a primeira, tinha sua casa alugada; durante a segunda, estava bem guardado. Durante a primeira, estava rodeado por seus amigos; durante a segunda, estava quase só. Na primeira, esperava que o soltassem logo; na segunda, esperava a morte. Evidentemente, foi acusado de um crime grave, provavelmente o de ter sido um dos principais incitadores do incêndio de Roma.

Essa mudança no tratamento dado a Paulo corresponde exatamente àquilo que a história da época nos faria supor. Concluímos que sua liberdade ocorreu no início do ano 63; de maneira que o apóstolo se encontrava longe de Roma, quando começou a primeira perseguição imperial aos cristãos, em conseqüência do grande incêndio do ano seguinte. [...] A revolta e a indignação do povo excitadas pela destruição provocada pela conflagração que incendiou quase metade da cidade serviu ao propósito de Nero (que foi acusado de ter causado o incêndio), de desviar o furor do povo de si mesmo para os já odiados adeptos de uma nova religião. Tácito, historiador romano, descreve o êxito desse plano e relata os sofrimentos dos mártires cristãos mortos em circunstâncias de extrema crueldade. Alguns foram crucificados, outros vestidos com peles de feras e caçados com cães até a morte; alguns foram enrolados em vestidos embebidos em materiais inflamáveis e incendiados para iluminar o circo do

---

[a] Fonte não mencionada no texto original [N. do E.].

Vaticano e os jardins de Nero, onde esse monstro diabólico exibia ao público as agonias de suas vítimas, deleitando-se em assistir ao espetáculo em traje de cocheiro, entre os demais espectadores. Embora os romanos já estivessem brutalizados pelo espetáculo dos combates humanos no anfiteatro e endurecidos pelo preconceito popular contra a seita "ateísta" (como eles a chamavam), a tortura das vítimas despertou sua compaixão. Uma multidão muito numerosa, como informa Tácito, pereceu dessa maneira, e consta da sua descrição que o mero fato de a pessoa professar o cristianismo era o suficiente para ser executada. A comunidade inteira dos cristãos foi acusada do crime de ter incendiado a cidade. Isso, no entanto, sucedeu na primeira agitação que se seguiu ao incêndio, e, até então, só alguns dos que pereceram eram cidadãos romanos. Desde então, haviam passado alguns anos e, agora, os dispositivos legais seriam respeitados no tratamento de uma pessoa que, como Paulo, possuía os direitos de cidadania romana. Mesmo assim, podemos compreender que o líder de uma seita tão odiada estaria sujeito a um castigo severo.

Temos um relato da primeira audiência do processo judicial de Paulo, descrita por ele mesmo. "Na minha primeira defesa, ninguém apareceu para me apoiar; todos me abandonaram. Que isso não lhes seja cobrado. Mas o Senhor permaneceu ao meu lado e me deu forças, para que por mim a mensagem fosse plenamente proclamada e todos os gentios a ouvissem. E eu fui libertado da boca do leão."

Vemos, por essa declaração, como era perigoso aparecer publicamente como amigo e conselheiro do apóstolo. Nenhum advogado se aventuraria a defender sua causa, nenhum "procurador" o ajudaria a providenciar as provas, nenhum "patrono" apareceria como seu defensor e impugnaria a sentença, conforme o costume antigo. Mas havia um intercessor mais poderoso e um advogado mais sábio que nunca o deixaria nem o abandonaria. O Senhor Jesus sempre estava perto dele e, nesse momento, foi sentido visivelmente presente, na hora da necessidade.

[...] Pela descrição anterior, podemos compreender até certo ponto as características externas do julgamento de Paulo. Evidentemente, ele dá a entender que falou perante uma grande audiência, para que todos os gentios ouvissem, e isso corresponde à suposição histórica de que foi julgado numa das grandes basílicas que havia no Foro. [...] As basílicas eram edifícios retangulares de grande extensão, de maneira que em qualquer julgamento de interesse público sempre havia uma ampla multidão de espectadores. Foi perante uma audiência dessas que Paulo foi chamado a falar em sua defesa. Os seus amigos terrenos tinham-no abandonado, mas o seu amigo celestial estava a seu lado. Paulo foi fortalecido pelo poder do Espírito de Cristo e defendeu não somente sua própria causa, mas também a do Evangelho. Ao mesmo tempo, defendeu-se com êxito da primeira das acusações, provavelmente a de conspirar com aqueles que incendiaram Roma. Foi liberto do risco imediato e salvo de uma morte ignominiosa e dolorosa a que estava destinado se tivesse sido condenado por uma acusação dessas. — CONYBEARE e HOWSON, *Life and Epistles of St. Paul.*

5. Saudações e bênçãos (4.19,20).

A tradição relata que Paulo foi decapitado em Roma.

18
Tito

Tema. Na ordem cronológica de composição, a carta a Tito segue a primeira a Timóteo. Depois de ter escrito esta última, Paulo navegou com Tito para Creta, onde o deixou a fim de pôr em ordem as igrejas não organizadas. Tito, gentio de nascimento(Gl 2.3), provavelmente era um dos convertidos de Paulo (Tt 1.4). Esteve presente com o apóstolo no concílio em Jerusalém (At 15), no qual, apesar da insistência dos judaizantes, Paulo recusou a circuncisão de Tito (Gl 2.3). O apóstolo tinha grande confiança nele e encarregava-o de missões importantes (2Co 7.6,7,13-16; 8.16-24). Sabendo que o caráter indigno e imoral dos cretenses e a presença de mestres falsos tornariam difícil a tarefa do discípulo, Paulo escreveu a Tito uma carta para o instruir e animar em seus deveres. A carta é breve, com apenas três capítulos, mas reúne grande quantidade de instruções num espaço limitado, abrangendo doutrina, moral e disciplina. Martinho Lutero disse desta carta: "Trata-se uma carta breve, mas é a quintessência da doutrina cristã, composta de tal maneira que contém todo o necessário para o conhecimento e a vida cristã". Resumiremos o tema da seguinte maneira: a organização de uma verdadeira Igreja de Cristo; e um apelo à igreja para ser fiel a Cristo.

Quando foi escrita. Pouco depois da primeira carta a Timóteo, provavelmente em algum ponto da Ásia Menor.

Por que foi escrita. Com o objetivo de instruir Tito acerca da organização da igreja cretense e para orientá-lo no método de tratar com o povo.

Conteúdo
    I. A ordem e a doutrina da igreja (cap. 1)
    II. A conduta da igreja (caps. 2 e 3)

I. A ordem e a doutrina da igreja (cap. 1)

1. Introdução: saudação de Paulo a Tito (v. 1-4)
2. A missão especial de Tito em Creta — organizar a igreja (v. 5)
3. As qualificações dos presbíteros (v. 6-9)
4. A razão para ter muito cuidado na escolha de presbíteros — a presença de mestres falsos (v. 10-16)

Referente a esses mestres, observe:

a) seu caráter: insubordinados, enganadores e faladores (v. 10);

b) seu motivo: ganância material (v. 12);

c) seu ensino: tradições e lendas judaicas (v. 14); por exemplo, mandamentos referentes à abstinência de certos alimentos (v. 15; cp. Mc 7.1-23; Rm 14.14);

d) suas pretensões: professam ser verdadeiros mestres do Evangelho, mas sua vida pecaminosa desmente a profissão de fé (v. 16).

Observe que Paulo, ao desmascarar o caráter dos cretenses (v. 12,13), cita um poeta cretense, Epimênides (600 a.C.). Os escritores antigos falam de amor, ganância, ferocidade, fraude, falsidade e corrupção geral dos cretenses. O verbo "cretanizar" era usado para significar "mentir", como "corintianizar", para "tornar-se dissoluto".

II. A conduta da igreja (caps. 2 e 3)

1. A conduta do cristão nas relações mútuas (2.1-15)
2. A conduta do cristão com relação ao mundo exterior (3.1-8)
3. Assuntos que devem ser evitados — discussões sobre genealogias celestiais e minúcias da Lei de Moisés (v. 9)
4. Pessoas que devem ser evitadas — os hereges (v. 10,11) O herege causa divisões na igreja ensinando doutrinas não escriturísticas. Na época de Paulo, a corrupção moral geralmente acompanhava a doutrina corrompida.
5. Instruções finais (v. 12-15)

19
Filemom

Tema. A carta a Filemom é a única amostra da correspondência particular de Paulo que foi preservada. Pela impressão de cortesia, prudência e técnica de estilo que Paulo transmite, ela tornou-se conhecida como a "carta da cortesia". Não contém nenhuma instrução direta referente à doutrina ou conduta cristãs. Seu valor principal encontra-se na descrição da aplicação prática da doutrina cristã na vida diária e da relação do cristianismo com os problemas sociais.

O tema da história contada pela carta é sobre um escravo fugitivo chamado Onésimo. Mais afortunado do que alguns de seus companheiros, Onésimo tem por senhor um cristão, Filemom, convertido por Paulo. Por motivos não mencionados, Onésimo fugiu. Foi a Roma, onde se converteu com a pregação de Paulo. O apóstolo encontrou nele um convertido sincero e amigo devotado.

Onésimo chegou a ser tão querido por Paulo, que este quis retê-lo para lhe ministrar na prisão. Mas o apóstolo teve de abrir mão desse privilégio. Embora Onésimo estivesse arrependido de seu pecado, havia a necessidade de restituição, o que somente podia cumprir-se pelo regresso do escravo e sua submissão ao dono. Esse dever implicava não somente um sacrifício de Paulo, mas outro ainda maior, de Onésimo, que, voltando para seu senhor, expunha-se a um castigo severo — a crucificação, punição geralmente aplicada aos escravos fugitivos.

O senso de justiça requeria de Paulo que devolvesse o escravo, mas a força do amor fê-lo intervir e salvar-lhe a vida. Escreveu uma carta gentil e delicada de súplica afetuosa, identificando-se com Onésimo.

Depois de saudar Filemom e sua família (v. 1-3), Paulo elogia-o por seu amor, fé e hospitalidade (v. 4-7). O apóstolo tem um pedido a fazer. Como *apóstolo*, Paulo poderia *ordenar*, mas como *o velho prisioneiro do Senhor*, prefere *suplicar* a Filemom (v. 8,9) que receba de novo Onésimo, verdadeiro filho de Paulo na fé e que antes era inútil a ele, Filemom, mas que agora se tornou útil (v. 10-12). Estimava tanto o escravo que o teria retido como seu servo, mas não o faria sem o consentimento de Filemom (v. 13,14). Talvez fosse da providência de Deus que Onésimo tivesse partido por pouco tempo, para voltar e ficar com o seu senhor para sempre, não como escravo, mas como irmão (v. 15,16). Paulo identifica-se com Onésimo; se este devesse alguma coisa, o apóstolo lhe pagaria. Mas Filemom deve recordar-se de que deve a Paulo, em certo sentido, sua salvação (v. 19). Paulo tinha certeza de que Filemom obedeceria a ele e faria ainda mais do que lhe pedira (v. 21). A carta termina com as saudações usuais (v. 22-25).

Dos versículos 16 e 21, podemos concluir seguramente que foi concedida a liberdade a Onésimo. Assim, foi resolvido o problema da escravidão — pelo menos numa família —, pela regeneração do indivíduo e a união em Cristo do senhor com o escravo. Resumiremos o tema da carta da seguinte maneira: o poder do Evangelho na solução dos problemas sociais.

Quando foi escrita. Foi enviada por Tíquico com as cartas aos Colossenses e Efésios.

Conteúdo
   I. Introdução: saudações (v. 1-3)
   II. Elogio a Filemom (v. 4-7)
   III. Intercessão por Onésimo (v. 8-21)
   IV. Conclusão: saudações (v. 22-25)

O valor da carta

1. O valor particular desta carta encontra-se no fato de proporcionar conhecimento do caráter de Paulo, revelando seu amor, humildade, cortesia, altruísmo e tato.
2. O valor providencial. Aprendemos que Deus pode estar presente nas circunstâncias mais adversas (v. 15).
3. O valor prático. Somos animados a procurar e redimir os exclusos e degradados. Onésimo não tinha nada que o recomendasse, porque era escravo fugitivo e, pior ainda, da Frígia, região conhecida pelo vício e pela estupidez de seus habitantes. Mas Paulo ganhou-o para Cristo.
4. O valor social. A carta demonstra a relação entre o cristianismo e a escravidão. Na época de Paulo, havia cerca de 6 milhões de escravos no império romano e, em geral, estavam condenados à miséria. Considerados propriedades de seus senhores, viviam completamente à mercê deles. Não tinham direitos legais. Pela mínima ofensa podiam ser açoitados, mutilados, crucificados ou entregues às feras. Não era permitido a eles matrimônio permanente, mas somente uniões temporais que podiam ser rompidas segundo a vontade do dono. Pode-se perguntar por que o cristianismo não procurou destruir esse sistema. Essa atitude exigiria uma revolução radical — e a religião de Cristo reforma pelo amor e não pela força. Ela ensina princípios que subvertem e destroem sistemas perversos.

Esse método de reforma é bem ilustrado pelo caso de Filemom e Onésimo. Senhor e escravo foram unidos no Espírito de Cristo e, nessa união, foram eliminadas todas as distinções sociais (Gl 3.28). Embora Paulo não tenha ordenado diretamente a Filemom a libertação de Onésimo, as palavras dos versículos 16 e 21 implicam o desejo do apóstolo.

5. O valor espiritual. Esta carta fornece-nos alguns símbolos notáveis de nossa salvação. Os seguintes acontecimentos sugerem ao aluno esses símbolos: Onésimo abandona o seu senhor; Paulo encontra o escravo; Paulo intercede em seu favor; Paulo identifica-se com o escravo; oferece-se para pagar a dívida do escravo; Paulo causa a recepção de Onésimo por Filemom; restituição do escravo ao seu senhor.

20
Hebreus

Tema. A carta aos hebreus foi escrita, como o nome indica, particularmente aos judeus cristãos, embora tenha valor permanente e aplicação contínua para todos os cristãos de todas as épocas. A leitura da carta revela que a maior parte dos hebreus cristãos, a quem o autor se dirige, estava em perigo de afastar-se da fé. Comparado com a nação inteira, o grupo era pequeno e de pouca importância, considerado pelos seus patrícios como traidores e alvo de suspeita e ódio. Sentiam o isolamento, separados do resto da nação. Uma grande perseguição os ameaçava. Oprimidos pelas tribulação presentes e pela visão de adversidades futuras, cederam ao desânimo. Eles ficaram para trás no progresso espiritual (5.11-14); muitos negligenciavam o culto (10.24,25); outros, cansados de andar pela fé, contemplavam o magnífico templo de Jerusalém, com seus sacrifícios e ritos imponentes. Havia a tentação de abandonar o cristianismo e voltar ao judaísmo. Para impedir tal apostasia, foi escrita esta carta, cujo propósito principal é o de mostrar a relação do sistema mosaico com o cristianismo, e o caráter simbólico e transitório do primeiro. O autor, inicialmente, expõe a superioridade de Jesus Cristo sobre todos os mediadores do AT e a primazia da nova aliança sobre a antiga, como a da substância sobre a sombra, do antítipo sobre o tipo e da realidade sobre o símbolo. Esses cristãos encontravam-se perplexos e desanimados pelas múltiplas tentações e pelo fato de terem de caminhar pela fé no meio de adversidades, confiando apenas na palavra de Deus, sem nenhum apoio e consolo visíveis. O autor da carta prova-lhes que os heróis do AT passaram por experiências semelhantes, movendo-se pela fé, confiantes na Palavra de Deus, apesar de todas as circunstâncias adversas, e até enfrentando a morte (cap. 11). Assim, os cristãos, como seus antepassados, hão de resistir como se estivessem vendo aquele que é invisível. O tema pode resumir-se da seguinte maneira: a religião de Jesus Cristo é superior ao judaísmo porque tem uma aliança melhor, um sumo sacerdote melhor, um sacrifício e um tabernáculo melhores.

Autor. Não há outro livro do NT cuja autoria seja mais discutida e cuja inspiração seja mais incontestável. O próprio livro é anônimo. Por causa da diferença de estilo, comparado com os outros escritos de Paulo, muitos estudiosos ortodoxos negam que foi ele quem o escreveu. Tertuliano, no século III, declarou que Barnabé foi o autor. Lutero sugeriu que fosse Apolo.

> Finalmente, podemos dizer que, apesar das dúvidas mencionadas, não é necessário termos escrúpulos em falar dessa parte da Escritura como a "carta de Paulo apóstolo aos hebreus". [...] Mesmo que tenha sido escrita por Barnabé, por Lucas, por Clemente ou por Apolo, ela representa as idéias do grande apóstolo e está impregnada pela influência dele, cujos discípulos podem até ser chamados os maiores homens apostólicos. Por meio dos escritos deles, não menos do que pelos seus, Paulo, embora morto, ainda fala. — CONYBEARE e HOWSON, *Life and Epistles of St. Paul.*

Por que foi escrita. Com o objetivo de impedir a apostasia dos judeus cristãos que tinham a intenção de voltar ao judaísmo.

Onde foi escrita. Evidentemente na Itália (13.24).

Conteúdo

    I. A superioridade de Jesus em relação aos mediadores e líderes do AT (1.1—8.6)

    II. A superioridade da nova aliança em relação à antiga (8.7—10.18)

    III. Exortações e advertências (10.19—13.25)

I. A superioridade de Jesus em relação aos mediadores e líderes do AT (1.1—8.6)

1. Jesus é superior aos profetas porque:

   a) em épocas passadas, as revelações de Deus aos profetas foram parciais, dadas em épocas diferentes e de diversas maneiras (v. 1);

   b) mas, nesta dispensação, Deus deu uma revelação perfeita por meio de seu Filho (v. 2,3).

2. Jesus é superior aos anjos (1.4-14), pelos seguintes motivos:

   a) nenhum anjo individualmente foi chamado Filho (v. 5);

   b) o Filho é objeto da adoração dos anjos (v. 6);

   c) enquanto os anjos servem, o Filho reina (v. 7-9);

   d) o Filho não é uma criatura, e sim, o Criador (v. 10-12);

   e) a nenhum anjo foi prometida autoridade universal, porque eles devem servir (v. 13,14).

3. Exortação referente às declarações anteriores (2.1-4). Se a desobediência à palavra dos anjos trouxe castigo, qual não será a perda se a salvação anunciada pelo Senhor for negligenciada?

4. Jesus foi exaltado acima dos anjos. Por que foi feito menor do que eles? (2.5-18) Pelos seguintes motivos:

a) para que a natureza humana pudesse ser glorificada e para que o homem pudesse tomar o seu lugar outorgado por Deus como governador do mundo que virá (v. 5-8);

b) para que pudesse cumprir o plano de Deus e morresse por todos os homens (v. 9);

c) para que o salvador e os salvos pudessem estar unidos (v. 11-15);

d) para que pudesse cumprir todas as condições de um sacerdote fiel (2.16-18).

5. Jesus é maior do que Moisés (3.1-6), porque:

a) Moisés foi apenas parte da casa de Deus; Jesus é o construtor dela (v. 2,3);

b) Moisés foi apenas servo; Jesus é o Filho (v. 5,6).

6. Exortação referente a essas declarações (3.1-6; 3.7—4.5). O cristão é membro de uma casa espiritual presidida pelo Filho de Deus. Mas que ele cuide de não perder o privilégio de entrar na terra prometida — como muitos israelitas o fizeram — por causa de sua infidelidade e desobediência. Embora esses israelitas tivessem experimentado a salvação de Deus no mar Vermelho, não entraram em Canaã. O pecado que os excluiu foi o de incredulidade —, o qual, se não for evitado, excluirá o cristão judeu dos privilégios de sua herança.

7. Jesus é maior do que Josué (4.6-13):

a) Josué conduziu os israelittas ao descanso em Canaã, que era somente um símbolo do descanso espiritual ao qual Jesus conduz os fiéis (v. 6-10);

b) exortação referente a essa declaração (v. 11-13).

8. O sumo sacerdócio de Jesus (4.14—5.10):

a) o sacerdócio de Jesus (v. 14). Os cristãos devem conservar a fé que possuem, porque não estão sem um sacerdote fiel, como seus irmãos não-cristãos talvez queiram sugerir-lhes. Embora invisível, esse sumo sacerdote intercede sempre por eles;

b) as qualidades de Jesus como sacerdote:

b.1) pode compadecer-se da fraqueza humana (4.14—5.1-3,7-9), porque ele mesmo, como os homens, sofreu a tentação e suportou o sofrimento, mas com esta diferença: não pecou;

b.2) foi chamado por Deus como fora Arão (5.4-6,10).

9. O autor interrompe o fio de seu pensamento para proferir palavras de repreensão, exortação, advertência e estímulo:

a) repreensão (5.11-14). Ele apresenta um tema profundamente simbólico, a respeito de Melquisedeque, mas teme que a falta de maturidade espiritual deles torne difícil a explicação;

b) exortação (6.1-3). Eles devem superar o estado elementar da doutrina cristã e alcançar o conhecimento maduro. A expressão "ensinos elementares a respeito de Cristo" pode-se referir às doutrinas fundamentais do cristianismo nas quais os convertidos eram instruídos antes do batismo;

c) advertência (6.6-8). O aviso contido nesses versículos dirige-se contra a apostasia, que é a rejeição voluntária das verdades do Evangelho por aqueles que já tinham experimentado seu poder. Compreenderemos melhor a verdadeira natureza do pecado mencionado aqui ao lembrarmos a quem eles se dirigem e qual a relação especial entre a nação judaica e Cristo. Os judeus da época do autor dividem-se em dois grupos, com relação à atitude para com Cristo: 1) aqueles que o aceitaram como Filho de Deus e 2) aqueles que o rejeitaram, considerando-o impostor e blasfemo. O judeu cristão que deixasse o cristianismo e voltasse ao judaísmo atestaria por essa atitude que Cristo, em sua opinião, não é o Filho de Deus, mas um falso profeta que mereceu a crucificação, e assim ficaria ao lado dos responsáveis pela sua morte. Antes da conversão, o mesmo judeu cristão participava, em determinado sentido, da culpa da nação em crucificar Cristo. Abandoná-lo e voltar ao judaísmo seria rejeitar o Filho de Deus pela segunda vez;

d) estímulo (v. 9-20). Apesar da advertência anterior, o autor tem confiança em que os cristãos não se afastarão da fé (v. 9). Eram sinceros no desempenho das boas obras (v. 10); deseja que mostrem a mesma sinceridade para alcançar a esperança de sua herança espiritual (v. 11). Nisso serão seguidores daqueles que, por meio da fé e perseverança, alcançaram a realização de sua esperança — Abraão, por exemplo (v. 12,13). A esperança do cristão é segura, uma âncora para a alma que a segura firmemente num porto celestial (v. 19 e 20). É uma esperança certa, por ser baseada em dois fatos imutáveis: a promessa e o juramento de Deus (v. 13-18).

10. O sacerdócio de Cristo (simbolizado pelo de Melquisedeque) é superior ao de Arão (7.1—8.6).

Melquisedeque é citado, como símbolo de Cristo. O autor usa um estilo judaico de ilustração. Toma um fato espiritual e demonstra seu valor típico. Melquisedeque é símbolo de Cristo nas seguintes formas:

a) devido ao significado do seu nome: "rei de paz" (v. 2);

b) seu sacerdócio não era hereditário. Exigia-se que os sacerdotes judaicos provassem sua genealogia antes de serem admitidos ao ofício (Ed 2.61-63). Embora sendo sacerdote, não há registro da genealogia de Melquisedeque; é a isso que se refere a expressão: "sem pai, sem mãe" (v. 3). Nesse sentido, a falta de genealogia sacerdotal é símbolo (7.14);

c) não haver registro do nascimento nem da morte é característica da natureza eterna do sacerdócio de Cristo. A isso se refere a expressão: "sem princípio de dias nem fim de vida" (v. 3).

11. O sacerdócio de Cristo, simbolizado por Melquisedeque, é superior ao de Arão, como provam os seguintes fatos:

a) Levi nem tinha sido gerado ainda, quando pagou os dízimos a Melquisedeque por meio de Abraão (7.4-10);

b) a maturidade espiritual não era atingível pelo sacerdócio de Arão e pela aliança da qual era mediador. Isso é atestado pelo fato de ter surgido outra ordem de sacerdócio, a de Melquisedeque. Essa alteração de sacerdócio implica alteração da Lei. A alteração foi efetuada por causa da incapacidade da Lei de Moisés de proporcionar maturidade espiritual (cp. Rm 8.1-4);

c) ao contrário do sacerdócio de Arão, o sacerdócio de Melquisedeque foi instituído com um juramento (v. 20-22). Um juramento de Deus, acompanhando qualquer declaração, é prova de imutabilidade;

d) o ministério dos sacerdotes da ordem de Arão terminava com a morte; mas Cristo tem um sacerdócio eterno e imutável, porque ele vive para sempre (v. 23-25);

e) os sacerdates de Arão ofereciam sacrifícios todos os dias. Cristo ofereceu um sacrifício eternamente eficaz (7.26-28);

f) os sacerdotes de Arão serviam num tabernáculo que era apenas o símbolo terrestre do tabernáculo em que Cristo ministra (8.1-5);

g) Cristo é o mediador de uma aliança melhor (8.6).

II. A superioridade da nova aliança em relação à antiga (8.7—10.18)

Essa superioridade manifesta-se das seguintes maneiras:

1. A antiga aliança foi provisória apenas (8.7-13). Esse fato é atestado pelas Escrituras do AT, que ensinam que Deus fará uma nova aliança com o seu povo.

2. Os rituais e o santuário da antiga aliança eram simples tipos e sombras que não proporcionavam a união perfeita com Deus (9.1-10).

3. Mas Cristo, o verdadeiro sacerdote do santuário celestial, por meio de um sacrifício perfeito — de sua própria pessoa —, promoveu redenção eterna e perfeita comunhão com Deus (v. 11-15).

4. A nova aliança foi selada com sangue melhor do que o dos bezerros e dos bodes — o sangue de Jesus (v. 16-24).

5. O único sacrifício da nova aliança é melhor do que os inumeráveis da antiga (9.25—10.18).

III. Exortações e advertências (10.19—13.25)

1. Exortação à fidelidade e constância pelo fato de eles terem acesso seguro a Deus por meio de um sumo sacerdote fiel (10.19-25).

2. Advertência contra a apostasia (v. 26-31; cp. 6.4-8). Aqueles que desprezam Cristo como o sacrifício pelos seus pecados não devem pensar que encontrarão outro sacrifício no judaísmo. Rejeitar Cristo, consciente e voluntariamente, significa repelir o sacrifício que os protege contra a terrível indignação de Deus. Um estudioso da Bíblia sugere que se pode deduzir, do versículo 29, que eram exigidas as seguintes condições para a readmissão de judeus apóstatas do Cristianismo às sinagogas:

a) negar que Jesus fosse o Filho de Deus;

   b) declarar que seu sangue fora justamente derramado, como o de um malfeitor;

   c) atribuir, como fizeram os fariseus, os dons do Espírito Santo à operação de demônios.

3. Exortação à perseverança diante da recompensa prometida (v. 32-36).

4. Exortação a caminhar pela fé (10.37—12.1-4). Nesta parte, o propósito do autor é demonstrar que nos séculos anteriores foram amados por Deus os que andaram pela fé e que confiaram nele apesar de todas as circunstâncias difíceis:

   a) a fé recomendada (10.37-39);

   b) a fé descrita (11.1-3). A fé leva o cristão a confiar em que os objetos de sua esperança são reais e não imaginários. Manifesta-se, como mostra o caso dos santos do AT, por meio de obediência irrestrita e confiança em Deus, apesar das aparências e circunstâncias adversas;

   c) a fé conquista por meio de Deus (v. 32-36);

   d) a fé sofre por Deus (v. 37-40);

   e) o exemplo supremo de fé — Jesus, que deu o primeiro impulso à nossa fé e que a conduzirá à maturidade final (12.1-4).

5. Exortação à obediência escrupulosa por causa da vocação celeste (12.18-24) e do líder divino (v. 25-29).

6. Exortações finais (13.1-37):

   a) para uma vida santificada (v. 1-7);

   b) para uma vida firme (v. 8,9);

   c) para uma vida separada (v. 10-16);

   d) para uma vida de submissão (v. 17).

7. Conclusão (v. 18-25).

Seção D
As cartas gerais*

21
Tiago

Tema. A carta de Tiago é o livro prático do NT, como Provérbios o é do AT. De fato, suas definições incisivas e concisas de verdades morais apresentam semelhança notável com Provérbios. Ela contém pouquíssimas instruções doutrinárias; seu propósito principal é o de destacar o aspecto prático da verdade religiosa. Tiago escreveu a um determinado grupo de judeus cristãos no qual se manifestava a tendência de separar a fé das obras. Pretendiam ter a fé, mas existia entre eles impaciência na provação, discórdia entre as pessoas, maledicência e mundanismo. Tiago explica que uma fé que não produz santidade de vida é coisa morta, simples adesão a uma doutrina que não vai além do intelecto. Salienta a necessidade de uma fé viva e eficaz para obter a perfeição cristã, e refere-se ao simples Sermão do Monte que exige ações verdadeiras de vida cristã.

Há aqueles que falam de santidade e são hipócritas; os que professam o amor perfeito, mas que não vivem em paz com os

---

*Estas cartas chamam-se gerais porque, diferentes das de Paulo, não são endereçadas a nenhuma igreja em particular, mas aos cristãos em geral. Duas delas — 2 e 3João — foram escritas a indivíduos em particular.

irmãos; aqueles que ostentam muita fraseologia religiosa, mas fracassam na filantropia prática. Esta carta foi escrita para eles. Talvez não lhes dê muito consolo, mas deve ser muito útil. O misticismo que se contenta com sistemas e frases religiosas, mas negligencia o sacrifício real e o serviço devotado, encontrará aqui seu antídoto. O antinomismo que professa grande confiança na livre graça, mas que não reconhece a necessidade de uma correspondente vida pura, deve estudar a sabedoria prática da carta. Os "quietistas", que se contentam em sentar-se e cantar para conseguir a felicidade eterna, devem ler esta carta até sentirem sua inspiração a fim de apresentarem ativamente as boas obras; todos aqueles que são fortes na teoria e fracos na prática devem mergulhar no espírito de Tiago; e, como há gente desse gênero em cada comunidade em todas as épocas, a mensagem da carta nunca envelhecerá. — D. A. HAYES[a]

Podemos resumir o tema da seguinte maneira: cristianismo prático.

Autor. O NT menciona três pessoas com o nome de Tiago: o irmão de João (Mt 10.2), o filho de Alfeu (Mt 10.3) e o irmão do Senhor (Gl 1.19). A tradição geral da Igreja aponta este último como o autor da carta. Ele foi o líder da igreja em Jerusalém e quem presidiu o primeiro concílio (At 12.7; 15.13-29). O tom de autoridade da carta é coerente com a posição elevada do autor na igreja. Pela tradição, conhecemos alguns fatos sobre ele. Por causa da santidade de sua vida e observância rígida da moralidade prática da Lei, era estimado pelos judeus de sua comunidade, que o chamavam "O Justo", e ganhou muitos deles para Cristo.

Dizem que seus joelhos eram calejados como os de um camelo, em conseqüência de sua constante intercessão a favor do povo. Josefo, historiador judeu, narra que Tiago foi apedrejado até a morte, por ordem do sumo sacerdote.

---

[a] Fonte não mencionada no texto original [N. do E.].

A quem foi escrita. Às 12 tribos dispersas (1.1), isto é, aos judeus cristãos da dispersão. O tom da carta revela que foi escrita para os judeus.

Por que foi escrita. A carta foi escrita com o objetivo de:

    a) consolar os judeus cristãos, que estavam passando por provas severas;

    b) corrigir desordens em suas assembléias;

    c) combater a tendência de separar das obras a fé.

Quando foi escrita. Provavelmente no ano 60 d.C.; acredita-se que foi a primeira carta escrita à igreja.

Onde foi escrita. Em Jerusalém, segundo se presume.

Conteúdo

    I. A tentação como provação da fé (1.1-21)

    II. As obras como demonstração da fé verdadeira (1.22—2.26)

    III. As palavras e seu poder (3.1-12)

    IV. Verdadeira e falsa sabedorias (3.13—4.17)

    V. Perseverança sob opressão: a paciência da fé (5.1-12)

    VI. Oração (5.13-20)

I. A tentação como provação da fé (1.1-21)

    1. O propósito das tentações: aperfeiçoar o caráter cristão (v. 2-4). A palavra "tentações" é usada aqui num sentido mais amplo, incluindo perseguições externas e solicitações internas ao mal. Tiago ensina aos leitores como transformar a tentação em bênção, fazendo dela uma fonte de paciência e usando-a como o fogo que testa o ouro.

2. A sabedoria: qualidade que deve ser exercitada ao suportar a tentação com êxito. A sabedoria é dom de Deus concedido somente quando há uma fé sólida (v. 5-8).

3. Pobreza e riqueza: uma, fonte de provações e outra, de tentações (v. 9-11). O pobre não se deve entristecer por causa da pobreza; o rico não se deve orgulhar, tampouco, de sua riqueza. Ambos devem alegrar-se por sua vocação elevada.

4. A recompensa por suportar a provação e a tentação: a coroa da vida (v. 12).

5. A origem da tentação interna para o mal (v.13-18). Embora Deus possa mandar tribulações para experimentar os homens, não envia impulsos maus para tentá-los.

> Quando os homens dizem, como muitas vezes o fizeram, que "Deus criou os homens assim"; que "a carne é fraca", ou que "por um momento Deus os desamparou"; que fizeram mal porque não podiam agir de outra maneira, ou que o homem não passa de um autômato — sendo os seus atos resultados inevitáveis de circunstâncias externas e, portanto, não são responsáveis por eles —, estão atribuindo a Deus a culpa por suas más ações... Tiago define o verdadeiro sentido do mal. Este vem da concupiscência — o desejo —, que é, para a alma, meretriz tentadora que a tira do abrigo da inocência, seduz e dá à luz o pecado cometido. — Dean FARRAR[b]

Deus jamais envia impulsos maus; é ele quem nos dá o poder pelo qual somos elevados a uma vida nova e mais nobre (1.16-18).

6. A atitude que devemos assumir referente aos fatos anteriores: o controle da palavra e do temperamento, a pureza de conduta e uma atitude receptiva com a palavra de Deus (v. 19-21).

[b]Idem.

II. As obras como demonstração da fé verdadeira (1.22—2.26)

1. A fé verdadeira deve manifestar-se tanto no ato de obedecer como no de ouvir a Palavra de Deus (v. 22-25).

2. A fé verdadeira deve manifestar-se na prática da religião, cujas características são o controle da própria língua, o amor fraternal e o afastamento do mundo (v. 26,27).

3. A fé verdadeira é demonstrada pela imparcialidade no trato com pobres e ricos (2.1-13). Cortesia com os ricos e, ao mesmo tempo, grosseria com os pobres é uma parcialidade que indica fraqueza da fé e constitui violação da Lei.

4. A fé é provada pelas obras (2.14-26). Uma leitura superficial desse trecho poderia dar a impressão de que Tiago nega a doutrina de Paulo, a da justificação pela fé. Martinho Lutero, na primeira fase, opôs-se fortemente a esta carta, acreditando que contradizia as doutrinas de Paulo. Mais tarde, no entanto, reconheceu o engano. Um estudo mais detalhado de seus escritos nos convencerá de que Tiago e Paulo estão perfeitamente de acordo. Paulo acredita nas obras da piedade tanto quanto Tiago (v. 2Co 9.8; Ef 2.10; 1Tm 6.17-19; Tt 3.8). Tiago crê na fé salvadora tanto quanto Paulo (v. Tg 1.3,4,6; 2.5). A contradição aparente explica-se pelo fato de ambos usarem as palavras "fé", "obras" e "justificação" com significados diferentes. Por exemplo:

    a) a fé a que Tiago se refere é a simples aceitação intelectual da verdade, que não conduz à retidão prática — tal como a fé que os demônios têm em Deus (2.19). "De que aproveita, meus irmãos, se um homem professa ter fé e os seus atos não correspondem? Poderá tal fé salvá-lo?" (v. 14, tradução de Weymouth. Na NVI: "De que adianta, meus irmãos, alguém dizer que tem fé, se não tem obras? Acaso a fé pode salvá-lo?"). A fé definida por Paulo é um poder intelectual, moral e espiritual que coloca a pessoa em união vital e consciente com Deus;

b) Paulo refere-se às obras mortas do legalismo, executadas simplesmente por um senso de dever e por compulsão, e não pelo puro amor a Deus. Para Tiago, as obras são os frutos do amor de Deus disseminados no coração pelo Espírito Santo;

c) a justificação mencionada por Paulo é o ato inicial pelo qual Deus pronuncia a sentença de absolvição para o pecador e confere-lhe a justiça de Cristo. A justificação da qual fala Tiago é a santidade ininterrupta da vida que prova ser o cristão um verdadeiro filho de Deus;

d) Paulo tem em mente a base da salvação; Tiago, o fruto. Paulo fala do princípio da vida cristã; Tiago, de sua continuação. Paulo condena as obras mortas; Tiago, a fé morta; Paulo destrói a confiança vã do legalismo; Tiago, a confiança vã de quem apenas professa o cristianismo.

III. As palavras e seu poder (3.1-12)

1. Uma advertência contra o hábito de assumir precipitadamente a posição de mestre, por causa da grande responsabilidade dessa vocação, e os perigos de ferir por meio da palavra falada, que é o instrumento de ensino usado pelo mestre (v. 1,2).

2. O poder da língua (v. 3-5), comparado ao freio do cavalo, ao leme do navio e a uma fagulha.

3. O mal da língua (v. 6-12).

Assim também, a língua é um fogo; é um mundo de iniqüidade. [...] incendeia todo o curso da vida, sendo ela mesma incendiada pelo inferno. [...] ninguém consegue domar. É um mal incontrolável, cheio de veneno mortífero. Com a língua bendizemos o Senhor e Pai, e com ela amaldiçoamos os homens, feitos à semelhança de Deus. [...] não pode ser assim. Acaso podem sair água doce e água amarga da mesma fonte? [...] pode uma figueira produzir azeitonas ou uma videira, figos? Da mesma forma, uma fonte de água salgada não pode produzir água doce.[c]

IV. Verdadeira e falsa sabedorias (3.13—4.17)

1. As manifestações da verdadeira sabedoria (3.13,17,18)
2. As manifestações da falsa sabedoria (3.15; 4.1—17)

V. Perseverança sob opressão: a paciência da fé (5. 1-12)

1. Referente a opressores e oprimidos (v. 1-6). Tiago fala de uma condição que prevalecerá nos últimos dias (v. 4): da opressão dos trabalhadores pelos ricos, que acabará na vinda do Senhor. O julgamento dos ricos ímpios na destruição de Jerusalém é um pálido retrato da sua sorte nos últimos dias. Dean Farrar[d] escreve:

E, se essas palavras de Tiago foram dirigidas aos judeus e cristãos por volta de 61 d.C., com que rapidez se cumpriram suas advertências, e quão terrível e cedo veio a condenação sobre esses tiranos ricos e luxuosos! Poucos anos depois, Vespasiano invadiu a Judéia. Certamente era necessário chorar e lamentar, quando, no meio dos horrores causados pela investida rápida dos exércitos romanos, o ouro e a prata dos ricos opressores não serviam para comprar pão, e eles tinham de abandonar as roupas finas, cujo uso seria perigoso e daria motivo a zombarias. Os adoradores da última Páscoa foram as vítimas. Os ricos foram escolhidos para a pior fúria dos zelotes, e a sua riqueza

[c]Idem.
[d]Idem.

foi destruída nas chamas da cidade conflagrada. Os seus tesouros eram inúteis nesses últimos dias, quando se ouviu às suas portas o estrondo das intimações do juiz divino! Em todos os seus ricos banquetes e orgias eles tão-somente engordaram como oferendas humanas para o dia da matança.

2. Acerca do vingador (v. 7-12). Com relação à condição descrita nos versículos 1 a 6, os filhos de Deus têm de ser pacientes, esperar a vinda do juiz e vingador, tomar Jó e os profetas como exemplos de paciência.

VI. *Oração* (5.13-20)

1. Oração na aflição (v. 13)
2. Oração pelos enfermos (v. 14-16)
3. A eficácia da oração (v. 17,18)
4. Nosso dever para com o irmão desviado (v. 18-20)

Assim, chegamos à conclusão, tanto pelo contexto como pelo significado da própria palavra, de que Tiago e Pedro (1Pe 4.8) referem-se a um ministério de restauração que faz o irmão desviado voltar aos caminhos do Senhor. Tal ministério causará o arrependimento e a confissão dos pecados e conduzirá ao perdão, mesmo que esses pecados sejam "uma multidão". Está escrito que 'Se confessarmos os nossos pecados, ele é fiel e justo para perdoar os nossos pecados e nos purificar de toda injustiça" (1Jo 1.9). Assim, por esse ministério, ao qual somos convocados pelo último versículo de Tiago, podemos ser não somente o meio de salvação de uma alma preciosa que ainda poderá ser útil no mundo, como também instrumentos na remoção de seus pecados pelos quais, de outra maneira, o malfeitor enfrentaria o tribunal de Cristo.[e]

---

[e] Autor não citado no original. Pelo contexto, parece ser Dean Farrar [N. do E.].

22
1Pedro

Tema. Esta carta oferece-nos uma ilustração esplêndida de como Pedro cumpriu a missão que lhe foi confiada pelo Senhor: "E quando você se converter, fortaleça os seus irmãos" (Lc 22.32). Purificado e confirmado por meio do sofrimento e amadurecido pela experiência, Pedro podia pronunciar palavras de encorajamento a grupos de cristãos que passavam por duras provas. Muitas lições que aprendeu do Senhor ele transmitiu aos leitores (cp. 1Pe 1.10 e Mt 13.17; 1Pe 5.2 e Jo 21.15-17; 1Pe 5.8 e Lucas 22.31). O versículo 12 do último capítulo sugere o tema da carta: a graça de Deus. Os destinatários da carta estavam passando por tempos de prova. Assim, Pedro anima-os demonstrando-lhes que tudo o que era necessário para ter força, caráter e coragem fora suprido pela graça de Deus. Ele é o "Deus de toda a graça" (5.10), cuja mensagem ao seu povo é: "Minha graça é suficiente". O tema de 1Pedro pode ser resumido da seguinte maneira: a suficiência da graça divina, e sua aplicação prática na vida cristã, para suportar a prova e o sofrimento.

Por que foi escrita. Com o objetivo de animar os fiéis a permanecerem firmes durante a fase de sofrimento e de levá-los à santidade.

Quando foi escrita. Provavelmente no ano 60 d.C.

Onde foi escrita. Na Babilônia (5.13).

Conteúdo

    I. Alegria no sofrimento por causa da salvação (1.1-12)

    II. Sofrendo por causa da justiça (1.13—3.22)

    III. Sofrendo com Cristo (cap. 4)

    IV. Exortações finais (cap. 5)

I. Alegria no sofrimento por causa da salvação (1.1-12)

1. A fonte da nossa salvação (v. 2):

    a) o Pai, que escolhe;

    b) o Espírito Santo, que santifica;

    c) o Filho, com cujo sangue somos purificados.

2. O resultado da salvação: o novo nascimento (v. 3).

3. A consumação da salvação: a aquisição da herança celestial reservada ao cristão, que, por sua vez, está protegido pelo poder de Deus (v. 4,5).

4. O gozo da salvação (v. 6-8). Até no meio de provas e tentações que apenas devem testar a fé, os fiéis podem alegrar-se no Senhor invisível, com prazer indescritível e cheio de glória.

5. O ministério da salvação (v. 9-12):

    a) os profetas que predisseram os sofrimentos e a glória de Cristo não compreenderam totalmente as próprias profecias. Em resposta a suas perguntas, foi-lhes revelado que a salvação que profetizavam não era destinada a eles mas àqueles que viveriam em outra dispensação;

    b) os anjos que nunca pecaram querem observar o prazer inexplicável daqueles que foram redimidos por Cristo.

II. Sofrendo por causa da justiça (1.13—3.22)

Nesta seção observaremos as seguintes exortações:

1. À santidade (1.13-21). Com mente alerta e sóbria, os fiéis devem abandonar seus antigos hábitos de vida e viver uma vida de santidade à espera da vinda do Senhor.
2. A um amor intenso e sincero com os irmãos (1.22-25). Esse amor virá como resultado natural da purificação da alma pelo Espírito Santo e do novo nascimento.
3. Ao desenvolvimento espiritual (2.1,2). Como a criança recém-nascida instintivamente deseja alimentar-se com leite, assim os regenerados devem ter um forte desejo pelo ensino não adulterado da Palavra de Deus, a doçura que já experimentaram.
4. A aproximar-se de Cristo, a pedra fundamental do grande templo espiritual, do qual os cristãos são pedras vivas (2.3-10). Os cristãos, em conjunto, formam um grande templo (Ef 2.20-22), do qual eles mesmos são o sacerdócio e onde oferecem sacrifícios espirituais (cp. Hb 13.10,15). A relação que Israel, como povo terrestre, tinha com Deus, eles — os gentios — têm com ele como povo celeste, porque são uma geração eleita, uma nação santa, o tesouro peculiar de Deus (v. 9; cp. Dt 7.6).
5. A uma vida irrepreensível, para vencer o preconceito e a inimizade dos pagãos que os cercam (2.11,12).
6. À submissão:

    a) submissão de todos os cristãos ao governo (2.13-17)

Era uma lição necessária para os cristãos desse tempo, tanto que Pedro a ensinou tão energicamente quanto o próprio Paulo. Era necessário, mais do que nunca, numa época em que revoluções perigosas se concentravam na Judéia e quando o coração dos judeus no mundo inteiro ardia em forte chama de ódio contra as abominações da idolatria tirânica; quando os cristãos foram acusados de revolucionar o mundo; quando qualquer pobre escravo cristão, submetido ao martírio ou à tortura, facilmente podia aliviar a tensão da sua alma fazendo denúncias apocalípticas de condenação repentina contra os crimes da mística Babilônia; quando os pagãos, em seu desprezo impaciente, arbitrariamente podiam interpretar uma profecia da conflagração final como se fosse uma ameaça revolucionária e incendiária; e quando em Roma os cristãos já estavam sofrendo por essa razão as agonias da perseguição de Nero. — FARRAR[a]

    b) submissão dos escravos a seus senhores (2.18-25). Os escravos devem ser obedientes até a seus senhores injustos e cruéis. Depois de terem sofrido em silêncio a injustiça, estarão glorificando a Deus e serão verdadeiros seguidores de Cristo, que não se defendeu mas entregou a sua causa a Deus, o justo juiz;

    c) submissão da mulher ao marido (3.1-7). As mulheres cristãs podiam facilmente considerar os seus maridos pagãos inferiores a elas. Em lugar disso, devem obedecer a eles; se estes não aceitam a palavra escrita, nem crêem no testemunho falado, podem ser conquistados pelo testemunho silencioso e eficaz de uma vida santa. Ao proceder assim, as mulheres cristãs estarão seguindo o exemplo das mulheres santas da antigüidade.

7. Ao amor fraternal (v. 8-12).
8. A suportar o mal com paciência (v. 13-16). Se estão fazendo boas obras, não têm nada a temer (v. 13). Assim, se sofrerem inocentemente, devem-se lembrar de que foi prometida uma bênção àqueles que sofrem por causa da justiça (v. 14; cp. Mt 5.11,12). A santidade interna do coração e a disposição exterior de defender a fé com es-

---

[a]Fonte não mencionada no texto original [N. do E.].

pírito de mansidão, com uma boa consciência, finalmente induzirão os pagãos a se envergonharem de suas falsas acusações (v. 15,16). Quanto a sofrer injustamente, o cristão fiel tem o exemplo de Cristo que, como o único sem pecado, sofreu pelos injustos. Mas aos seus sofrimentos sucederam-se triunfo e glorificação; triunfo, porque proclamou a sua vitória "aos espíritos em prisão"; em glorificação, porque está agora sentado à direita de Deus (v. 18-22).

Da mesma maneira, a glória virá depois dos sofrimentos dos cristãos.

III. Sofrendo com Cristo (cap. 4)

1. Morte ao pecado (4.1-6). Como Cristo morreu para a vida terrestre e levantou-se de novo para uma vida celeste, assim os cristãos devem considerar-se mortos a vida anterior de pecados e vivos para uma vida nova de santidade (v. 1-3; cp. Rm cap. 6). Os pagãos admiram-se de sua maneira de viver e falam mal deles. Mas, finalmente, o bem triunfará quando o Senhor julgar os vivos e os mortos (v. 4-6).

2. Importância da conduta por causa da iminente volta do Senhor (v. 7-11).

3. O glorioso privilégio de sofrer com Cristo (v. 12-19). Os cristãos não devem ficar surpresos por Deus prová-los e purificá-los pelo sofrimento, mas devem alegrar-se pelo fato de poderem participar dos sofrimentos de Cristo (v. 12,13). Suportar a humilhação de Cristo é um sinal da graça espiritual que há neles, mas sofrer como malfeitor é sinal de desonra (v. 15). Os cristãos devem esperar o sofrimento, porque o juízo deve começar pela casa de Deus — deve haver um tempo de purificação para a Igreja. Assim, todos os que sofrem devem confiar naquele que é fiel (v. 17-19).

IV: *Exortações finais* (cap. 5)

    1. Aos pastores (5.1-4)
    2. Aos moços (v. 5,6)
    3. À igreja em geral (v. 6-11)
    4. Saudações (v. 12-14)

23
2Pedro

Tema. A primeira carta de Pedro trata de um perigo externo à igreja: as perseguições. A segunda carta de Pedro, de um perigo interno: a falsa doutrina. A primeira foi escrita para dar ânimo; a segunda, para advertir. Na primeira, vê-se Pedro cumprir sua missão de fortalecer os irmãos (Lc 22.32); na segunda, a de pastorear as ovelhas, protegendo-as dos perigos ocultos e insidiosos, para que andem nos caminhos da justiça (Jo 21.15-17). Na segunda carta, o autor faz uma descrição viva dos falsos mestres que ameaçam a fé da igreja e, como antídoto à vida pecaminosa deles, exorta os cristãos a recorrerem a todos os meios para crescer na graça e no conhecimento experimental de Jesus Cristo. O tema pode-se resumir da seguinte maneira: o conhecimento experimental e completo de Cristo é uma barreira contra a falsa doutrina e uma vida impura.

Por que foi escrita. Com o objetivo de dar um retrato profético da apostasia dos últimos dias e de convencer os cristãos de que somente com um coração alerta e com o devido preparo poderiam enfrentar os perigos.

Quando foi escrita. Provavelmente em 66 d.C.

Conteúdo

    I. Exortação a crescer na graça e no conhecimento divino (cap. 1)

    II. Advertência contra os falsos mestres (cap. 2)

    III. Promessa da vinda do Senhor (cap. 3)

I. Exortação a crescer na graça e no conhecimento divino (cap. 1)

1. Saudação (v. 1,2). A graça e paz que Pedro pede para os santos devem levar ao conhecimento experimental de Deus e de Cristo.

2. A base do conhecimento salvador — as promessas de Deus (v. 3,4).

3. O crescimento no conhecimento experimental (v. 5-11). Não há pausa na experiência cristã; haverá progresso ou retrocesso. O cristão tem um fundamento, a fé; mas ele deve continuamente edificar sobre esse fundamento uma "superestrutura" de caráter e virtude cristãos.

Observe:

    a) o resultado desse "acréscimo" espiritual (v. 5): frutificação no conhecimento experimental das coisas divinas e conquista da entrada no Reino de Jesus (v. 8,10,11);

    b) o resultado da negligência do crescimento espiritual: cegueira espiritual e apostasia (v. 8).

4. As fontes do conhecimento salvador:

    a) o testemunho dos apóstolos que foram espectadores da glória de Cristo (v. 12-18);

    b) o testemunho dos profetas (v. 19-31).

Além disso, o apóstolo apela para a inspiração dos profetas na confirmação de sua doutrina:

Antes de mais nada, saibam que nenhuma profecia da Escritura provém de interpretação pessoal, pois jamais a profecia teve origem na vontade humana, mas homens falaram da parte de Deus, impelidos pelo Espírito Santo". Ele reconheceu como verdade primordial que a profecia não se origina do próprio profeta, tampouco se limita aos tempos do profeta. A profecia foi dada a ele, como foi dada a nós. Pedro e os seus companheiros não seguiram fábulas artificialmente compostas; foram guiados nas suas declarações proféticas pelo Espírito Santo.[a]

II. Advertência contra os falsos mestres (cap. 2)

1. A conduta dos falsos mestres (v. 1-3). Eles introduzem, furtiva e artificialmente, heresias nocivas, negando o próprio Senhor. Escondem seus verdadeiros motivos com argumentos plausíveis e desviarão muitos do caminho.
2. A condenação certa desses falsos mestres demonstra-se nos antigos exemplos de punições (v. 4-9).
3. O caráter desses falsos mestres (v. 10-22). O apóstolo provavelmente tem em vista o surgimento futuro das seitas gnósticas, que combinavam uma moral corrompida à vida pecaminosa. As seguintes seitas surgiram no século II: os ofiólatras, que adoravam a serpente do jardim do Éden como sua benfeitora; os cainitas, que exaltavam como heróis algumas das personagens mais vis do AT; os carpócratas, que ensinavam a imoralidade; os antítactos, que consideravam a violação dos Dez Mandamentos como um dever ao Deus supremo, pela razão de terem sido promulgados por um ímpio anjo mediador.

III. Promessa da vinda do Senhor (cap. 3)

1. Os zombadores e a promessa da segunda vinda (v. 1-4).

---

[a]Fonte não mencionada no texto original [N. do E.].

Um ceticismo presunçoso e uma concupiscência desordenada, pondo a natureza e suas chamadas leis acima do Deus da natureza e da revelação, e concluindo pela continuidade dos fenômenos naturais do passado, que tais fenômenos não poderão ser interrompidos no futuro, foi o pecado dos antediluvianos — aqueles que viviam antes do Dilúvio — e será o pecado dos zombadores nos últimos dias.

2. Respostas às objeções (v. 5-9):

a) eles obstinadamente fecham os olhos para o relato da Criação e do Dilúvio nas Escrituras, este último sendo o próprio paralelo para o juízo vindouro pelo fogo. [...] "Tudo continua como era, desde o princípio da Criação."

Antes do Dilúvio, a mesma objeção com a mesma plausibilidade poderia ter sido apresentada contra a possibilidade do Dilúvio: os céus e a terra sempre existiram. Era pouco provável que não continuassem da mesma maneira! Mas, responde Pedro, o Dilúvio veio a despeito desse raciocínio; da mesma maneira, virá a destruição final da terra, a despeito dos zombadores dos últimos dias[b].

b) a demora de Deus deve-se a sua misericórdia.

3. A certeza, a presteza e os efeitos da vinda do Senhor (v. 10-13). O "dia do Senhor" aqui mencionado se refere a uma série completa de acontecimentos que começa com o advento pré-milenar e termina com a destruição dos ímpios, a conflagração final e o juízo geral.

Como o Dilúvio foi o batismo da terra, resultando em uma terra renovada, parcialmente liberta da maldição, assim o batismo pelo fogo purificará a terra para que seja a morada renovada do homem regenerado e inteiramente liberto da maldição.[c]

[b]Idem.
[c]Idem.

4. Exortações finais:

   a) a viver sem culpa à luz de sua grande esperança (v. 14);

   b) a lembrar que o motivo da demora do Senhor deve-se a dar aos homens uma oportunidade de arrependimento (v. 15). Paulo também escreveu a respeito do segundo advento. Muitos cristãos, inconstantes na fé e abalados por toda sorte de dificuldade aparente, interpretam precipitadamente os textos difíceis dos escritos de Paulo, em vez de esperar que Deus, pelo seu Espírito, os esclareça (v. 16);

   c) a evitar que se desviem do caminho pela falsa doutrina (v. 17);

   d) a crescer na graça (v. 18).

24
1João

Tema. O *evangelho* de João expõe os atos e palavras que provam que Jesus é o Cristo, o Filho de Deus; a *primeira carta* de João expõe os atos e palavras obrigatórios àqueles que crêem nessa verdade. O evangelho trata dos fundamentos da fé cristã; a carta, dos fundamentos da vida cristã. O evangelho foi escrito para dar um fundamento de fé; a carta, para dar um fundamento de segurança. O evangelho vai-nos conduzir ao limiar da casa do Pai; a carta familiariza-nos com a sua casa. Esta é uma carta afetuosa de um pai espiritual a seus filhos na fé, na qual ele os exorta a cultivar a piedade prática que produz a união perfeita com Deus, e a evitar a forma de religião em que a vida não está de acordo com a profissão de fé. Para alcançar seu propósito, o apóstolo estabelece algumas regras, pelas quais se pode provar a verdadeira espiritualidade — regras que formam a linha rígida de demarcação entre aqueles que apenas professam andar em amor e santidade e aqueles que verdadeiramente o fazem. Embora João fale de uma maneira clara e severa, ao tratar da doutrina errônea e da vida incoerente, seu tom, contudo, é geralmente afetuoso e mostra que ele merece o título de "apóstolo do amor". A freqüente repetição da palavra "amor" e a expressão "filhinhos" faz que a carta ganhe uma atmosfera de ternura. Aqui cabe bem a seguinte história: o apóstolo, em idade muito avançada, somente com dificuldade podia ser levado para a igreja nos braços de seus discípulos. Fraco demais para proferir exortações extensas nas reuniões, dizia apenas: "Filhinhos, amai-vos uns aos outros!". Os discípulos e pais, cansados da constante repetição, disseram: "Mestre, por que sempre repetes isso?". Ele respondeu: "É o mandamento do Senhor e, se for feito apenas isso, será o suficiente".

Resumiremos o tema da seguinte maneira: os fundamentos da segurança cristã e da comunhão com o Pai.

Por que foi escrita. Com os seguintes propósitos, declarados na própria carta:

1. Para que os filhos de Deus tenham comunhão com o Pai e o Filho, e uns com os outros (1.3).
2. Para que os filhos de Deus possam ter satisfação completa (1.4).
3. Para que não pequem (2.1).
4. Para que reconheçam os fundamentos da vida eterna (5.13).

Quando foi escrita. Por volta do ano 90 d.C., provavelmente.

Onde foi escrita. Em Éfeso, presume-se, onde João viveu e ministrou depois de sair de Jerusalém.

Conteúdo

    I. Introdução (1.1-4)

    II. Comunhão com Deus (1.5—2.28)

    III. Filiação divina (2.29—3.24)

    IV. O espírito da verdade e o espírito do erro (4.1-6)

    V. Deus é amor (4.7-21—5.1-3)

VI. A fé (5.4-12)

VII. Conclusão: a confiança cristã (5.13-21)[d]

I. Introdução (1.1-4)

1. A essência do evangelho: a divindade, a encarnação de Cristo (v. 1).

2. A garantia do evangelho:

   a) a experiência do apóstolo (v. 1). Eles estiveram em contato pessoal com a Palavra da vida;

   b) o testemunho apostólico (v. 2).

3. O propósito da pregação do evangelho (v. 3):

   a) para que os cristãos possam ter comunhão com os apóstolos e com todos os irmãos em Cristo;

   b) para que os cristãos possam participar de todas as bênçãos e privilégios que os apóstolos obtiveram da comunhão com o Pai;

   c) o resultado do evangelho: a satisfação completa que vem da comunhão perfeita com Deus (v. 4).

II. Comunhão com Deus (1.5—2.28)

O apóstolo dá as seguintes provas de comunhão com Deus:

1. Andar na luz (1.5-7).

Havia falsos mestres nos dias de João que tentavam levar os cristãos a deixarem a igreja e se unirem a um grupo herege. Entre outras coisas, ensinavam que, se a mente da pessoa estivesse iluminada pelo conhecimento celestial, sua conduta não

---

[d]As citações deste estudo de João são do comentário de Pakenham e Walsh sobre a primeira carta de João (PAKENHAM & WALSH, *Commentary on 1 John*. New York: McMillan Co.)

teria importância; ela poderia cometer todos os pecados que tivesse vontade. João disse que essa doutrina destruiria a santidade, e a verdade era completamente oposta ao cristianismo. Nessa parte, ele deixa muito claro que, longe de ser verdade que toda conduta seja igual para o homem iluminado, o caráter de sua conduta é que demonstra se ele está iluminado ou não.

Deus é luz, quer dizer, ele é a fonte da verdade pura, da santidade pura e da inteligência pura. Quem voluntariamente anda na escuridão do pecado mente ao afirmar que tem comunhão com ele.

2. Conhecimento e confissão de pecado (1.8—2.1). Atribuir a si uma perfeição absoluta, ou negar ser pecado a prática de certos atos físicos (como faziam os antinomianos) é enganarmos a nós mesmos e chamar de mentira a revelação de Deus. É vontade de Deus que não pequemos. Quando a luz de Deus revelar o pecado em nós, devemos confessá-lo e obter a purificação que o sangue de Jesus e sua intercessão em nosso favor tornam possível.

3. Obediência aos mandamentos de Deus em imitação a Cristo (2.2-6).

Os falsos mestres declaravam que a coisa mais importante era o conhecimento; se a pessoa estivesse iluminada por aquilo que eles consideravam o conhecimento do amor, sua conduta não teria importância. João deseja demonstrar que tal conhecimento é um engano e que todo verdadeiro conhecimento de Deus resultará em santidade de vida, e que sem isso o conhecimento é uma coisa morta e inútil. Assim sendo, ele ordena aos homens que dêem provas do conhecimento que têm de Deus. Para saberem com certeza se têm ou não o conhecimento de Deus, a prova é simples — eles guardam os mandamentos divinos?

4. Amor com os irmãos (2.7-11). João está escrevendo um mandamento antigo e ao mesmo tempo novo: antigo, por-

que eles o ouviram quando se tornaram cristãos; novo, porque é recente e vivo para aqueles que têm comunhão com Cristo, a verdadeira luz que agora os ilumina.

5. Afastamento do mundanismo (v. 12-17). O cristão não pode amar ao mesmo tempo Deus e o mundo, perturbado pelo domínio desenfreado das forças pecaminosas e dominado pela corrupção.
6. Doutrina pura (2.18-28). Os cristãos ouviram falar do anticristo que virá ao fim desta última era. Mas o espírito do anticristo está no mundo, presente na pessoa de certos falsos mestres, que negam a divindade e a missão messiânica de Cristo. O cristão não se deve desviar de seu caminho pelos argumentos sutis e aparentemente certos dos que estão em erro, porque o Espírito os conduzirá a toda a verdade.

Há aqui uma clara referência a um falso mestre, Cerinto, que negava que Jesus era o Cristo e declarava que o homem Jesus e o "*aeon*" (espírito, em grego) Cristo eram seres distintos. Ensinava que Jesus foi um homem comum, até o momento do batismo, quando esse *aeon* desceu sobre ele, dando-lhe o poder de fazer milagres e revelando-lhe o Pai, até então desconhecido. O *aeon*, incapaz de sofrer, deixou Jesus antes de sua paixão. Assim, as duas verdades centrais da encarnação e da expiação foram negadas por essa doutrina. [...] Esses falsos mestres viviam dizendo aos cristãos: "Vocês precisam de muita instrução; sigam-nos e os conduziremos às profundidades da fé cristã. Conhecendo os mistérios ocultos, podemos ensinar a vocês que necessitam do ensino". João lembra aos cristãos a unção que eles receberam do divino Mestre, o Espírito Santo, e a sua presença no meio deles. [...] Tendo o Espírito Santo, não necessitavam de nenhum outro mestre, e mesmo na presença dos arrogantes mestres do erro podiam, sem temer, afirmar que possuíam essa união. Não quer dizer que eles não necessitassem de nenhum mestre, nem da instrução de um apóstolo, ou mestre na igreja (v. Ef 4.11; Hb 5.12).

III. Filiação divina (2.29—3.24)

João deu as seguintes provas da filiação divina:

1. Andar corretamente (2.29—3.10). O cristão deve mostrar um antagonismo absoluto ao pecado pelos seguintes fatos:

    a) sua filiação divina e a esperança de chegar a ser como Jesus (2.29—3.1-3);

    b) pecado é anarquia (transgressão da Lei) — em suma, rebelião contra Deus (3.4);

    c) o caráter de Cristo e de sua obra expiatória por nós (v. 5-7). Enquanto permanecermos em Cristo, não pecaremos; enquanto pecarmos, não permaneceremos em Cristo;

    d) a origem diabólica do pecado (v. 8);

    e) a qualidade divina da vida cristã (v. 9);

    f) depende das nossas ações, que é a prova final, se somos filhos de Deus ou filhos do diabo (v. 10).

2. Amar os irmãos (3.11-18):

    a) o mandamento (v. 11);

    b) a advertência (v. 12);

    c) a consolação (v. 13-15);

    d) o modelo (v. 16);

    e) a ilustração prática (v. 17,18). "Atos falam mais alto do que palavras".

3. A segurança (3.19-24):

    a) a base da segurança (v. 19). A prática do amor inspirado por Deus aos irmãos, e não somente os nossos sentimentos instáveis, e a prova da realidade de nossa fé e de nossa união com Cristo;

b) os resultados da segurança (v. 20-24).

IV. O espírito da verdade e o espírito do erro (4.1-6)

A idéia da habitação do Espírito Santo em nós (3.24) leva João a tratar — como parêntese — de outros espíritos: os falsos e maus, e de como os cristãos podem distingui-los:

1. O apelo (v. 1). Não importa quão eloqüente seja o profeta e quantos dons possua; sua doutrina deve ser provada.
2. A prova (v. 2) — a confissão da encarnação de Cristo.

Tudo isso se relaciona com a nossa própria época, quando se fala tanto em espiritismo, teosofia e comunicações com os espíritos e com o mundo espiritual. [...] A prova de João pode aplicar-se, com toda certeza, hoje e sempre. Há *um* "médium" de comunicação espiritual entre o mundo invisível e o visível, entre o céu e a terra, e esse é *Jesus Cristo encarnado*. Todos os verdadeiros espíritos unem-se a ele. Todos aqueles que não são fiéis o negarão, colocando-se como "médiuns" independentes — vestidos em corpos humanos ou não — criando um intercâmbio entre o céu e a terra.

3. O conflito (v. 4). Evidentemente, houve um conflito entre os cristãos e os falsos mestres, mas a igreja aderiu à verdade. Sua vitória é a nossa vitória hoje.
4. A oposição (v. 5,6). Aqueles que estão possuídos pelo Espírito de Deus atraem discípulos semelhantes a si mesmos, homens sinceros, cheios do Espírito Santo e que praticam a justiça; os outros também atraem discípulos semelhantes a si mesmos, homens mundanos de vida má.

V. *Deus é amor* (4.7-21—5.1-3)

1. A chamada ao amor (v. 7).
2. A razão para o amor: "Deus é amor" (v. 8).
3. A prova do amor divino: o sacrifício de Deus (v. 9,10).
4. A exigência do amor. O amor de Deus por nós exige o nosso amor aos nossos irmãos (v. 11).
5. O resultado do amor de nossa parte. A manifestação da presença de Deus (v. 12-16); ousadia (v. 17); ausência do temor que condena (v. 18).
6. A prova de nosso amor. A prova de nosso amor ao Deus invisível é o amor ao nosso irmão, que é feito e restaurado à imagem de Deus (v. 19-21); a prova do nosso verdadeiro amor aos irmãos encontra-se em nosso amor a Deus (5.1, 2); o nosso amor a Deus encontra a sua manifestação na observância de seus mandamentos (v. 3).

VI. *A fé* (5.4-12)

1. A vitória da fé (5.4,5). "... e esta é a vitória que *vence* [na versão grega, o tempo do verbo está no pretérito] o mundo".

João é extremamente ousado ao falar da vitória como algo já realizado. Em cada cristão há um poder vital de Deus, operado pela fé que deve vencer, a qual, sob o ponto de vista de Deus, já venceu. No corpo formado pelos cristãos, a Igreja de Deus, há o mesmo poder para conseguir a vitória final contra o mundo. Quando João escreveu, a Igreja era uma seita desprezada, insignificante, consistindo principalmente em escravos e gente pobre da classe inferior e estava muito longe de ser perfeita. Ela era molestada por falsos mestres; o mundo era o poder de Roma, sólido, unido, irresistível e pagão, que controlava todas as riquezas, a energia e todos os recursos da civilização. Apesar disso, João não profetizou somente que a Igreja venceria o mundo, mas também declarou que já o tinha vencido. As suas palavras mostram, além disso, a vitória completa sobre todo o mal que resta em nós mesmos, sobre todo o mal que existe no mundo e sobre todo sistema de falsidade ou impiedade que luta contra Deus. Tudo isso está assegurado e, do ponto de vista divino, já foi conquistado.

2. O tríplice testemunho terrestre da fé (v. 6-8):

    a) a água testifica o início do ministério terrestre de Cristo, inaugurado por seu batismo;

    b) o sangue testifica da sua morte, que trouxe a redenção eterna;

    c) o Espírito Santo testemunha em todos os séculos a sua ressurreição e vida eterna.

Observe a ênfase no versículo 6: "Não *somente* por água, mas por água e sangue". Cerinto, o principal oponente de João, ensinava que o Cristo celestial desceu sobre Jesus no seu batismo, mas o deixou na véspera de sua paixão. Assim sendo, Jesus morreu, mas o Cristo, sendo espiritual, não sofreu. Segundo ele, Cristo veio com água (batismo), mas não com sangue (morte). O objetivo do apóstolo é o de provar que aquele que foi batizado e aquele que morreu no Calvário eram a mesma pessoa.

3. O testemunho celestial (v. 9-12).

VII. *Conclusão: a confiança cristã* (5.13-21)

1. A essência da confiança cristã — a segurança ou certeza da vida eterna (v. 13).

2. A manifestação da confiança cristã:

    a) exteriormente, o poder de oferecer oração eficaz (v. 14-17);

b) interiormente, a convicção — "Sabemos..." (v. 18-20).

3. Exortação final (v. 20,21):

Em Jesus, você encontrou aquele que é o verdadeiro Deus e a vida eterna. Se estiver naquele que é verdadeiro, você será obrigado a fazer um rompimento sincero, cuidadoso e total com todas as coisas pagãs, e fugir dos ídolos que antes adorava. — SCHLATTER

25
2 e 3 João

I. Segunda carta de João

Tema. A *primeira* carta de João é dirigida à família cristã em geral, prevenindo-a contra a falsa doutrina e exortando-a à piedade prática. A *segunda* é escrita a um membro particular dessa família, com o propósito de instruí-lo sobre a atitude correta com os falsos mestres. Não lhes devia dar hospitalidade. Uma ordem talvez dura, mas é justificada pelo fato de essas doutrinas atacarem os fundamentos do cristianismo e, em muitos casos, ameaçarem a pureza da conduta. Ao receber esses mestres em sua casa, o cristão, a quem João escrevia, poderia identificar-se com os seus erros. João não recomendava tratamento indelicado aos cristãos que doutrinariamente diferem de nós ou que se encontram seduzidos pelo erro. João escrevia na época em que os antinomianos e gnósticos procuravam minar os fundamentos da fé e da pureza. Sob tais condições, era imperativo que os cristãos denunciassem as doutrinas erradas, tanto por palavras como pela atitude. O tema pode resumir-se da seguinte maneira: o cristão deve submeter-se à verdade e evitar comunhão com os inimigos.

Por que foi escrita. Com o objetivo de advertir uma senhora cristã e hospitaleira a não hospedar falsos mestres.

II. Terceira carta de João

Tema. Esta breve carta dá uma idéia de determinadas condições que existiam numa igreja local no tempo de João. A história que pode ser colhida da carta parece ser a seguinte: João tinha enviado um grupo de mestres itinerantes, com cartas de recomendação, a diferentes igrejas, uma das quais era a assembléia a que pertenciam Gaio e Diótrefes.

Diótrefes, dominado pelo ciúme dos direitos da igreja local, ou por alguma razão pessoal, recusou-se a dar hospitalidade a esses mestres e expulsou os membros da igreja que os recebiam. Gaio, um dos membros da igreja, não se deixou intimidar pelo ditador espiritual e hospedou os missionários rejeitados, os quais, mais tarde, relataram sua bondade ao apóstolo. Provavelmente João estava para enviar esses mestres pela segunda vez (v. 6) e exortou Gaio a continuar no ministério de amor a eles. João escreveu também uma carta de advertência a Diótrefes, que foi desprezada. Por isso o apóstolo expressou a intenção de fazer uma visita pessoal à igreja e destituir esse tirano eclesiástico. Resumiremos o tema da seguinte maneira: o dever da hospitalidade com o ministério e o perigo de uma direção tirânica.

Por que foi escrita. Com o objetivo de elogiar Gaio por ter recebido os missionários, que dependiam inteiramente da hospitalidade dos cristãos, e para denunciar a falta de hospitalidade e a tirania de Diótrefes.

26
Judas

Tema. Há alguma semelhança entre a segunda carta de Pedro e a de Judas; ambas tratam da apostasia na igreja e descrevem os líderes dessa apostasia. A esse respeito, Judas parece citar Pedro (cp. 2Pe 3.3 e Jd 18). Ambos se referem ao mesmo grupo de desviados — homens de moral frouxa e de excessos escandalosos. Pedro descreve a apostasia como futura; Judas, como presente. Pedro expõe os falsos mestres como ímpios e extremamente perigosos, mas não no seu pior estado; Judas descreve-os como extremamente depravados e marginais. Foi a presença desses homens na igreja e a sua atividade em propagar suas doutrinas que fizeram Judas escrever esta carta, cujo tema é o dever dos cristãos de se guardarem sem mancha e de lutarem sinceramente pela fé, no meio da apostasia.

Autor. Acredita-se que o autor foi Judas, irmão de Tiago e de Jesus (Mc 6.3).

Por que foi escrita. Com o objetivo de advertir os cristãos contra os apóstatas dentro da igreja, aqueles que, embora negassem a fé, continuavam membros da igreja.

Quando foi escrita. Provavelmente entre 70 e 80 d.C.

Conteúdo. Segue-se uma breve análise da carta.

Depois da saudação (v. 1,2), Judas menciona o propósito de sua carta. A princípio, tinha a intenção de escrever a respeito da doutrina, mas a presença dos falsos mestres fez que advertisse os cristãos a lutarem pelas verdades do Evangelho (v. 3,4). Para ilustrar a condenação desses mestres, ele cita três exemplos da antiga apostasia (v. 5-7). Os apóstatas, sempre cedendo à própria imaginação, são culpados tanto de pecado carnal como de rebelião contra a autoridade (v. 8), e falam da autoridade em termos que nem Miguel, o arcanjo, atreveu-se a usar ao falar ao Diabo (v. 9). Atrevem-se a falar mal das coisas espirituais, que não compreendem. Mas, nas coisas que compreendem, eles se corrompem (v. 10). Seu pecado e condenação estão prefigurados pela Escritura (v. 11) e pela natureza (v. 12,13). São os temas verdadeiros da profecia de Enoque (v. 14). Quanto ao caráter, vivem-se queixando, estão descontentes, são aduladores astutos, zombadores das coisas espirituais, homens que causam divisões, inteiramente carnais, não têm o Espírito de Cristo (v. 16-19). Os cristãos, ao contrário, devem edificar-se na fé, orar no Espírito Santo, permanecer no amor de Deus, sempre olhando para Jesus (v. 20,21). Por aqueles que erraram por fraqueza e estavam vacilando, devia-se ter compaixão; quanto aos outros, devia-se empregar um esforço supremo para salvá-los, mas ao mesmo tempo sempre vigilantes para não se contaminarem pela doutrina corrompida e a vida sensual (v. 22,23). Judas conclui com uma doxologia que louva aquele que pode impedir o cristão de cair na apostasia e no pecado e que é capaz de conservá-lo irrepreensível até o grande dia (v. 24,25).

Seção E
O livro profético

27
Apocalipse

Tema. O livro do Apocalipse é o apogeu da revelação da verdade divina ao homem, o remate do edifício das Escrituras, do qual Gênesis é a pedra fundamental. A Bíblia não estaria completa sem esses livros. Se a ausência de Gênesis nos teria deixado na ignorância sobre o princípio de muitas coisas, a falta do Apocalipse nos teria privado de muitos ensinamentos acerca da consumação de todas as coisas. Entre Gênesis e Apocalipse, podemos observar uma impressionante correspondência:

Gênesis	Apocalipse
O paraíso perdido	O paraíso recuperado
A primeira cidade, um fracasso	A cidade dos redimidos, um sucesso
O princípio da maldição	Não haverá mais maldição
Casamento do primeiro Adão	Casamento do segundo Adão
As primeiras lágrimas	Enxugadas as lágrimas
A entrada de Satanás	O julgamento de Satanás
A criação antiga	A nova criação
A comunhão rompida	A comunhão restaurada

O livro do Apocalipse é a consumação das profecias do AT. Está repleto de símbolos e expressões retiradas dos escritos dos profetas que foram favorecidos por revelações gloriosas sobre o fim dos tempos — Isaías, Ezequiel, Daniel e Zacarias. É o grande "Amém" e o alegre "Aleluia" pelo cumprimento das profecias — a resposta alegre ao desejo ardente e à oração dos profetas para que o Reino de Deus viesse e que a vontade de Deus fosse feita tanto na terra como no céu. Como o remate de todas as Escrituras proféticas, o Apocalipse reúne os fios de todos os livros anteriores, tecendo-os numa só corda forte que liga toda a história ao trono de Deus. Acima de tudo, este livro é uma revelação — a manifestação visível — de Jesus Cristo. No seu evangelho, João descreveu a vida e o ministério terrestres de Jesus. Antes de escrever o livro do Apocalipse, o apóstolo é arrebatado ao trono de Deus, onde vê Jesus revestido da glória que ele tem com o Pai desde a fundação do mundo; aquele que foi julgado pelo mundo volta como o seu juiz; o que foi rejeitado pelos homens toma posse de todos os reinos do mundo, como Rei dos reis e Senhor dos senhores.

O Apocalipse é o livro da vinda de Cristo em glória; assim, resumiremos o tema da seguinte maneira: a vinda de Cristo em glória, como o apogeu da dispensação atual.

Por que foi escrito. Por ordem direta de Jesus ao apóstolo João, para que houvesse um livro de profecia para esta dispensação.

Onde foi escrito. Em Patmos, ilha perto da Ásia Menor, aproximadamente no ano 90 d.C.

Conteúdo. A análise de 1.19 fornece as três divisões principais do esboço:

    I. Referente a Cristo: "as coisas que você viu..." (cap. 1)
    II. Referente à Igreja: "... as presentes..." (caps. 2 e 3)
    III. Referente ao Reino: "... as que acontecerão" (caps. 4—22)

Fatos que devem ser lembrados ao se estudar o Apocalipse

1. De todos os livros do cânon, o Apocalipse é reconhecidamente o mais difícil de interpretar. Alguém disse: "Quem não tem dúvida alguma na interpretação de grande parte do Apocalipse tem mais coragem do que sabedoria". Depois de ter encontrado alguns trechos cujo significado não é claro, é melhor dizer: "Não entendo", e esperar pacientemente uma explicação em vez de buscar interpretações forçadas e fantasiosas.

2. É provável que a interpretação do livro se torne mais clara quando chegar a época do cumprimento das profecias. Na época do AT, a vinda do Messias era um acontecimento sobre o qual todos os fiéis da nação estavam de acordo. Mas, para eles, a profecia messiânica deve ter apresentado muitas dificuldades de interpretação, como o livro do Apocalipse para nós. Nem os profetas compreenderam sempre as próprias profecias (1Pe 1.10,11). Quando as profecias referentes a Cristo começaram a se cumprir pessoas espiritualmente esclarecidas — Simeão (Lc 2.25-35) é um exemplo — viram desaparecer as suas perplexidades ante a luz da "estrela-d'alva" que brilhava nas páginas das Sagradas Escrituras. Todos nós podemos estar de acordo sobre os acontecimentos principais do livro — a tribulação e o juízo futuros, a vinda de Cristo na glória, o estabelecimento do seu Reino — e aguardar pacientemente até que um conhecimento melhor, um esclarecimento espiritual e os próprios acontecimentos derramem luz sobre os detalhes que hoje parecem obscuros.

3. Independente da interpretação do livro, há muitas lições valiosas a aprender, muitos avisos a atender, muitas promessas animadoras que fazem que o livro do Apocalipse seja de grande valor prático para o cristão. Por exemplo,

as mensagens às igrejas contêm instruções práticas que podem ser aplicadas tanto à igreja como ao indivíduo. Quanto a isso, é aconselhável nos lembrarmos de que é sempre mais proveitoso praticar aquilo que compreendemos do que tentar adivinhar e especular o que não compreendemos.

4. Como o livro do Apocalipse é um mosaico de profecias e símbolos extraídos do AT, o estudo de determinados profetas — Isaías, Ezequiel, Daniel e Zacarias — fornecerá a chave para abrir muitas portas fechadas à interpretação.

I. Referente a Cristo: "as coisas que você viu..." (cap. 1)

1. A introdução (v. 1-3):

    a) observe o título do livro: "Apocalipse" ou "revelação de Jesus Cristo";

    b) os meios da comunicação (v. 1). O Senhor comunicou-lhe por meio de sinais e símbolos;

    c) a bênção a quem lê, ouve e observa o que está escrito no livro (v. 3).

2. A saudação (v. 4,5):

    a) do Pai (v. 4);

    b) dos sete Espíritos, isto é, o Espírito Santo, nas suas diversidades, seu poder e operação (v. 4);

    c) de Jesus Cristo (v. 5).

3. O louvor (v. 5,6).

4. A proclamação — a vinda de Cristo (v. 7,8).

5. O profeta (v. 9-20):

    a) seu estado: "no Espírito";

    b) o tempo da visão: "no dia do Senhor"";

c) o lugar: a ilha de Patmos;
d) sua visão.

É bom que meditemos muito em Cristo, que viveu e andou como o Filho do Homem sobre a terra. Contudo esta cena do Apocalipse é um quadro do Cristo da atualidade. É o quadro do Cristo que se senta à direita de Deus na glória. Este é o Cristo que virá. Este é o Cristo em quem pensamos enquanto esperamos a sua vinda. E que perfeição! O Espírito esgota o reino da natureza, na busca de símbolos que possam transmitir à nossa mente finita ao menos um leve conceito da glória, do esplendor e da magnificência daquele que vem, o Cristo do Apocalipse.
— McConkey[a]

II. Referente à igreja: "... as presentes..." (caps. 2 e 3)

As igrejas mencionadas nesses capítulos existiram no tempo de João, e as condições locais vigentes, nessa época, deram lugar à mensagem do Senhor dirigida a elas. Essas igrejas locais, porém, são, evidentemente, símbolo da Igreja inteira, de modo que as mensagens podem ser aplicadas às igrejas de todas as épocas, como se demonstra pelos seguintes fatos: o número sete é claramente típico, porque havia no período de João mais de sete igrejas na Ásia Menor.

Observe também o espaço que lhes é dado. O livro do Apocalipse é tão concentrado e condensado que somente um capítulo é reservado ao Milênio, e menos de um à vinda de Cristo. Observemos também que esses dois capítulos, contendo dez por cento do livro, ocupam-se das mensagens às igrejas, demonstrando, assim, a importância maior dessas mensagens.
— McConkey[b]

---

[a]Fonte não mencionada no texto original [N. do E.].
[b]Idem.

Ao estudarmos esses capítulos, notaremos os seguintes acontecimentos referentes a cada igreja:

1. Uma mensagem de louvor.
2. Uma mensagem de repreensão.
3. Um título simbólico de Cristo, adaptado às necessidades da igreja.
4. Uma promessa àqueles que vencem.
5. Uma referência histórica que esclarece um pouco a mensagem.

Observe a seguir a mensagem enviada a cada igreja.

1. A mensagem à igreja em Éfeso (2.1-7):
   a) louvor: obras, paciência e aversão aos falsos mestres;
   b) repreensão: declínio espiritual;
   c) título de Cristo: a uma igreja que havia perdido o seu primeiro amor, ele é aquele que anda no meio dos sete castiçais — um superintendente sujeita as obras e motivos desses cristãos a um exame detalhado;
   d) promessa ao vencedor: a árvore da vida.
2. Mensagem à igreja em Esmirna (2.8-11):
   a) louvor: paciência na perseguição;
   b) não há mensagem de repreensão a essa igreja sofredora;
   c) título de Cristo: a uma igreja que enfrenta a perseguição, o Senhor revela-se como aquele que sofreu, morreu e ressuscitou;
   d) promessa ao vencedor: libertação da segunda morte;
   e) referência histórica: "E eu lhe darei a coroa da vida". A "coroa de Esmirna" era uma rua circular que consistia em um anel formado por edifícios grandiosos. Um de seus filósofos aconselhou-os a darem mais valor a uma coroa de homens do que a uma de edifícios.

3. Mensagem à igreja em Pérgamo (2.12-17):
   a) louvor: fidelidade no testemunho;
   b) repreensão: o predomínio da vida libertina e idólatra;
   c) título de Cristo: a uma igreja corrompida, ele é aquele que lutará contra a imoralidade e idolatria com sua espada de dois gumes;
   d) promessa ao vencedor: o maná escondido;
   e) referência histórica: Pérgamo era centro de idolatria e tinha um grande altar erigido para a adoração de um deus — a serpente. Isso talvez explique as palavras "onde está o trono de Satanás".
4. Mensagem à igreja em Tiatira (2.18-29):
   a) louvor: caridade, serviço e fé;
   b) repreensão: tolerância de mestres corruptos;
   c) título de Cristo: o que tem olhos como chamas de fogo (cf. v. 23), e o que tem os pés como bronze (simbólico de juízo);
   d) promessa ao vencedor: autoridade sobre as nações;
   e) referência histórica: Tiatira era uma cidade próspera, célebre por suas associações comerciais. Ser membro de uma dessas associações significava desfrutar de muitos privilégios. Talvez haja uma advertência aos comerciantes cristãos a não se unirem com sociedades pagãs que participam de práticas idólatras (v. 20).
5. Mensagem à igreja em Sardes (3.1-6):
   a) louvor: obras (embora imperfeitas);
   b) repreensão: morte espiritual;
   c) título de Cristo: a uma igreja espiritualmente morta, ele é aquele que tem as sete estrelas — igrejas — em suas mãos e, também, os sete Espíritos de Deus cujo poder pode reavivar essas igrejas;
   d) promessas ao vencedor: será vestido com roupas brancas e Jesus confessará seu nome diante do Pai;

e) referência histórica: "Virei como um ladrão". Sardes foi a cena da derrota final de Creso, o grande rei da Lídia, quando os persas atacaram a cidade. No ano 546 a.C., pensando que estava absolutamente seguro em sua cidade considerada inexpugnável, o rei descuidou-se de defendê-la. Encontrando um lugar não protegido, onde a chuva tinha deixado uma abertura na pedra pouco resistente, os persas subiram um a um e tomaram a cidade. Assim, caiu o grande império lídio, numa única noite de descuido.

6. Mensagem à igreja em Filadelfia (3.7-13):

   a) louvor: obediência aos mandamentos de Cristo e firmeza no testemunho;

   b) repreensão: não há uma repreensão direta, embora o fraco elogio da "pouca força" contenha uma sombra de censura;

   c) título de Cristo: a uma igreja ansiosa para entrar pela porta aberta do serviço missionário, Cristo é aquele que tem as chaves para abrir essas portas que ninguém pode fechar;

   d) promessa ao vencedor: colunas no templo de Deus; um novo nome;

   e) referência histórica. Em determinada ocasião, Filadélfia foi destruída por um terremoto; os sobreviventes ficaram tão assustados que viviam fora da cidade, em choupanas. "Farei do vencedor uma coluna no santuário do meu Deus [um edifício que nenhum terremoto pode atingir], e dali ele jamais sairá", como fez o povo durante o terremoto. Mais tarde, a cidade foi reconstruída à custa do governo romano, e foi-lhe dado um novo nome, indicando que a cidade foi consagrada, de uma maneira especial, ao serviço e ao culto do imperador. "E também escreverei nele o meu novo nome". Apesar disso, mais tarde, a cidade abandonou o seu novo nome.

7. Mensagem à igreja em Laodicéia (3.14-22):

   a) louvor: não há elogios para essa igreja;

   b) repreensão: falta de energia espiritual;

   c) título de Cristo: à igreja desanimada, testemunha infiel, ele se apresenta como o "Amém, a testemunha fiel e verdadeira";

   d) promessa ao vencedor: participar do trono de Cristo;

   e) referência histórica: Laodicéia era uma cidade rica e próspera. Após um terremoto, quando outras cidades estavam aceitando a ajuda imperial, ela declarou não precisar dessa ajuda; era rica e não tinha necessidade de nada. Era célebre pela fabricação de lã macia e preta e pelos vestidos caros feitos desse material (v. 18). Era conhecida em todo o império romano por sua escola de medicina e por um "pó frígio", com o qual se fazia um colírio famoso (v. 18).

III. Referente ao Reino: "... as coisas que acontecerão." (caps. 4—22)

1. A visão do trono de Deus (cap. 4). O profeta é elevado, em espírito, ao trono de Deus e dali — da perspectiva das regiões celestiais — ele vê o juízo que será lançado sobre a terra nos últimos tempos.

2. Uma visão do Cordeiro (cap. 5). A principal característica desse capítulo é a abertura do selo de um livro entregue ao Senhor. Ao discutir a natureza desse livro selado, McConkey[c] afirma:

[c]Idem.

Qual é o símbolo do selo? O selo pode ser usado para autenticar a assinatura de um documento. Mas é usado também para manter secreto e seguro o conteúdo de um documento escrito. Selamos uma carta com esse propósito. Na profecia, Deus usa o selo precisamente dessa maneira. Ele disse a Daniel (Dn 12.4), referindo-se a determinadas profecias que deviam ficar secretas: "Feche com um selo as palavras do livro". Falou a João acerca das próprias profecias do Apocalipse que ele desejava que fossem reveladas a seus servos: "Não sele as palavras da profecia deste livro" (Ap 22.10). Parece ser esta a finalidade clara e natural do livro com os sete selos: ocultar a palavra profética. [...] Nele, o rolo [livro] da profecia do NT é desenrolado por Jesus, que rompe os selos na sua ordem divinamente designada.

3. Os selos (6.1—8.1). McKonkey pergunta se o Apocalipse tem uma seqüência histórica e se Cristo alguma vez contou a história do Apocalipse. Depois assinala que os selos constituem a seqüência histórica do livro, e que sua mensagem se assemelha muito ao discurso de Cristo registrado em Mateus 24. Milligan, outro estudioso, tem a mesma opinião. Seguindo as sugestões desses autores, mas não todos os pormenores dos seus esboços, oferecemos o seguinte paralelo:

Mateus, cap. 24	**Apocalipse**, cap. 6
Falsos Cristos (24.5)	Primeiro selo
Guerra (v. 6 e 7)	Segundo selo
Fome (v. 7)	Terceiro selo
Pestilência, morte (v. 7)	Quarto selo
Tribulação (v. 21)	Quinto selo
Convulsão nos céus (v. 29)	Sexto selo
Segunda vinda (v. 30)	Sétimo selo (cap. 7)

4. Vimos que os selos representam a espinha dorsal do Apocalipse. Porém qual é a relação das trombetas e das taças com os selos? A explicação é que não são paralelos,

mas o sétimo selo desdobra-se nas sete trombetas e a sétima trombeta se expande nas sete taças. Graham Scroggie concorda com isso e explica essas seções pelo princípio da inclusão: as sete trombetas estão inclusas no sétimo selo e as sete taças, na sétima trombeta.

5. Seguindo a seqüência histórica do Apocalipse, o aluno perceberá que omitimos alguns episódios. Isso ocorreu porque eles não fazem parte da história, por estarem separados dela. McConkey refere-se a eles como "inserções". Por exemplo: o mapa de um país pode mostrar, num canto, a planta destacada de uma cidade desse país. Isso é uma inserção, com a ampliação da cidade. Ou um quadro de uma batalha famosa exibir setores especiais do campo de batalha e retratos de generais famosos que tomaram parte na batalha. Assim, no Apocalipse, o escritor descreve rapidamente o curso dos acontecimentos que terminam com a vinda de Cristo, mas, aqui e ali, detém-se para mostrar-nos uma vista ampliada de alguma personagem, grupo ou cidade específicos. Assim, destacamos os seguintes episódios:

   a) dois grupos: um de judeus, outro de gentios (cap. 7);

   b) o anjo e o livro (cap. 10);

   c) as duas testemunhas (cap. 11);

   d) os dois sinais (cap. 12);

   e) as duas bestas (cap. 13);

   f) dois retratos de Cristo — o Cordeiro e o Ceifeiro (cap. 14);

   g) Babilônia (caps. 17 e 18).

6. Apresentada a seqüência principal da história do Apocalipse e dos parênteses, concluiremos com um breve resumo:

   a) a segunda vinda (cap. 19);

   b) o Milênio (cap. 20);

   c) o novo céu e a nova terra (caps. 21 e 22).

Esta obra foi composta em *Adobe Garamond Pro*
e impressa por Promove Artes Gráficas sobre papel
Pólen Natural 70 g/m² para Editora Vida.